Briser le silence

Nathalie

DU MÊME AUTEUR

Le Neveu (avec Réal Simard), Montréal, Québec Amérique, 1987.

Trudeau le Québécois, Montréal, Les Éditions de l'Homme, 1989 et 2000.

Bourassa, Montréal, Les Éditions de l'Homme, 1991.

Lucien Bouchard – En attendant la suite..., Montréal, Lanctôt éditeur, 1996.

Landry – Le grand dérangeant, Montréal, Les Éditions de l'Homme, 2001.

Chrétien – Un Canadien pure laine, Montréal, Les Éditions de l'Homme, 2003.

MICHEL VASTEL

Briser le silence

Nathalie

Libre Expression
QUEBECOR MEDIA

Catalogage avant publication de Bibliothèque et Archives Canada

Vastel, Michel

Briser le silence, *Nathalie*

ISBN 2-7648-0243-9

1. Simard, Nathalie. 2. Enfants victimes d'abus sexuels devenus adultes – Québec (Province) – Biographies. 3. Chanteurs – Québec (Province) – Biographies. I. Titre.

HV6570.4.C3V37 2005   362.76'4'092   C2005-942037-5

Direction littéraire
JOHANNE GUAY

Maquette de la couverture
FRANCE LAFOND

Infographie et mise en pages
LUC JACQUES

Photo de la couverture
© LES MAGAZINES TVA INC. / BRUNO PETROZZA

Photo de l'auteur
© *Le Soleil* / PATRICE LAROCHE

Remerciements

Les Éditions Libre Expression reconnaissent l'aide financière du gouvernement du Canada par l'entremise du Programme d'aide au développement de l'industrie de l'édition (PADIÉ) pour ses activités d'édition. Nous remercions le Conseil des arts du Canada, la Société de développement des entreprises culturelles du Québec (SODEC) du soutien accordé à notre programme de publication. Gouvernement du Québec – Programme de crédit d'impôt pour l'édition de livres – gestion SODEC.

Les Éditions Libre Expression
7, chemin Bates
Outremont (Québec) H2V 4V7
Tél. : (514) 849-5259
Dépôt légal
4ᵉ trimestre 2005
ISBN 2-7648-0243-9

À Ève

Table des matières

Toi, tu es une femme, maman...

*Le grand corps de l'homme, un peu
alourdi par ses quarante ans, se glissa sur la
peau douce d'une fillette de onze ans...*

*Remuez le popotin
En f'sant coin-coin
C'est la danse des canards...*

*Il faut savoir quoi faire
Il faut dire :
Non ! Non ! Non ! Non ! Non !
Et puis courir
Tout d'suite à la maison...*

*Ce n'est pas toi qu'on veut voir :
c'est ta sœur !*

*Je n'avais vécu que des histoires de sexe.
Là, j'avais besoin d'amour.
Je tombais amoureuse facilement.*

Alors le p'tit bonheur a fait sa guérison...

Préface

Cela s'est passé le mardi 14 juin 2005. Comme il était devenu de tradition entre Nathalie Simard et moi, je suis arrivé à sa résidence de Roxton Pond, dans le canton de Granby, un peu après neuf heures du matin. Dieu que je détestais le pont Champlain entre Montréal et la rive sud du Saint-Laurent, la sortie 68 de l'autoroute des Cantons-de-l'Est et surtout l'interminable boulevard David-Bouchard, à Granby! Ce voyage me donnait toujours la fâcheuse impression de perdre mon temps, alors que j'avais tant de choses à entendre. À apprendre. En un mot, j'avais hâte…

À mon arrivée, les petits chiens de Nathalie – Pollux et Tickle – se sont occupé de mes revers de pantalon. Il y avait toujours une tasse de café chaud qui m'attendait dans la cuisine. Tout naturellement, comme depuis notre première rencontre, je me suis installé sur la chaise où son ancien impresario s'était assis le 17 mars 2004, le jour où il avait avoué ses crimes devant les caméras de la Sûreté du Québec. Et Nathalie s'est assise en face de moi, là où elle s'était trouvée, elle aussi, ce jour-là.

Pour la jeune femme de trente-cinq ans, ces rencontres constituaient une autre façon de rebâtir son passé. Il ne s'agissait plus d'amener un agresseur à assumer ses actes, mais de partager avec un messager les bons et les mauvais moments de la vie. Plus de mauvais que de bons, hélas!

Le mardi 14 juin 2005, l'entretien serait bien différent! Je n'oublierai jamais ce matin-là.

Jacques Michel, qui composait les chansons du *Village de Nathalie*, m'avait remis des exemplaires de quelques textes écrits par sa conjointe de l'époque, Ève Déziel. Puis, il m'avait confié une mallette de cuirette brune remplie de cassettes sur lesquelles étaient enregistrés l'instrumental de sa musique originale et l'interprétation de Nathalie.

En me rendant dans le canton de Granby, j'en avais écouté quelques-unes. La voix était extraordinairement bien posée. Je trouvais même que, pour une adolescente, Nathalie tenait un peu trop la mélodie dans la gorge. Cependant, avec les décors rose bonbon et la robe bleu pastel, le modèle de la petite fille sage avait dû bien sortir à l'écran.

Mais Dieu que les paroles d'une de ces chansons étaient dérangeantes : elle faisait exactement 4 minutes 37 secondes…

– Jacques Michel m'a recommandé de te montrer cela, commençai-je en tendant à la chanteuse les deux feuilles de papier sur lesquelles on avait tapé à la machine les paroles de la chanson *Il faut savoir dire non!*

« Quand un inconnu veut te dire un secret / Quand un inconnu veut t'offrir un jouet / Dis-lui "Non" et sauve-toi en courant / Va tout raconter à tes parents… »

Quatre couplets et quatre refrains que Nathalie martelait d'une voix forte. Et cette simple phrase :

« Il faut dire : / Non! Non! Non! Non! Non! »

À mon grand désappointement, Nathalie ne réagit pas, lisant lentement le texte et me regardant d'un air surpris. « Je ne me souviens pas », affirma-t-elle.

J'ai alors sorti la cassette de ma poche. Nathalie Simard est très *high tech* pour ses appareils vidéo et audio. Les cassettes, c'est comme les vinyles : bien des gens de sa génération n'ont même plus d'appareil pour les écouter! Heureusement, la jeune femme a fini par dénicher un vieux *ghetto blaster* un peu empoussiéré. «Je ne suis même pas sûre qu'il fonctionne encore», avoua-t-elle d'un air gêné.

Pour le temps qu'on s'en servirait... Même pas les 4 minutes 37 secondes d'enregistrement!

Elle a mis la cassette dans l'appareil. Je crois bien qu'elle avait encore un doigt sur le bouton de démarrage lorsqu'elle a crié. Moins de trois mesures de musique ont suffi pour qu'elle reconnaisse la chanson. Elle s'effondra en pleurant sur la table de la salle à manger.

Devant moi se tenait une femme de trente-cinq ans, presque trente-six. Quelques notes de musique avaient été suffisantes pour faire surgir de sa mémoire un autre morceau de sa triste vie. Et pour l'anéantir encore une fois.

Cette chanson, c'est son histoire. La triste histoire d'une enfant pourchassée par un inconnu, et qui se sauve en disant «Non! Non! Non!» C'est aussi un conseil qu'elle avait donné aux enfants de dix ans qui suivaient alors son émission hebdomadaire à la télévision et aux admirateurs de son fan-club. Un conseil qu'elle-même n'avait jamais suivi.

Nathalie Simard ne s'est jamais sauvée en courant. Elle n'a rien dit à ses parents. Ni à personne d'autre d'ailleurs. Son agresseur l'a immédiatement enfermée dans un silence coupable, lui a imposé la pire des complicités, celle de l'innocence avec l'infamie.

Au cours de nos entretiens, à chacune de ces années de silence correspondaient de longues pauses pendant lesquelles Nathalie pleurait doucement avant de se ressaisir et de reprendre le cours de son histoire. Cela pouvait se produire à trois ou quatre reprises à chaque rencontre. Non pas que Nathalie ait la larme facile, au contraire. Elle pouvait soudain me toiser du regard lorsqu'elle n'aimait pas une de mes questions, et me répondre d'un ton froid et direct. Une fois, alors que je lui rapportais des ragots courant à son sujet dans quelque chic restaurant de la ville – une place où l'impresario se tenait régulièrement –, j'ai bien cru qu'elle allait me sauter dessus toutes griffes dehors !

Ensemble, en avons-nous remué de tristes souvenirs ! J'étais sans doute le quinzième homme – après les parents, les amis, les psychologues, les policiers, les avocats, le juge et Paul Arcand – à qui elle racontait son histoire.

Mais nous étions seuls tous les deux dans cette pièce où il s'était passé tant de choses. C'était intime et cela se prêtait à la confidence. Je n'arrêtais pas de lui poser des questions, réclamant davantage de détails… « C'était où ? Comment ça s'est passé ? Quand ? »

Ah, les maudites dates ! Nathalie a reconstitué sa vie grâce à sa discographie, ses disques et ses émissions de télévision étant ses seuls repères. Sa biographie aurait dû être écrite sur une portée de musique. Pas de bémols. Pas de dièses. Pas de demi-tons. Une vie toute en noires…

Des amis d'enfance ? Si peu. Des souvenirs scolaires ? Si rares. Le premier « chum » ? Il n'y en a jamais eu, puisque sa virginité lui a été arrachée.

J'avais lu les procès-verbaux des policiers, la triste « Déclaration de la victime » qu'elle avait écrite de sa main, et le terrible réquisitoire du substitut du procureur général. Mais il était important de préciser tout cela, d'aller plus loin, de le rendre dans les propres mots de Nathalie.

Toutefois, j'ai tu les longues pauses, pendant lesquelles je ne voulais pas que l'enregistreuse garde en mémoire ses sanglots. Ni mes soupirs non plus, à l'occasion… De toute façon, les larmes dans les yeux ne font aucun bruit.

Parfois, les détails étaient insupportables, mais Nathalie tenait à les donner. Courageusement. Elle s'est engagée dans ces entretiens avec la même application dont elle avait fait preuve lors de ses rencontres avec les policiers et les avocats. Une fois de plus, elle déballait son sac de mauvais souvenirs. Je l'ai laissée faire, même si, parfois, j'étais encore plus embarrassé qu'elle.

À la réflexion, je me dis que tous ces mauvais souvenirs, désormais figés dans l'encre de l'imprimeur, prisonniers d'une feuille de papier, ne reviendront peut-être plus la hanter. Partagée avec des dizaines de milliers d'autres personnes, son histoire sera sans doute, pour elle, moins lourde à porter. Peut-être que, en se lisant à la troisième personne, Nathalie Simard sera enfin libérée de son terrible « moi ».

Elle avait souvent peur que je ne sois pas satisfait. « C'est-tu correct ? » demandait-elle un peu anxieuse. « J'ai pas trop l'air niaiseuse, là ? »

Mais comment la rassurer ? J'avais beau lui tendre la main au-dessus de la table, son angoisse était enfoncée trop profondément en elle pour me permettre d'atteindre cette femme blessée et de la soulager. Alors, quand je ne mettais pas assez vite mon enregistreuse à « Pause », elle se levait et allait me chercher une autre tasse de café…

Quand j'ai relu tous ces mots qu'Olivier Leguay a transcrits pour moi, que je les ai organisés, et que j'ai commencé à reconstituer la vie de Nathalie Simard, l'horreur – non, le mot n'est pas trop fort ! – de cette histoire qu'on m'avait demandé d'écrire m'a rattrapé.

Je me suis laissé prendre à son propre drame, tout en me disant, au fil des années que je parcourais ainsi en accéléré : « Mais cela va-t-il finir ? L'impresario va-t-il éprouver un peu de compassion pour sa victime ? Exprimer un soupçon de regret ? »

Je n'arrivais pas à comprendre que la fillette, puis l'adolescente, la jeune femme enfin, ait pu passer vingt-cinq années à attendre une autre torture. Comment aurais-je pu le comprendre, d'ailleurs ? Moi, un homme. Un autre homme…

En tentant de me mettre à la place de Nathalie, je me prenais encore à penser : «Va-t-elle le gifler? Le mettre dehors? Le dénoncer? Faire quelque chose?» Elle a répondu à ces questions dans ses propres mots :

– C'était tellement difficile… Cet homme était le gérant de mon frère. Je le connaissais depuis que j'étais toute petite. Ses deux filles, sa femme, tous ces gens, je les aimais. Sa conjointe n'avait pas d'enfants, alors qu'elle aurait tant aimé en avoir. Elle m'a donné du temps, elle a fait ce qu'elle a pu. Elle n'était pas ma mère, mais elle a agi un peu comme une mère. Ce ne serait pas facile non plus pour ses filles d'apprendre que leur père est un pédophile. [Qu'il l'a été] avec moi, qui ai grandi près d'elles. Je pense souvent à elles…

Nathalie Simard pense souvent aux autres avant de penser à elle.

Je m'étais promis «une belle histoire» en me lançant dans cette entreprise. Mais comment accumuler quelques bons souvenirs quand les meilleurs moments de sa vie, les triomphes sur scène comme les fêtes en famille, sont irrémédiablement précédés, ou suivis, de douloureuses meurtrissures?

On eût dit qu'il me fallait, moi aussi, revivre toutes ces années de violence pour savourer enfin, avec elle, une victoire.

Avant d'en arriver là, j'ai dû, comme elle, apprendre à détester un homme. Haïr n'est pas un acte aussi simple qu'on le croit, surtout lorsqu'il n'est pas précédé de souffrances. Seules les victimes sont capables de haine envers leur bourreau. Toutefois, j'ai fini, moi aussi, par maudire cet homme que je n'ai pas voulu nommer une seule fois dans ce livre, tant je veux l'oublier. Et le faire oublier.

«L'affaire», comme disent les journalistes, doit maintenant changer de nom. Il est temps qu'on parle un peu de Nathalie. L'autre, en prison ou ailleurs, «est fini» comme il l'a si bien prédit.

18

La haine du tourmenteur fut, pour moi, comme une sorte de passage obligé avant d'aller plus loin dans l'histoire de Nathalie Simard.

À cause de cet homme, je ne suis plus capable de regarder une petite fille de neuf ou dix ans de la même manière qu'autrefois. Et à cause de lui encore, je suis obligé d'admettre que l'homme est capable des pires turpitudes. Je n'aurais jamais cru que « cet homme, mon frère » puisse déchoir aussi bas. Un homme d'à peu près mon âge, en plus !

J'en suis venu à avoir honte de l'Homme. À avoir honte de moi...

Non, ce ne fut pas un livre facile à concevoir et à écrire. Heureusement que Nathalie Simard m'a entraîné avec elle hors de son silence et m'a permis de vivre l'année de sa libération. En rencontrant des policiers, des avocats et des substituts du procureur général, des psychologues, des parents et de fidèles amis, je me suis senti, comme elle, bien entouré.

Et le livre terminé, je suis entré avec elle dans les saisons de sa renaissance.

On ne peut pas dire que la fin soit belle, puisque la vie de Nathalie Simard reste à écrire. Elle n'est pas terminée, elle commence plutôt. Mais elle part du bon pied, et c'est tout ce qui compte.

L'héroïne du livre m'a fait une place dans son bonheur retrouvé. Allons, l'expérience en valait la peine, puisque j'en suis sorti avec un petit morceau de son sourire !

*

Je ne soupçonnais pas l'ampleur de l'aventure dans laquelle je m'engageais, au début de 2005, lorsque mon ami et ancien collègue Luc Lavoie m'y entraîna. Le vice-président exécutif de Quebecor ne l'imaginait pas non plus d'ailleurs, jusqu'à ce qu'il lise ce livre !

Le dévouement avec lequel l'équipe des Éditions Libre Expression se soucie de ses auteurs fait d'elle la digne héritière de la tradition créée par le journaliste André Bastien et sa conjointe, la regrettée Carole Levert, à la tête de la maison qu'ils ont fait grandir au Québec depuis le milieu des années 1970. Pendant un été et malgré la complexité de cette tâche, je me suis senti bien soutenu, moi aussi. Cela nous mit, Nathalie et moi, davantage en confiance.

Avant de vous laisser avec Nathalie, cher lecteur, je dois apporter deux précisions.

Comme tous mes collègues qui se sont lancés dans de telles biographies, je sens que je vais devoir répondre à la question : est-ce une biographie « autorisée »? Oui, en ce sens que madame Simard en a lu le manuscrit final, ne serait-ce que pour s'assurer que ce qu'elle voulait préserver de sa vie privée serait effectivement respecté. Non, parce que la vie de Nathalie était dans un tel désordre, et ses souvenirs tellement occultés par les drames qu'elle a vécus, qu'elle s'est elle aussi découverte dans ce livre, apprenant parfois des détails pour la première fois, retrouvant des souvenirs enfouis tellement profond dans sa mémoire qu'elle était incapable de les en extraire!

La deuxième précision qui m'apparaît indispensable porte sur la nature des faits et des événements rapportés dans ce livre. Selon la formule consacrée, j'assume l'entière responsabilité de mes propos. Mais je dois ajouter que tous les faits de nature criminelle qui peuvent être évoqués ici ont été reconnus et authentifiés par le juge Robert Sansfaçon de la Cour du Québec.

Stanbridge East, septembre 2005

Chapitre premier

Enfin libre !

*Mon âge est soudain devenu
un cadeau que la vie me fait...*

L'homme entra dans le long couloir qui menait à la cuisine. Il était manifestement nerveux. Et mécontent d'avoir attendu sur le bord de la route avant qu'on ne lui ouvre la lourde grille de fer forgé. En enlevant son manteau, il lança d'un ton bourru : « Hey, *tabarnak*, y a-tu de la police, icitte ! Ça a pas de bon sens… »

Il ne croyait pas si bien dire !

*

Vingt-neuf jours plus tôt exactement, le 12 février 2004, Nathalie Simard avait rencontré deux inspecteurs du Service des enquêtes sur le crime contre la personne de la Sûreté du Québec (SQ). Cela s'était fait discrètement, dans la suite 2103 de l'hôtel Le Clarion, boulevard de Maisonneuve à Montréal.

– J'ai été abusée sexuellement par mon impresario, avait-elle expliqué. Je devais avoir neuf ou dix ans quand cela a commencé…

Pour le sergent détective Daniel Lapointe, une autre enquête avait commencé. Depuis près de vingt ans qu'il traitait ce genre d'affaires, il avait compris que ce serait long. Et pénible. Mais cette fois-ci, des gens haut placés à Québec l'avaient prévenu que l'enquête soulèverait la plus grosse tempête médiatique de toute sa carrière.

La victime avait été l'idole de toute une génération de petites filles et, chaque dimanche, en fin d'après-midi, près d'un million de téléspectateurs visitaient son « Village » et ses amis – Caboche, Mademoiselle Bric-à-Brac, Beding-Bedang, Monsieur Arrêt-Stop, Rouge-à-Lèvres, Le professeur Cric-Crac-Pot et Gros-Bon-Sens... On était dans un monde d'enfants. L'imaginaire du public de Nathalie Simard avait été écrasé par un pesant silence. Pour le policier qui en avait tant vu, une autre imposture allait être mise au jour.

Le suspect était l'impresario le plus connu du Québec, un millionnaire un peu « m'as-tu-vu » au langage cru et aux manières déplacées, qui défrayait régulièrement la chronique mondaine...

La première chose que les policiers avaient vérifié, c'était que Nathalie Simard ne se lancerait pas dans une poursuite civile pour dommages. Quand une victime décide de poursuivre en vertu du Code criminel, le ministère de la Justice prend son dossier en main. Ce qui compte, c'est d'établir une culpabilité, pas de chercher réparation.

Les rencontres avec les policiers s'étaient poursuivies chez elle, dans sa résidence de Roxton Pond. Pendant trois jours, Nathalie Simard avait raconté son histoire : un quart de siècle d'agressions, d'humiliations, de blessures morales et de violences physiques. Un quart de siècle de silence aussi, qu'elle avait enfin eu le courage de briser.

Mais ces confidences lui avaient fait mal au point de provoquer des vomissements. Parfois, elle avait dû s'allonger sur le divan de son salon, sangloter longuement avant de reprendre ses esprits. «Vous ne me croirez pas! C'est sûr que vous ne me croirez pas!», avait-elle crié aux policiers, en les fixant d'un œil hagard. Tenaillée par la peur de passer pour une folle, pour une mythomane. Elle avait appréhendé le moment où elle lirait dans le regard d'un enquêteur : «Voyons donc! Ça n'a pas de bon sens…»

Les policiers connaissent bien cette angoisse de toutes les victimes d'agressions sexuelles. Surtout chez les plus jeunes : cette peur de ne pas être crues. Alors, ils lui avaient donné tout le temps dont elle avait besoin. Ils avaient pris des notes, repéré avec elle les immeubles, les hôtels, les bords de route où les événements s'étaient passés. Ils avaient voulu tout savoir, jusqu'au moindre détail.

– […] On prendra deux jours s'il le faut… (Ils en prirent trois.) On va gratter le petit tiroir qu'il y a dans ta tête, avait dit Daniel Lapointe. On l'ouvrira et on le nettoiera…

Un tiroir fermé depuis vingt-cinq ans! Ses secrets qui traînaient là avaient tout sali…

Nathalie Simard avait dû tout raconter, dans les moindres détails. Elle avait l'impression de «baisser ses petites culottes», leur avait-elle avoué. Et bientôt, tout le Québec saurait…

Et les policiers en avaient demandé toujours davantage…

– Seriez-vous prête à organiser une rencontre avec lui?

– N'importe quand! Je suis prête…

– Vous êtes bien certaine?

Ils avaient exigé qu'elle lise attentivement le formulaire de consentement qu'ils devraient présenter au juge pour obtenir l'autorisation de «faire un vidéo» comme on dit dans le métier – une écoute électronique. Des contrats, elle n'en avait pas vu beaucoup dans sa vie, et les policiers voulaient s'assurer qu'elle avait bien compris celui-là, et dans quelle terrible aventure elle s'engageait.

Des techniciens du Service de surveillance électronique de la SQ avaient longuement visité la grande maison de Roxton Pond, choisi les pièces les plus appropriées au tournage d'une vidéo et à l'enregistrement d'une conversation. Ils avaient exprimé leur préférence pour la salle à manger tout en acceptant le grand salon comme second choix. Deux caméras par ici, une autre par là, des microphones un peu partout.

Les appareils étaient reliés à deux moniteurs vidéo et à des enregistreuses situés au sous-sol, auquel on accédait par une lourde trappe cachée sous une peau de bison...

– L'idéal serait qu'il s'assoie là, avait suggéré un policier en désignant une chaise de la salle à manger.

Tel un metteur en scène, il avait apprécié le décor, l'éclairage, l'écho des voix. Il avait déplacé quelques meubles aussi.

La rencontre entre Nathalie Simard et son agresseur avait été fixée au 17 mars, à 11 h 30. Le rendez-vous avait été d'autant plus facile à organiser que l'impresario pourchassait son ancienne chanteuse : quelques semaines plus tôt, il avait appris qu'elle consultait régulièrement un psychologue et il craignait qu'elle ne parle trop. Surtout qu'elle parle de lui !

Il était 11 h 30 exactement lorsque la Mercedes s'était immobilisée devant la grille de fer forgé. Celle-ci ne pouvait être ouverte que par une télécommande. Un long chemin de pierre conduisait à la vieille maison de bois peint en jaune et blanc.

Les deux policiers avaient jeté un dernier regard sur les lieux. Une mise en scène avait été imaginée pour que l'homme ne s'arrête pas dans la cuisine, trop sombre pour y installer des caméras : on approchait de Pâques, alors la table ronde avait été remplie de pots de peinture, de pinceaux et d'œufs que Nathalie Simard décorait avec sa fille Ève. Une petite figurine en pâte à modeler avait été oubliée sur le comptoir. Elle représentait un policier avec sa casquette sur la tête. L'impresario ne l'avait point vu...

Satisfaits, les policiers étaient descendus précipitamment au sous-sol, non sans recommander d'éteindre la télévision. Nathalie avait refermé la trappe, glissé la peau et roulé la télévision par-dessus.

– S'il se passe quelque chose, tu n'auras plus de télé! lui avaient dit les policiers. Mais nous serons là immédiatement, avaient-ils ajouté pour la rassurer.

Dans l'énervement du moment, Nathalie Simard n'avait pas trouvé la télécommande pour éteindre le téléviseur…

– Hey, je suis bien chez vous, là? avait crié l'homme dans l'interphone installé au bord de la route.

– Oui, oui, avait-elle répondu. Je t'ouvre tout de suite…

Nathalie Simard avait longuement pensé à l'importance de cette rencontre. Elle était déterminée à prouver aux policiers qu'elle n'avait rien inventé. Tous ceux qui l'avaient dirigée sur une scène de théâtre ou sur un plateau de télévision connaissaient son talent : elle saurait jouer la comédie… Pendant plus de deux heures, elle allait maîtriser la situation avec un extraordinaire sang-froid…

*

– C'est plein de polices icitte, reprit l'impresario en entrant.

– Ici? s'étonna Nathalie Simard.

– Ben oui, tu sais, les *guns*, là, ils nous *fixent* quand on passe sur l'autoroute!

– Ici, c'est plein de police, pis y a beaucoup de chevreuils aussi, poursuivit la femme du ton le plus naturel possible.

Elle était d'un sang-froid surprenant : rien n'aurait pu laisser croire qu'elle jouait un double jeu. Les policiers avaient bien jaugé sa capacité de jouer les agents doubles!

L'homme expliqua qu'il avait pris des petites routes plutôt que l'autoroute des Cantons-de-l'Est afin d'éviter les radars des policiers. Mais en vain : depuis plusieurs jours, et ce matin-là en particulier, ceux-ci surveillaient le moindre de ses déplacements.

Il faisait très froid ce matin-là, mais une odeur de café frais flottait dans la maison. Nathalie Simard en proposa une tasse à son visiteur et s'en servit une à elle aussi. Elle se dirigea vers la salle à manger où l'homme la suivit. Elle posa sa tasse devant la chaise que les policiers lui avaient désignée pour l'impresario. Il s'y assit tout naturellement, et elle s'installa, face à lui.

Comme dans un spectacle de variétés, chacun des artistes avait sa place. Sauf qu'aujourd'hui, les rôles étaient inversés : c'est elle qui assurait la mise en scène. Et lui qui obéirait à ses ordres.

Auparavant, les policiers avaient fait une démonstration à la jeune femme. Sur un écran, on verrait l'homme de face. Les microphones installés un peu partout étaient d'une telle sensibilité qu'on pourrait entendre le frottement de ses vêtements sur la table. Sur l'autre caméra, pointée sur elle, on apercevrait la silhouette de l'homme, son dos voûté et ses épaules courbées, parfois secouées par un sanglot.

Et la conversation commença. Enregistrée. Transcrite pour la Cour...

NATHALIE : Y faut que j't'en parle... la première fois qu'c't'arrivé, là...

LUI : Hum !

NATHALIE : Oussé qu'tu m'as faite sentir coupable... tu m'as dit comment ça...

LUI : Ah oui, où j'ai fait...

NATHALIE : À Saint-Lambert, dans ton char, tu t'en souviens ?

LUI : Ouan...

NATHALIE : T'avais sorti ton pénis là... pis tu m'avais dit : r'garde, tu peux y toucher... Touches-y.

LUI : Ouan…

NATHALIE : Pis j'y avais touché, pis t'avais éjaculé…

LUI : Oui oui, je l'sais, je l'sais, Nathalie.

[…]

LUI : Quéssé j'veux dire… tu me l'rappelles là, t'sais, j'me suis pas arrêté de dire…

NATHALIE : Ben, r'garde.

LUI : Non non, pas pensé à ça, t'sais.

NATHALIE : … J'doute même pas qu'tu l'as oublié.

LUI : … Hein ? Non, non, non…

NATHALIE : Toutes… parce que r'garde, y en a pas eu rien qu'une fois.

LUI : Hum, hum… non… je l'sais, Nathalie, je le regrette tellement.

[…]

NATHALIE : (*elle pleure*)… Non ! Je r'vis c'que j'ai vécu.

« Coupable ! »

Le juge Robert Sansfaçon, de la Chambre criminelle et pénale de la Cour du Québec, écrivit dans sa décision du 20 décembre 2004 : « À Saint-Lambert, district de Longueuil, à Sainte-Adèle, district de Terrebonne, à l'Île-des-Sœurs et à Montréal, district de Montréal, à Sherbrooke, district de Bedford, à Québec, district de Québec et ailleurs au Québec, l'impresario a attenté à la pudeur d'une personne de sexe féminin… »

*

NATHALIE : La première fois qu'tu m'as fait une pénétration complète…

LUI : Hum, hum…

NATHALIE : La main sur la bouche… j'braillais… Ta femme dormait à côté… J'vas tout le temps m'en souvenir.

LUI : Je l'sais, Nathalie.

NATHALIE : C'est dur là, pis, t'sais, c'est pas une fois, là, c'est un paquet d'fois…

« Coupable ! »

« Pas rien qu'une fois… » Nathalie Simard eût été bien incapable de les compter : « Dès qu'on était seuls, il en profitait. »

« … A eu des rapports sexuels avec une personne de sexe féminin qui n'était pas son épouse et qui avait moins de quatorze ans », écrivit encore le juge Sansfaçon.

*

NATHALIE : Dans le Nord… pis, tout le monde était là…

LUI : Oui.

NATHALIE : Qu'y avait plein de monde… pis, aux petites heures, tu v'nais m'voir… C'est l'enfer de vivre avec ça. Tu venais aux petites heures du matin.

LUI : Je l'sais, je l'sais, Nathalie.

NATHALIE : Dans le Nord là… même dans la douche en bas.

LUI : Je l'sais, Nathalie.

NATHALIE : … J'avais pas la paix.

LUI : Je l'sais, Nathalie. Pis t'étais trop jeune pour dire : « J'veux pu, j'veux rien », t'sais.

« Coupable ! »

« … a agressé sexuellement Nathalie Simard », écrivit le juge Robert Sansfaçon.

LUI : Nathalie... j'te d'mande une chose... je l'sais, c'pas facile pour toi... mais ch'te... ch't'en supplie... je... Fais moé pas arrêter, je te le demande.

NATHALIE : C'est pas ça, r'garde...

LUI : Non, mais c'pas grave... j'te dois ça... Mais j'te dois ben plus que ça, j'te dois une vie, tu comprends? Nathalie... Qu'ess-tu veux qu'ch'te donne de plus... j'te dois une vie... ch'te fais des cadeaux... ch'te fais toute sorte d'affaires... j'veux toute ma vie m'occuper d'toé.

NATHALIE : Me tenir comme ça...

LUI : Non, je veux pas te tenir comme ça, au contraire, j'veux que toi pis moi, on s'dise une fois pour toutes... t'sais comme ch't'ai dit, j'essayais de penser à quequ'chose, ch'te l'dis... euh... reconnaissance de dette... Tu vas m'dire « C't'encore rien qu'd'l'argent », mais qu'ess-tu veux qu'j'te donne de plus... J'peux pas te r'donner c'que j't'ai enlevé... Moé, tu m'fais arrêter, j'me suicide... Penses-tu m'a aller vivre ça, moé... avec les menottes pis toute le kit... moé qui a toujours eu une image *clean* avec le monde... Je me débrouille toute, depuis 40 ans. Mais que moé, je suis arrivé à faire une reconnaissance de dette comme quoi, t'sais, si y arrivait quelque chose, j'te dois 300 000 piastres. J'te paye 300 000 piastres, au moins *estie*, trois cent mille, là, tu comprends? Tu prends un papier, pis ch'te l'signe. T'sais, tu comprends. Qu'y arrive n'importe quoi ou non, moé, j'essaye de faire du mieux que ch'peux. T'sais, je sais ça s'achète pas, tu comprends. Mais Nathalie, si chu... t'sais, j'essaye de... de montrer...

NATHALIE : (*soupir*)

LUI : Que j'veux pas jamais jamais te laisser tomber. Tu choisis ça ou la prison, y a deux côtés, là. Choisis, ça m'coûtera pas rien, m'en va en prison, pis salut, c'est terminé. Tu comprends? Moé, j'dis non, ch'te d'mande de, ch'te supplie de me laisser vivre. Qu'est-ce que tu veux que je te dise de plus? Parce que moé, c'que j'pense, Nathalie, c'est qu'un coup tu te r'mettes à raviver l'affaire, tu s'ras pas plus heureuse après...

NATHALIE : R'garde, j'va y penser, là.

LUI : Faut pas qu'tu l'dises.

NATHALIE : Ch'fatiguée.

LUI : Nathalie, faut pas qu'tu l'dises, ça là. Nathalie, c't'une bombe comme y aura jamais eu... Hostie, j'ai soixante-quatre ans, y m'en reste pas gros à vivre. C'que ch'te demande, si ch'te d'mandrais pour moé, tu dis : « R'garde, arrête de m'en demander. » T'sais, t'as juste à me le dire, même quand je vais mourir. C'est mes enfants qui vont être encore plus malheureux, c'est sûr. Mais, j'dis ça, c'est toé qui a ça d'en mains. Tu comprends ?

« Coupable ! »

Ce fut le quatrième chef d'accusation retenu par le juge Robert Sansfaçon : « ... A encouragé Nathalie Simard à accepter une contrepartie valable, soit 300 000 $, afin de cacher un acte criminel... »

*

L'homme avait passé quarante ans de carrière à acheter son succès, payant le gros prix, comptant. Il avait déjà versé plus d'un million de dollars à Nathalie Simard pour l'aider à vivre, sans travail et sans parler. Payer 300 000 dollars pour toute une vie de silence. Il en parlait comme s'il lui proposait une autre affaire, un autre contrat en somme...

*

Après deux heures de conversation entre l'agresseur et sa victime, deux heures de soupirs et de sanglots aussi, Nathalie Simard voulut mettre fin à l'entretien :

– On va arrêter, ma fille arrive bientôt de l'école, il faut que je prépare ses petites choses quand elle arrive de l'école. Je ne veux pas que tu sois là quand elle arrive.

Mais l'homme insista :

– Il faut pas que tu dises ça au psychologue, il va aller voir la police, on va dire que la vie de la petite Simard, c'était pas rose, pis que j'étais un chien... Ça va sortir partout ! *Crisse*, un astrologue a dit qu'il allait y avoir un scandale de pédophilie en 2004...

« Pédophilie » : c'est lui qui avait utilisé le mot, comme s'il se souvenait enfin que le jour où cela avait commencé, Nathalie était une enfant...

Pour s'en débarrasser, Nathalie avait fini par lui promettre « d'y penser » et de le rappeler plus tard.

Et l'impresario était reparti dans son luxueux appartement de l'Île-des-Sœurs à Montréal. Le soir, il irait sans doute dans l'un de ces restaurants italiens qu'il affectionnait particulièrement. Il lui restait exactement une semaine de liberté devant lui...

Après le départ de l'homme, un lourd silence avait régné dans la maison. « Assure-toi qu'il est bien parti avant de lever la trappe », avaient insisté les policiers. Ils avaient attendu son signal pour sortir...

– Je suis fier de toi : ça a bien été, et on a tout ce qu'il faut. C'est fini maintenant, on va tout enlever, avait dit Daniel Lapointe en émergeant du petit escalier et en s'étirant les membres endoloris par le froid qui régnait dans le sous-sol de la maison.

Nathalie Simard avait serré très fort le grand bonhomme qui la dépassait d'une tête. Elle avait pleuré à chaudes larmes contre sa poitrine. Elle était tellement contente que « tout soit correct ». Il avait dit : « Je suis fier de toi... » Ce que l'impresario ne lui avait presque jamais dit quand elle sortait de scène, le policier le lui avait dit : elle avait bien joué son rôle. Le public allait être content...

Elle avait alors éprouvé un profond sentiment de délivrance. Peu à peu, elle avait commencé à penser à sa vie, son autre vie, celle que tout le Québec connaissait, mais dont elle n'arrivait plus à profiter tant son secret occultait tout le reste.

La vie à Sainte-Pétronille, sur le chemin du Bout-de-l'Île où, dernière-née de la famille et enfant un peu fragile, elle avait été choyée par ses frères et sœurs.

Les moments de grâce avec son père qui faisait chanter toute la famille, dans le salon comme à l'église.

La vie à Saint-Hilaire, dans «le château», comme elle appelait la résidence que René avait louée et où il l'avait invitée à s'installer, avec sa mère «Gaby» et deux de ses frères.

La vie du *show-business*, les disques et les trophées. Les visites dans les centres commerciaux du Québec et les spectacles dans les plus grandes salles de la province.

Les tournées à l'étranger, aussi loin qu'au Japon et aussi inattendues qu'au pays de Mickey Mouse. Les rencontres avec les plus grandes vedettes américaines qui lui tapotaient la joue d'un air de dire : «Qu'elle est mignonne la petite !»

La vie d'une animatrice de télévision, le fan-club et les «amis de Nathalie», les collections de vêtements de Nathalie, les foules à la sortie des studios et les demandes d'autographe.

Une vie d'agressions aussi, qui venaient chasser le moindre bon souvenir. À la sauvette comme sur une banquette de voiture. Brutales comme dans un coin de salon. Violentes comme dans une chambre d'hôtel. Affolantes comme dans une piscine...

Les hommes de sa vie et la naissance d'Ève, «son bébé», cette petite fille blonde qui grandissait en âge et dont le corps commençait à ressembler au sien, «quand ça s'était passé».

La solitude enfin, quand la mode avait passé, que l'impresario l'avait laissée tomber, allant jusqu'à l'insulter pour justifier sa soudaine indifférence. Les cajoleries, et les menaces aussi, pour lui imposer le silence.

Nathalie Simard avait vécu une main sur la bouche. Tous ses souvenirs d'enfant et d'adolescente repoussés au plus profond d'elle-même.

Mais, depuis deux ans, son secret n'était plus tout à fait le sien. Elle l'avait partagé avec ses frères, René et Jean-Roger, puis avec un psychologue, quelques rares amis et un autre frère, Martin. Et les policiers maintenant, de même que tout « l'appareil judiciaire » qu'ils avaient mis en branle : le procureur général du Québec, le juge à qui elle avait écrit une longue « Déclaration de la victime ».

Elle l'avait écrite de son écriture d'enfant, sans pudeur ni gêne pour le style et la forme qui trahissaient le fait qu'elle avait quitté l'école avant la fin de la deuxième année de l'école secondaire…

« J'ai vécu plusieurs période d'angoisse au cour de ma vie, entre autre quand je passe ou passais sur la route 132, direction St-Lambert, quand je voie son condo où il habitais, l'île des Sœurs, St-Adèle où il y a son chalet, certains endroit don ceux que je viens de vous nomer, me brasse a chaque fois et me rappelle mon enfance tordu avec lui, l'audeure de son parfeun, du cuir et de l'alcool... »

Elle qui s'exprimait si bien à la télévision, qui récitait ou chantait de si beaux textes écrits par d'autres, voilà qu'elle n'avait que ses mots d'écolière pour raconter sa vie de victime.

Deux niveaux de langage pour une double vie, en somme…

Désormais, Nathalie Simard avait peur aussi. Son agresseur était l'un des hommes les plus puissants du Québec. Il avait beaucoup de relations et d'argent. Elle craignait qu'il engage des tueurs pour la réduire au silence. Le détachement de Granby de la Sûreté du Québec avait beau surveiller sa maison de la route, elle imaginait que quelqu'un pouvait surgir du bois, ou de l'écurie où sa jument, dérangée par une marmotte, piaffait nerveusement.

Elle ne sortait plus, seule avec son silence…

Et surtout, Nathalie Simard savait que son secret ne lui appartiendrait jamais plus. La justice suivrait son cours, comme on dit. Inexorablement. Bientôt, «l'affaire» éclaterait au grand jour. Son histoire, et les détails les plus sordides, s'étalerait à la une de tous les quotidiens du Québec, ferait l'objet de reportages à la télévision.

Cruellement, les médias ressortiraient des photos d'archives. On reverrait la «petite Nathalie», avec la coupe de cheveux d'un petit page, avec sa robe du Village. Si les gens avaient su… Les médias voudraient évoquer «le bon temps». Mais au-delà du petit écran, elle ne voyait que des drames qui brouillaient ces images.

L'agresseur parti, le matériel des spécialistes de l'écoute électronique remballé, Nathalie Simard n'avait eu plus qu'un mot en tête : libération !

«Je me sens redevenir vierge», s'était-elle dit, émerveillée de sa découverte. C'est vrai qu'elle n'avait jamais donné sa virginité à un homme. Celui-ci l'avait prise. De force. Tellement brutalement que ce n'était même pas un souvenir. Seulement un chagrin.

Jusqu'à l'âge de trente-cinq ans, elle était toujours restée la petite fille de l'autre. Son jouet… Même quand elle ne le tentait plus beaucoup. Avec cette dénonciation, et surtout cette dernière conversation avec un homme qui l'avait dominée toute sa vie, Nathalie Simard se sentait redevenir une femme. On eût dit qu'elle avait extirpé l'agresseur de son corps, comme on arrache une écharde de son pied. «J'ai sorti le méchant», se disait-elle pour mieux prendre conscience de l'importance de son geste.

«Le prochain homme de ma vie», se surprenait-elle à imaginer, mais avec angoisse. Car quel homme voudrait d'une femme meurtrie à ce point ?

Mais c'était aussi le temps pour elle de recommencer à rêver, comme la jeune fille qu'elle n'avait jamais pu être.

Elle n'était plus « Nathalie », l'enfant prodige des émissions de télévision.

Elle n'était plus le jouet que l'impresario n'avait jamais voulu laisser vieillir, puisqu'il ne s'intéressait qu'aux petites filles.

Nathalie Simard allait enfin commencer à vivre. Et à vieillir. « Mon âge est soudain devenu un cadeau que la vie me fait », se disait-elle.

CHAPITRE DEUX

Les pauvres du Rang-Double

Ce ne sont pas des gens de Montréal qui ont
découvert les « p'tits Simard ». Ce sont les gens
de Sainte-Pétronille, en l'Île-d'Orléans...

Les Simard parlent rarement de leur vie au Saguenay, sinon pour dire qu'ils viennent « de Chicoutimi ». Volontairement ou non, ils se trouvent à occulter cette époque dont seuls les plus vieux conservent un souvenir à la fois triste et parsemé d'éclaircies de bonheur.

Dans les années cinquante et soixante, ils étaient alors « les pauvres du Rang-Double » à Saint-Gabriel-de-Ferland. « Mais on faisait une belle vie pareil », se souvient Martin, l'aîné des garçons. La famille habitait dans ce village situé sur la route qui relie Baie-Saint-Paul à La Baie, tout près de La Baie, en fait. Il est désormais fusionné avec le village voisin de Boilleau.

Les grands-parents maternels leur avaient fourni une maison de ferme. Ce n'était pas le grand confort, mais le bâtiment avait tout de même profité du programme d'électrification instauré par le premier ministre de l'époque, Maurice Duplessis. Et après la guerre de 1939-1945, les gouvernements du Canada et du Québec avaient lancé des programmes sociaux pour venir en aide aux plus démunis. Les Simard en avaient bien besoin !

Jean-Roch Simard, le père, était cuisinier en hiver dans les camps de bûcherons. En été, il s'engageait, souvent pour quelques jours, dans les cantines des environs ou les grands collèges privés de Chicoutimi. On disait qu'il avait mauvais caractère, mais ses enfants admiraient son indépendance d'esprit. « Il prenait un coup solide », comme on dit, mais il n'était jamais violent.

Malheureux les Simard ? Pas du tout ! En fait, Jean-Roch était d'abord un boute-en-train. Il venait d'une famille de chanteurs, et la mélodie grégorienne – ce chant latin qu'on pratiquait encore dans les églises du Québec – n'avait pas de secrets pour lui. Il fallait le voir, le soir de Noël, partir en chantant vers l'église pour la messe de minuit, entraînant sa ribambelle d'enfants derrière lui. Une vraie chorale ambulante ! Car plusieurs avaient hérité de Jean-Roch son talent pour le chant, à commencer par Martin, Régis et René qui avaient, eux aussi, beaucoup d'oreille, une belle voix, et un talent pour harmoniser des accords.

C'est donc Jean-Roch qui a d'abord appris aux « p'tits Simard » à chanter...

Il serait trop simple de dire que Gabrielle L'Abbé s'occupait de ses enfants : quand on en a six – Odette l'aînée, puis Martin, Lyne, Régis, René et Jean-Roger vont naître au Saguenay –, il y a en effet de quoi s'occuper ! En outre, la mère devait aussi déployer des trésors d'imagination pour faire manger tout le monde à sa faim. Les produits de la ferme aidaient, et les œufs étaient toujours frais. Mais il en fallait, de l'esprit créatif, pour apprêter les fricassées de pommes de terre de toutes sortes de façons ! Les morceaux de viande étaient plutôt rares dans les tourtières. Il fallait attendre le panier de Noël du curé pour faire bombance.

Plus tard, René inventera, pour le magazine *L'Actualité*, une formule joliment tournée pour décrire l'état des Simard au

38

Saguenay : «On était si pauvres qu'on s'empruntait de la *marde* pour chier!»

Les tâches étaient lourdes pour Gabrielle L'Abbé. La maison étant chauffée au bois, les nuits de grand froid elle se levait plusieurs fois, enveloppant les tuyaux de serviettes trempées dans l'eau chaude pour qu'ils ne gèlent pas.

Il est vrai aussi qu'en général, à quatre dans le même lit, les garçons se tenaient chaud!

La mère de «Gaby» – comme les enfants appelaient Gabrielle L'Abbé – était une grande pianiste. Mais elle jouait surtout des pièces de musique classique, ce qui n'enthousiasmait guère sa fille. On dit cependant que lorsque Jean-Roch, son gendre, visitait la grand-mère des «p'tits Simard», les airs de *La Bonne Chanson*[1] résonnaient dans toute la maison.

On était dans les années soixante, la Révolution tranquille battait son plein à Québec, et Montréal s'apprêtait à accueillir le monde à l'occasion de l'Exposition universelle, mais les Simard n'avaient pas de voiture. Jean-Roch n'en a d'ailleurs jamais eu jusqu'au milieu des années soixante-dix! Lorsqu'elle avait des courses à faire, ou le coiffeur à visiter, Gaby embarquait dans le camion d'un livreur pour se rendre au village. Personne ne se souvient comment elle faisait pour rentrer chez elle, mais elle était toujours là pour accueillir les petits qui rentraient de l'école.

En ce temps-là, les petits Simard mettaient parfois les habits que leur donnaient des voisins. Quand ils arrivaient à l'école, les autres enfants, cruels, se moquaient d'eux en reconnaissant leurs propres vêtements. Pire encore : Martin se souvient qu'un soir de Noël, l'entrée de l'église Saint-Gabriel lui fut refusée par le curé, qui ne le trouvait pas assez bien habillé.

Les parents étaient aussi de santé fragile et, quand ils tombaient gravement malades, certains des enfants étaient temporairement placés dans un orphelinat. Il n'est guère étonnant

---

1. Recueil de chansons traditionnelles.

qu'au Saguenay, les enfants Simard n'aient pas eu beaucoup de temps pour se faire des amis. D'autant que Jean-Roch, que l'on trouvait un peu bohème, avait la bougeotte…

Après avoir quitté la maison de Saint-Gabriel-de-Ferland, les parents Simard déménagèrent quatorze fois, restant parfois seulement six mois au même endroit ! Il ne faut donc pas s'étonner que les meubles aient été simples, la vaisselle et les casseroles, rares, les jeux des enfants, presque inexistants.

La famille voyageait au gré des emplois du père. Après Chicoutimi par exemple, elle se rendit à Québec en passant quelques semaines à L'Étape, une halte routière à mi-chemin entre Québec et Chicoutimi, où Jean-Roch faisait la cuisine. Québec aussi ne fut qu'une étape, puisque la destination, provisoirement finale, était l'île d'Orléans. À Sainte-Pétronille de surcroît, le village de Félix Leclerc : pour cette famille de chanteurs, cela allait servir d'inspiration !

Même dans ce petit village du bout de l'Île, juste en face de Québec, les Simard déménagèrent deux fois, à quelques dizaines de mètres de distance, en l'espace d'un an. D'abord dans la rue Royale, juste à côté du resto Chez P'tit Lou où Jean-Roch travaillait. Puis dans une grande maison blanche, tout au bord du chemin du bout de l'Île. Du grand balcon qui dominait la route, on entendait le clapotis des vagues du grand fleuve sur la rive toute proche, de l'autre côté du terrain des Morin.

Bien sûr, le bar de l'hôtel Château Bel Air, sur le quai, constituait une terrible tentation pour Jean-Roch. Mais les garçons étaient maintenant assez grands pour aider le père à remonter la centaine de mètres de côte qui le séparait de sa maison.

La mère avait un préféré, René, le seul à qui elle donna le sein et qu'elle appelait son «p'tit noir», à cause de la couleur de ses cheveux. En déménageant dans la région de Québec, Gabrielle L'Abbé croyait en avoir fini avec les grossesses. Avec six enfants, elle avait fait sa part. Plus que sa part d'ailleurs, puisque la taille des familles québécoises avait déjà commencé à diminuer. Mais le père, grand croyant, en décida autrement : « Ce que le bon Dieu a fait, faut pas le briser. »

Nathalie est finalement arrivée le 7 juillet 1969, à 17 h 03, à l'hôpital Saint-François-d'Assise de Québec. Elle pesait un peu plus de 3,5 kg (8 lb), et les voisins trouvaient qu'il s'agissait d'un « beau bébé ». Heureusement, Gaby aurait de l'aide pour s'occuper de ce septième enfant : les grandes sœurs, Odette et Lyne, maintenant adolescentes, s'en occuperaient beaucoup. Et les grands frères l'emmèneraient à l'occasion dans leurs virées.

Ses frères et sœurs disaient de Nathalie qu'elle était née « dans la ouate ». C'est vrai qu'en comparaison avec la période passée au Saguenay, la vie s'arrangeait un peu. La famille déménageait un peu moins souvent : près de huit ans à Sainte-Pétronille, c'était presque la stabilité. Le travail de Jean-Roch, Chez P'tit Lou puis à La Fourche du sorcier, était régulier, et la mère s'activait toujours aux fourneaux. L'argent allait bientôt commencer à rentrer. Ce ne serait jamais l'abondance, mais on mangeait plus souvent à sa faim, et les vêtements n'étaient plus donnés par les voisins, seulement passés d'un aîné à un plus jeune...

Bref, la petite dernière ne connut pas les privations du Saguenay. Toutefois, à trois ans, atteinte d'une pneumonie, elle faillit mourir. On la transporta d'urgence à l'hôpital Saint-François-d'Assise, où les médecins lui donnèrent trois ou quatre jours à vivre. Après un mois sous une tente à oxygène, elle finit par guérir.

Véritable mère poule, sa sœur Lyne faisait de l'auto-stop depuis l'Île-d'Orléans pour venir la visiter. C'est de son lit d'hôpital que Nathalie se rendit compte pour la première fois que tout n'allait pas pour le mieux avec son père. Il était venu la visiter, mais dans un tel état que sœur Hélène, l'infirmière, lui avait interdit l'accès à la chambre de sa fille.

— Vous ne m'empêcherez pas de voir ma fille ! avait crié le père.

La petite Nathalie, reconnaissant sa voix, avait pleuré et réclamé ce père qui l'amusait tant. À elle aussi, Jean-Roch avait appris à chanter dès la plus tendre enfance. Il l'emmena d'ailleurs à quelques reprises visiter Félix Leclerc. Les deux hommes rêvaient à leur île, pendant que Nathalie jouait avec la fille du chansonnier...

Pour supporter le difficile
Et l'inutile
Y a l'tour de l'île
Quarante-deux milles
De choses tranquilles
Pour oublier grande blessure
Dessous l'armure
Été, hiver,
Y a l'tour de l'île
L'île d'Orléans...
          (F. Leclerc – Avec l'aimable autorisation de Olivi Musique)

Que cette chanson allait bien aux deux poètes !

De la maison du chemin du Bout-de-l'Île, les passants entendaient parfois, par les fenêtres ouvertes, toute la famille Simard reprendre un célèbre refrain de Roger Whittaker : « Moi, j'ai quitté mon pays bleu / Moi, j'ai quitté mon pays bleu... » Et en y prêtant bien attention, ils entendaient une voix de petite fille chanter, à contretemps mais avec beaucoup de cœur : « Ah qu't'es qu't'es bleu, Ah qu't'es qu't'es bleu ! »

Nathalie prenait les rires de ses frères pour des applaudissements et reprenait de plus belle : « Ah qu't'es qu't'es bleu... »

On faisait de belles fêtes à l'Île-d'Orléans, en particulier à Pâques, quand le père cachait des chocolats dans tous les coins de la maison. Tous les enfants Simard s'en souviennent comme d'un moment d'évasion pendant lequel ils oubliaient les privations aussi bien que les moments d'égarement du père. Surtout que

Ses frères et sœurs disaient de Nathalie qu'elle était née « dans la ouate ». On pourrait ajouter qu'elle fut aussi élevée au milieu d'une impressionnante collection de toutous.

Jean-Roch n'avait pas son pareil pour faire cuire des sablés. Un jour, pour l'anniversaire d'un des enfants, il confectionna un piano à queue en biscuits. La petite Nathalie fut très impressionnée.

La maladie qui faillit l'emporter fit de la petite dernière de la famille l'enfant gâtée des Simard. Sa sœur Lyne, qui dormait dans la même chambre, attachait un pied de Nathalie à sa cheville pour s'assurer que, se réveillant, celle-ci ne parte pas seule dans l'escalier. C'est Lyne aussi qui lui confectionnait des robes à volants, à la mode dans ces années-là.

Mais lorsque la grande sœur partait, de mauvais souvenirs revenaient à Nathalie, les souvenirs d'un temps qu'elle n'avait pas connu, mais dont ses frères lui avaient souvent parlé. Alors, elle piquait de véritables crises, s'accrochant aux jupes de sa mère – quand ce n'était pas aux rideaux du salon qu'elle arrachait! –, et criait très fort: «Je ne veux pas aller à l'orphelinat comme mes frères!»

La petite fille ne lâchait jamais ses grands frères d'une semelle. Alors, pour se débarrasser de «palourde» – comme l'appelait René, qui ne la trouvait effectivement «pas lourde» –, ils lui faisaient peur. En montrant un placard, ils chuchotaient d'une voix grave: «Y a un monstre qui s'en vient... Un vrai monstre!» Et la petite hurlait jusqu'à ce que la mère vienne mettre fin à la comédie.

Derrière la maison des Simard se trouvait un grand jardin boisé. En fait, il s'agissait d'un parc tellement ombragé qu'à la brunante, il devenait très sombre. Au bout d'un petit chemin qui montait en serpentant à travers les arbres, il y avait une vieille église de bois, l'église des anglicans du village. Les frères de Nathalie lui ayant raconté qu'il s'y disait «des messes noires», elle n'osait plus s'aventurer hors de la maison, sauf pour suivre Jean-Roger, à peine plus vieux qu'elle.

Lui, c'était «l'intellectuel» de la famille qui se livrait à toutes sortes d'expériences apprises dans les manuels scolaires. Il adorait en particulier disséquer les grenouilles qu'il ramassait au bord du fleuve. Un jour, il avait beaucoup impressionné la benjamine en recousant le ventre d'un amphibien dont il venait d'examiner les entrailles... «Mais elle bouge encore!» s'était exclamée Nathalie.

Parfois, les frères et les petits amis des grandes sœurs trouvaient «Thalie» pas mal «collante» et «casseuse de *party*». Voyant les adolescents fumer la cigarette, elle n'arrêtait pas d'en réclamer une pour elle...

– T'es trop jeune, répliquaient les grands.

À force d'insister, Nathalie finissait par obtenir ce qu'elle voulait, comme toujours! Alors, de son air le plus insolent, elle prenait la cigarette entre ses doigts et la cassait lentement...

– Hey! ça coûte cher ça! protestaient les grands, menaçant la petite de la punir.

Comme Régis, René et Jean-Roger, Nathalie fréquenta l'école primaire de Saint-Pierre, à six kilomètres de Sainte-Pétronille. Avec sœur Olive en maternelle, Ghislaine Simard en première année, puis madame Paré durant les autres années du primaire, l'enfant cherchait à profiter de la célébrité de ses frères. Flagorneuse, elle n'arrêtait pas de demander à sa maîtresse : «C'est vrai que vous avez aussi enseigné à René, hein?» Et la gamine de se coller à l'enseignante, qui l'installait généralement au premier rang.

Ses anciennes maîtresses se souviennent aussi de Nathalie comme d'une enfant laissée à elle-même. Lorsqu'elle arrivait à l'école, ses vêtements n'étaient pas toujours très propres, on l'appelait «la petite crottée»! Et les devoirs n'étaient pas faits, le sac d'école même pas ouvert depuis la veille : maman Simard suivait son éducation de loin...

À cette époque-là, à partir de 1972, René commençait à être connu. On le voyait à l'occasion à la télévision. Nathalie s'as-soyait devant le petit écran et, émerveillée, regardait son frère. Toutefois, être «la sœur de René» pouvait avoir ses bons et ses mauvais côtés. En général, les petites filles trouvaient Nathalie bien chanceuse d'avoir un si beau grand frère, mais les garçons se montraient parfois un peu jaloux.

Selon les humeurs du moment, Nathalie était soit la coqueluche de la classe, soit méchamment rejetée par des groupes d'enfants. Même ses meilleures copines refusaient à l'occasion de partager des bonbons avec elle. Alors Nathalie restait seule dans un coin de la cour de récréation, jusqu'à ce qu'un enfant, un peu plus hardi que les autres, vienne lui offrir un bonbon en cachette.

Bref, dès l'âge de quatre ou cinq ans, Nathalie Simard n'était déjà pas tout à fait une enfant comme les autres.

Ses meilleurs amis étaient ceux qu'elle fréquentait en dehors de l'école. En face de chez elle en particulier, elle jouait souvent avec Philippe Morin, son grand ami d'enfance. Chaque été, leur projet consistait à construire une piscine pour eux tout seuls. Sur le bord de la grève, ils creusaient un immense trou dans le sable, puis déployaient un sac de poubelle à l'intérieur et tentaient de le remplir d'eau. Finalement, c'était la marée qui, tout en emportant leur «piscine», leur permettait le plus souvent de prendre un vrai bain!

À l'heure du souper, Nathalie rentrait dans la maison des parents de Philippe. Madeleine Morin faisait des pâtes divines, et Nathalie s'installait au bout du comptoir pour regarder la famille manger. À l'occasion, la maman de son copain lui donnait un gros plat de lasagne en lui disant de l'emporter chez elle. Tout cela confirmait l'impression, dans le village, qu'on ne mangeait pas toujours à sa faim chez les Simard. En fait, c'était plus la gourmandise que la nécessité qui poussait la petite fille à rentrer chez les Morin. Car il y avait aussi, chez eux, un «tiroir à bonbons» toujours bien rempli!

Philippe Morin devait parfois partager les temps libres de Nathalie avec un autre garçon, Jean-Michel Aubert, qui habitait à deux coins de rue et se rendait chez le dépanneur sur un magnifique vélo orange à dix vitesses. Depuis ce temps-là, l'orange est la couleur fétiche de Nathalie Simard.

Il y avait aussi les filles du propriétaire de l'hôtel Château Bel Air, un monsieur Picard. Derrière la bâtisse se trouvait une piscine creusée – une vraie, celle-là ! – destinée aux clients. Nathalie en profitait à l'occasion et y apprit à nager. Comme elle aimait beaucoup la compagnie d'autres enfants, elle annonça une fois qu'il y aurait une grande fête chez elle, pour son anniversaire. Le jour prévu, les petites Picard se présentèrent, tout endimanchées. N'apercevant personne, elles demandèrent : « C'est où, la fête ? » Il n'y en avait pas, bien sûr, mais Nathalie avait retenu ses amies pour ne pas rester seule.

*

Durant toutes ces années, Jean-Roch Simard dirigea la chorale de l'église de Sainte-Pétronille. Tous ses enfants y chantèrent un jour ou l'autre. Régis et René, en particulier, y interprétèrent souvent des duos. Les gens du village disaient aux parents : « Ils ont de l'avenir dans la chanson, ces jeunes-là ! »

Mais comment les enfants d'un cuisinier auraient-ils pu entrer en contact avec le monde mystérieux du *show-business* qu'on ne voyait qu'à la télévision ?

Nathalie était encore trop jeune pour avoir conscience des changements que provoquaient les premiers succès de son frère René. Progressivement, les Simard, connus comme « les pauvres du village », allaient devenir une famille célèbre. Soudain, la vie se mit à changer. Pour l'enfant de deux ou trois ans, le grand frère partait pour de longues périodes à Montréal. Il chantait, mais on avait toujours chanté chez les Simard. Un peu plus tard, Nathalie découvrirait les effets de la célébrité avant d'avoir l'âge d'en comprendre les raisons.

Ainsi, le jeune René participa à une publicité pour le grand magasin des Canadiens français à Montréal, Dupuis Frères, qui rivalisait avec les Eaton et les Morgan des Canadiens anglais de la rue Sainte-Catherine. En guise de remerciements, le magasin donna aux Simard un bon d'achat de 1 000 dollars, une vraie fortune pour l'époque. Ce fut la première fois – à trente-sept ans ! – que la maman des «p'tits Simard», Gabrielle L'Abbé, se rendit à Montréal.

En décembre 1972, un certain René Angélil eut l'idée de produire un disque – un «long jeu» comme on disait – avec la famille Simard au grand complet. En fait, il s'agissait de la copie de l'enregistrement d'une émission spéciale préparée pour tous les postes du réseau Radiomutuel : *Le Temps des fêtes chez la famille Simard de l'Île-d'Orléans*. Elle commençait par un cantique, *Les Anges dans nos campagnes*, chanté par les neuf membres de la famille. Un vrai chœur ! Puis suivaient des solos de René et de Régis qui, lui aussi, possédait une très belle voix. Jean-Roch Simard livrait gravement à un animateur de radio ses propres réflexions sur Noël, l'amour et le partage.

À la toute fin, on entendait la voix de Nathalie, trois ans et demi, criant très fort dans le micro : « Joyeux Noël ! Bonne année à tout le monde… » Ce fut le premier enregistrement de Nathalie Simard !

Ce premier disque permit à maman Simard d'entreprendre un autre grand voyage, encore un peu plus loin que Montréal cette fois, de l'autre côté de la frontière entre le Canada et les États-Unis. En guise de cachet pour cet enregistrement mémorable – qui se vendit fort bien tout de même – la maison de production Nobel offrit à toute la famille un voyage à Disney World. Elle s'y rendit en *camping car*…

Puis eut lieu la première apparition de Nathalie à la télévision. Jacques Bouchard, publiciste de génie, avait quitté son emploi à Toronto et en 1963 fondé sa propre entreprise de publicité au Québec, BCP – du nom des trois fondateurs : Bouchard, Paul Champagne et Pierre Pelletier. Peu à peu, il avait convaincu les grands annonceurs du Canada anglais et des États-Unis de

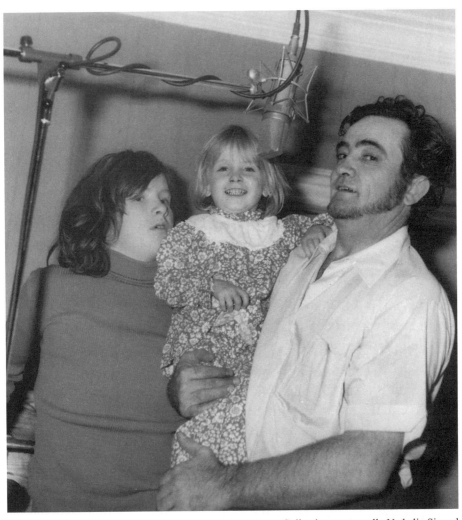

À la fin du premier et seul disque de la famille Simard, on entendait la voix de Nathalie, criant très fort dans le micro : «Joyeux Noël! Bonne année à tout le monde...»

recourir aux services de professionnels québécois pour concevoir leurs publicités en français plutôt que de les faire traduire comme autrefois.

Voilà comment une publicité s'appuyant sur la popularité naissante de René Simard rendit les friandises de Laura Secord immensément célèbres au Québec. Toute la province se mit à chanter : « Qu'est-ce qui fait don' chanter les p'tits Simard... » Les poudings de Laura Secord, évidemment ! Ce sont surtout Régis et René qui apparaissaient dans la publicité, mais la jeune Nathalie y prenait part, elle aussi, le nez, la bouche et le menton complètement barbouillés de pouding et s'amusant manifestement beaucoup.

Tout compte fait, les Simard ont laissé un très bon souvenir à l'Île-d'Orléans, celui d'une famille unie, joyeuse et talentueuse...

La célébrité de René n'était pas survenue par hasard, et le père rappelait aux journalistes : « Ce ne sont pas des gens de Montréal qui ont découvert René Simard, mais les gens d'ici, de Sainte-Pétronille. »

Il est vrai que tout le monde au village connaissait le talent des Simard pour la chanson, en particulier celui de René. Effectivement, tous les villageois avaient incité Jean-Roch à inscrire son fils dans les nombreux concours qui se tenaient à la radio ou à la télévision.

En 1974 – Nathalie vient d'avoir cinq ans –, l'enfant découvrit que son frère était quelqu'un de connu. René venait de faire une tournée triomphale au Japon, gagnant le Premier Prix du Festival international de la chanson de Tokyo. Tous les journaux en avaient parlé. On en avait fait une émission spéciale à la télévision.

À la mi-juillet, René revint à Sainte-Pétronille les bras chargés de cadeaux : poupées, kimonos, peintures sur laque, baguettes d'ivoire sculpté. Il y en avait pour tout le monde. La petite sœur n'en revenait pas de voir toutes ces belles choses qui venaient

Les Simard ont laissé un très bon souvenir à l'Île-d'Orléans, celui d'une famille unie, joyeuse et talentueuse...

d'aussi loin que le Japon ! On avait dû lui montrer sur une mappemonde où se situait ce pays.

Dans sa tête de petite fille, Nathalie jugea aussitôt très important l'homme qui avait accompagné le grand frère dans une grosse voiture noire. Il parlait fort, ponctuant ses phrases de mots d'église comme «tabernacle» ou «ciboire», que Nathalie n'entendait pas souvent dans la bouche des gens de Sainte-Pétronille. Il donnait des ordres avec assurance et semblait toujours avoir raison.

On expliqua à la petite fille qu'il s'agissait de «l'agent de René», un autre mot qu'elle ne comprenait pas très bien. Toute la famille, en particulier sa mère, faisait de bien belles manières à «l'agent» en question. Tout de suite, Nathalie décida qu'elle n'aimait pas cet homme : c'est lui qui emmenait son frère René dans la grande ville, la privant de sa compagnie.

Nathalie Simard venait de faire la connaissance de «l'impresario»…

CHAPITRE TROIS

L'impresario

*Champion du marketing, il aurait vendu
un enregistrement de l'*Ave Maria *de Schubert
à l'iman de la Grande Mosquée de Jérusalem...*

Cela se passa le 17 juillet 1971, en l'église Saint-Léonard de Montréal, sur la rue Jarry.

L'impresario avait trente et un ans et faisait ses adieux au célibat...

– Carole, acceptez-vous de prendre pour époux...

C'était une belle cérémonie, mais le plus spectaculaire restait à venir.

La célébration tirait à sa fin. Les jeunes époux s'étaient embrassés sous le regard complice du curé. L'assistance avait hâte de sortir, car le marié avait annoncé un « méchant *party* » !

Soudain, du jubé s'éleva une voix cristalline et pure, lumineuse. « Une voix d'ange », se souviennent les témoins.

Ave Maria... Le nouveau marié en oublia presque sa femme Carole et se retourna pour voir à qui appartenait cette voix. Sa surprise fut totale. « Mais c'est qu'il a du talent le petit ! » se dit-il. Une belle petite frimousse en plus. À peine sorti de l'église, le marié demanda à sa mère l'adresse des parents de ce jeune prodige dont elle lui avait fait la surprise.

Le marié ne sacrifia pas son voyage de noces, mais ce fut tout juste : dès son retour, il se rendit à l'Île-d'Orléans rencontrer Jean-Roch et Gaby Simard.

C'est ainsi que l'impresario entra dans la vie des Simard... René avait dix ans. Nathalie, deux.

*

Décidément, les Simard et l'impresario étaient faits pour se rencontrer puisque celui-ci est né lui aussi à Chicoutimi. Sa famille déménagea d'abord à Québec où le père fut chauffeur de taxi. L'enfant fréquentait l'école Saint-Jean-Bosco et jouait au hockey dans la ligue pee-wee. Mais il passa la majeure partie de sa jeunesse à Alma et abandonna l'école après la septième année. Seul le hockey intéressait ce jeune. Comme bien des garçons de son âge, il rêvait de jouer un jour pour l'équipe des Canadiens de Montréal. D'ailleurs, il n'était pas mauvais et réussissait plutôt bien avec les Aiglons d'Alma, où il occupait la place d'ailier droit.

Cependant, il ne sera jamais repêché par les Canadiens ni par aucune autre équipe de la Ligue nationale. Alors il se lança dans le commerce. Il emprunta 2 500 dollars pour ouvrir, à Alma, un magasin de disques – La Maison du palmarès – ce qui avait l'avantage de lui permettre d'écouter toutes les musiques à la mode, celles d'Elvis Presley et des Beatles en particulier, les coqueluches des jeunes des années soixante. Il trouva même un truc pour faire augmenter ses ventes. Il conclut une entente avec le propriétaire de l'hôtel de l'endroit : les artistes en tournée couchant à l'hôtel passeraient une heure dans le magasin de disques pour signer des autographes.

Cela ne fit pas la fortune du futur impresario, mais il rencontra ainsi les chanteurs les plus célèbres du moment. Les années soixante constituèrent l'âge d'or de la chanson populaire au Québec. Les postes de radio multipliaient les palmarès. La télévision en couleurs diffusait les concerts. Et des artistes plus entreprenants que les autres créaient les premières maisons de disques québécoises.

Une sorte de révolution culturelle se produisit alors : plutôt que d'écouter les grands succès dans leur version originale, c'est-à-dire l'anglais, les Québécois s'entichèrent de versions françaises chantées par des gars et des filles d'ici. Ainsi, grâce à son magasin de disques, le commerçant d'Alma fit la connaissance des « vedettes » venant de Montréal, Tony Roman en particulier, qui avait fondé la première compagnie de disques locale – Canusa – et fait découvrir les Nanette Workman, Patrick Zabé, Johnny Farago.

En 1967, Tony Roman avait aussi fait connaître un groupe – le trio des Baronets –, dont la particularité était d'adapter pour le Québec les plus grands succès des Beatles. Le jeune disquaire d'Alma fut impressionné par le succès de ces chanteurs et de ces groupes avec lesquels il se lia d'amitié et dont il finira d'ailleurs par faire la promotion.

Toutes ces fréquentations lui montaient un peu à la tête, et il se prit pour un artiste ! Il enregistra six 45 tours et fit croire qu'ils se vendaient à des dizaines de milliers d'exemplaires. Ce fut peut-être vrai pour son adaptation française du succès de Richie Valence, *Donna*. Son dernier disque, en 1966, présenta deux chansons : la populaire *Peggy Sue* et un titre étrangement prophétique : *Adieu, Nathalie*.

Toujours aussi vantard, l'homme eut le culot de confier à des journalistes : « C'est finalement les Beatles qui m'ont tué… » Rien de moins !

Puis il se mit dans la tête de donner lui-même des spectacles. Il emprunta des titres au répertoire de Gilbert Bécaud, très à la mode dans le Québec des années soixante. Malheureusement, sur scène il chantait faux et s'étouffait : ce fut un véritable four. Les Baronets, qui participaient au même spectacle, pouffaient de rire dans les coulisses.

Le commerce du disque n'allait guère mieux que la carrière du chanteur à Alma, cette ville de moins de 30 000 habitants. Pour ne rien arranger, le jeune disquaire avait tendance à « partir sur la go » avec des artistes de passage. En fin de compte, le propriétaire de La Maison du palmarès ferma boutique, ayant compris qu'il devait tenter sa chance à Montréal. Comme agent d'artiste plutôt que comme chanteur.

Avec 30 dollars en poche, il partit vers la métropole « sur le pouce ». À son arrivée, il comptait notamment sur l'aide de l'un des Baronets, René Angélil, pour l'héberger dans son appartement. Mais Angélil étant en voyage à Toronto, il trouva porte close. Il racontera plus tard qu'il a passé sa première nuit à Montréal à dormir sur un banc public du parc Jarry !

L'homme était beau parleur, vantard à souhait et un peu arnaqueur à l'occasion. Mais, champion du marketing, il vendrait un enregistrement de l'*Ave Maria* de Schubert à l'iman de la Grande Mosquée de Jérusalem si on le lui demandait.

Il fut surtout l'un des premiers à comprendre une des lois de l'industrie du disque dans les années soixante : le marché de Montréal était encombré et dominé par les grandes maisons américaines et britanniques. Pour vendre un disque, on devait le faire diffuser par les postes de radio du Québec.

Le vendeur entreprit de se bâtir rapidement un réseau de relations utiles. À cette époque, avant l'apparition des entreprises de câblodistribution, il y avait moins d'une quinzaine de canaux de télévision que l'on sélectionnait avec une roulette sur l'appareil. Il n'était pas rare que des familles complètes ne tournent jamais la roulette et restent en permanence à l'écoute du « Canal 10 » – Télé-Métropole. Le futur impresario s'y fera rapidement des amis en jouant pour l'équipe de hockey de la maison. Comme des tournois opposaient l'équipe de Télé-Métropole à des postes de radio tels CKAC, CJMS ou CKVL, notre homme allait multiplier ses contacts.

Puis il proposa ses services de vendeur à l'une des maisons de production de disques, Laval Records, qui lui offrit un bien modeste salaire de 40 dollars par semaine. Le voilà vendeur itinérant, se promenant partout en province pour écouler les disques. Fin renard, il finit par convaincre Laval Records de lui donner 3 cents par 45 tours vendu, et 10 cents pour un 33 tours.

Très vite, il devint l'ami des animateurs de radio de toutes les villes du Québec, les tutoyant comme s'ils avaient été ensemble à la petite école de rang. Son commerce marchait tellement bien qu'en 1969, il fonda sa propre maison de production de disques, Nobel. Il reprit les vieux succès de Tony Roman et diffusa Johnny Farago, Patrick Zabé et, bien sûr, Les Baronets.

À l'époque, l'astuce était assez simple : on produisait un disque au moindre coût, souvent dans des studios de fortune et avec du matériel bon marché, parfois en réutilisant de vieilles pistes sonores sur lesquelles le chanteur enregistrait sa voix. On payait l'artiste le moins cher possible, après que tous les coûts de production avaient été récupérés. La comptabilité de la production était difficile à suivre, les revenus parfois reportés d'un disque sur l'autre. Les frais des tournées de promotion étaient incontrôlables. Les lois sur les droits d'auteur n'existaient pas encore, et le piratage était courant. Bref, le métier d'«agent d'artistes» n'avait pas toujours bonne réputation...

Une fois le disque produit, le producteur accompagnait ses artistes en tournée dans la province. Comme il avait des contacts dans tous les postes de radio, la promotion était d'autant plus facile que les artistes et leur agent prétendaient avoir déjà vendu «plusieurs dizaines de milliers de disques» : le succès attire le succès.

L'impresario connut d'ailleurs une certaine réussite et, dans la communauté des artistes, il fut bientôt perçu comme un petit requin du disque. «Il va encore faire une passe», disaient les chanteurs en le voyant recruter un nouveau poulain pour sa maison de disques.

C'est certainement ce qu'on se dit à Montréal lorsqu'il débarqua, à l'automne de 1971, avec «le p'tit Simard»…

*

Comme l'avait répété son père Jean-Roch, c'étaient les gens de Sainte-Pétronille qui avaient découvert René et Régis Simard. Et ce furent eux qui conseillèrent à Gaby L'Abbé d'envoyer son fils René à une nouvelle émission du poste privé de télévision de Québec, CFCM 4 : *Les Découvertes de Jen Roger*.

Roger Marcotte appartenait à cette génération de chanteurs qui, avant la télévision, se produisaient dans les bars de Montréal comme le Mocambo – sous le pseudonyme de Johnny Rogers – ou la Casa Loma – où il s'appelait désormais Jen Roger.

Dans les années soixante, il prit bien entendu le virage de la télévision et créa un concours pour les jeunes débutants au canal 4 de Québec. La première «découverte» de Jen Roger fut René Simard, un enfant de dix ans. Toutes les mères et les grand-mères du Québec s'entichèrent immédiatement de ce petit chanteur qui les avait amenées au bord des larmes avec son interprétation de l'*Ave Maria* de Schubert.

L'une d'elles était justement la mère de l'impresario, qui devait se marier quelques mois plus tard à Montréal. Elle obtint l'adresse du jeune Simard, se rendit à l'Île-d'Orléans et demanda à ses parents de le laisser chanter au mariage de son fils. On connaît la suite…

*

Ce n'était sans doute pas la première fois que Jean-Roch Simard recevait la visite d'hommes d'affaires de la grande ville, pressés de faire signer un contrat d'exclusivité au petit René. Toutefois, le père avait d'autres projets. Selon lui, plusieurs de ses enfants avaient le talent pour faire carrière dans la chanson. Il aurait préféré une proposition pour « Les » Simard, plutôt que pour René seul.

D'ailleurs, sur le premier microsillon de René, dans l'interprétation du *Chant de l'alouette*, René sera accompagné de sa sœur Lyne et de son frère Régis. Les deux frères feront une tournée de spectacles en 1972. Régis, aussi doué pour la guitare, composera même une chanson – *Parce que je t'aime* – en 1973. Il enregistrera aussi un duo avec René – *Les Deux Gamins de l'Île*. Et il y aura plus tard cet enregistrement de chants de Noël par toute la famille.

Le père Simard connaissait bien Patrick Zabé et, à l'occasion, écoutait ses conseils. C'est lui qui lui recommanda l'impresario. Le bagout de l'homme ferait le reste.

La carrière de René Simard allait connaître un départ fulgurant. Cela tenait d'abord à son incroyable talent. Dès l'enregistrement de son premier disque, deux mois seulement après sa découverte dans le jubé de l'église Saint-Léonard, tous les témoignages confirmaient la facilité pour le chant de ce gamin, qui semblait né dans le *show-business*.

L'ingénieur du son des studios RCA, Pete Tessier, qui produisait des disques pour la plupart des chanteurs québécois, racontait : « Ce petit-là les surpasse tous. On dirait presque qu'il est né dans un studio. » Le réalisateur de l'émission *Madame est servie*, de Télé-Métropole, Jean-Charles Gilliot, où le jeune Simard avait déjà été invité, affirmait : « [Je] n'a[i] jamais vu un enfant apprendre si vite. Moi, je serais prêt à faire une émission spéciale avec lui, car il va vite devenir le chouchou du public... » Cela n'allait pas tarder en effet ! Quant au chef d'orchestre, Jacques Crevier, il fut impressionné par le sens du *timing* de son chanteur : « Il a un talent d'autant plus superbe qu'il est naturel... »

L'impresario, qui en était à sa première découverte et à sa première vedette bien à lui, se déchaîna. Il produisit «L'oiseau», un premier microsillon qui fit instantanément une vedette de René Simard. Il fit inviter son poulain dans toutes les grandes émissions de variétés. Son premier disque fut lancé à l'émission de Michel Jasmin, l'animateur de radio le plus populaire de l'époque. Et surtout, l'agent de promotion distillait au compte-gouttes, dans tous les grands journaux à potins, des nouvelles plus sensationnelles les unes que les autres.

En quelques jours, selon l'impresario, le premier disque de René Simard «battit tous les records de vente». Il fut la vedette «la mieux payée au cinéma» lorsque Denis Héroux décida de faire un film sur lui : *Un enfant comme les autres*. Puis René Simard entreprit «une tournée de 52 villes» avec les Baronets. Et la vedette «provoqu[a] une mini émeute à Hull», alors que 78 453 personnes – exactement! – se bousculaient pour l'acclamer.

Tout cela est impossible à vérifier, bien entendu. Mais l'impresario fit jouer tous ses contacts, tira toutes les ficelles. Le succès – bien réel et mérité d'ailleurs – finit par attirer le succès... Après la production de «L'oiseau» – qui se vendit à 175 000 exemplaires –, l'homme fut consacré «l'as des coups fumants».

L'impresario s'occupait presque exclusivement de la carrière de sa nouvelle vedette. C'était malgré tout un enfant et, lors des voyages dans les studios de la région de Montréal, il fallait l'habiller, le nourrir, le loger. L'agent ne connaissait pas grand-chose aux vêtements en particulier, et il avait d'autant moins le temps de s'occuper du prodige de l'Île-d'Orléans que sa nouvelle épouse lui avait donné deux petites filles.

Par hasard, en se promenant rue Sainte-Catherine, il rencontra une «collègue», Claudine Bachand, qui travaillait dans une autre agence de promotion et connaissait bien le métier elle aussi. L'impresario lui proposa de se joindre à lui et de s'occuper presque exclusivement de René Simard. Il fera d'elle la première « vice-présidente » de son entreprise Les Disques Nobel inc. Ce fut le début d'une longue aventure où Claudine Bachand puis sa sœur Danielle devinrent les « nounous » de René Simard, l'accompagnant dans tous ses voyages – jouant le rôle de maquilleuses, d'habilleuses, de gardiennes, d'éducatrices et d'amuseuses, de confidentes à l'occasion et surtout d'attachées de presse.

Lorsque le jeune garçon devait rester à Montréal plusieurs jours, il habitait chez les Bachand plutôt qu'à l'hôtel. Quand viendra le temps pour sa sœur Nathalie d'enregistrer dans la région de Montréal, elle habitera chez l'impresario lui-même…

Dès le début de sa carrière, le jeune Simard fut en quelque sorte financièrement soustrait à l'autorité de ses parents. Comme l'y oblige en effet la nouvelle *Loi sur la curatelle publique*, adoptée en 1974, l'impresario confia les intérêts du jeune chanteur, et l'administration de ses biens, à Charles Rondeau, de Boulanger, Fortier, Rondeau, un cabinet d'experts-comptables de la région de Québec.

Désormais maître des affaires et de la vie privée de René Simard, l'agent d'artistes décida de l'orientation artistique de la carrière du jeune homme. Cela ne faisait pas toujours l'affaire de son père qui, avec son franc-parler habituel, ne se gênait pas pour donner son opinion. En voici des exemples. Le film *Un enfant comme les autres* ? « Irréaliste et absurde ! » commenta Jean-Roch Simard. Le spectacle de René Simard à la Place-des-Arts et au Grand Théâtre de Québec ? « Trop américanisé… »

Jean-Roch était un ami de Félix Leclerc et un grand admirateur de René Lévesque. Au début des années 1970, le Parti Québécois avait le vent dans les voiles. Le père Simard votait pour le PQ, et il aurait aimé que son fils devienne un chantre de la culture québécoise, en particulier de ces chansonniers qui célébraient « le pays » et annonçaient qu'« un nouveau jour va se lever ».

Mais l'impresario se fichait bien des commentaires du père, du moment qu'ils ne sortaient pas de Sainte-Pétronille. Quant à la mère, elle avait une telle admiration pour son fils, et une telle confiance dans son agent, qu'elle n'avait guère d'opinion.

Les journalistes de Montréal et la branche « intello » du milieu de la chanson québécoise pouvaient bien le trouver « quétaine », l'impresario savait qu'il avait – dans tous les sens du mot ! – « la bonne recette ». Et quand il le fallait, il se faisait distribuer des certificats de bonne conduite par les commentateurs des journaux à potins, comme celui-ci : « Il faut dire que son impresario s'occupe magnifiquement bien de la carrière de René Simard et que nous pouvons lui faire confiance. Il sait où il va et ce qu'il fait, et il a entre les mains une jeune vedette qui a tout ce qu'il faut pour durer très longtemps. Que les pessimistes se rassurent... »

De toute manière, l'impresario commençait à trouver le Québec trop petit pour lui et sa vedette. Ses ambitions lui montraient le chemin de la Californie, de la France et – pourquoi pas ? – du Japon...

Le « coup fumant » le plus gros de toute la carrière de l'agent fut sans aucun doute le choix de René Simard pour représenter le Canada au Festival international de la chanson de Tokyo. Arrivé quelques jours avant, le jeune garçon de treize ans fut pris en main par la maison de disques CBS. On lui fit apprendre, phonétiquement, une chanson en japonais d'un des compositeurs les plus connus, Kunihiko Murai. En outre, au cas où il gagnerait le premier prix, on lui fit enregistrer à l'avance un 45 tours qui serait pressé dans la nuit et mis sur le marché dès le lendemain matin de la finale du concours.

Le soir du 30 juin 1974, René Simard gagna le Premier Prix du Festival international de la chanson de Tokyo. Devant plusieurs dizaines de millions de téléspectateurs, Frank Sinatra lui remit un trophée et lui lança, sur la scène : « *Don't grow up* » (« Ne change pas petit... »).

L'impresario était-il alors conscient que la voix des garçons change inexorablement, et beaucoup plus vite que celle des filles ? En 1974, René Simard avait treize ans. Nathalie, cinq...

Cette soirée fut la consécration pour René Simard et son agent. Bien avant Céline Dion et René Angélil, un chanteur populaire du Québec connaissait le succès à Tokyo, Los Angeles et Paris, et intéressait les plus importantes maisons de disques du monde entier.

Au retour du Japon, la réception à l'aéroport international de Montréal fut grandiose. Radiomutuel, le réseau privé de radios, organisa une conférence de presse en direct pour tous ses postes affiliés. On tourna même un documentaire sur la visite de René Simard au Japon.

Si le mot avait existé, on aurait sans doute parlé à cette époque de « Renémania ». La vie à l'Île-d'Orléans, en particulier sur le chemin du Bout-de-l'Île, allait désormais changer. Toutefois, on ne parlait plus des « p'tits Simard », mais seulement de René.

Quand l'impresario arrivait à la maison de Sainte-Pétronille, il prenait toute la place, parlait fort, sacrait comme un charretier. La vraie caricature du représentant de commerce qui vient de faire un « *tabarnak* de bon coup », comme il dirait…

CHAPITRE QUATRE

La famille cassée

*Notre famille était comme un beau vase
que l'impresario a brisé. Puis il en a volé deux
morceaux pour qu'on ne puisse pas le recoller...*

Nathalie Simard n'a jamais compris pourquoi, mais, dès ses premières rencontres avec l'impresario, alors qu'elle n'avait que cinq ans, celui-ci lui a toujours inspiré de la crainte. Il s'imposait comme le grand patron, celui qu'il fallait écouter, surtout pas contredire. Bref, comme quelqu'un de beaucoup trop sévère pour cette petite fille espiègle et entichée de son père.

Quand l'homme arrivait à la maison de l'Île-d'Orléans, l'enfant allait se cacher dans un placard.

– Pourquoi te caches-tu? demandait la mère.

– J'ai peur de lui...

Cette peur irraisonnée lui fut peut-être d'abord inspirée par Jean-Roch Simard. À quatre ans, Nathalie avait regardé avec son père une émission spéciale à la télévision. René chantait à la basilique Notre-Dame de Montréal avec Les Disciples de Massenet – un chœur mixte de soixante-cinq personnes. Fixant l'écran, Jean-Roch s'était soudain mis à pleurer en disant : «J'ai peur de celui-là, j'ai peur qu'il enlève mon fils.» Il avait montré un des choristes, très corpulent, avec de gros sourcils, un front plissé et un regard sombre, sans pouvoir expliquer pourquoi il l'inquiétait.

Depuis ce jour-là, la petite fille fut convaincue que le monde du spectacle était hostile aux enfants et dangereux pour eux.

Il faut dire que la célébrité n'était pas non plus sans inconvénients pour la famille Simard. Le père répétait souvent : «C'est dur de subir le vedettariat quand on n'est pas vedette !»

Du jour au lendemain, les Simard de Sainte-Pétronille se sont retrouvés en cage, tels des animaux de cirque. Les week-ends, les Québécois venaient en famille, parfois de très loin, se promener sur le chemin du Bout-de-l'Île. Ils montaient les marches de la maison blanche et déambulaient en groupe sur le balcon d'en avant, collant leur visage à la fenêtre pour tenter d'apercevoir l'intérieur. Voyant ces visages déformés par la vitre, la fillette se mettait à pleurer. Elle avait peur que les gens ne l'enlèvent !

Pour elle, la chanson populaire devint synonyme de célébrité. Et la célébrité, d'envahissement par des étrangers. Les gens ramassaient n'importe quoi sur le terrain : une branche sèche, une fleur, un caillou. Il leur fallait un souvenir de la «maison des Simard». Un jour, une femme voulut emporter une pierre trop grosse pour elle. Elle ouvrit le coffre de sa voiture et demanda à Martin de l'aider à transporter l'énorme caillou. Excédé comme les autres par ce manège, Martin prit la roche et la déposa lentement sur un appareil photographique qui se trouvait déjà dans le coffre !

Mais quand il s'agissait des Simard, un caillou valait sans doute bien un Kodak !

Les écoles organisaient des voyages de fin d'année en autobus scolaire et amenaient les élèves voir la maison des Simard : c'était leur récompense pour avoir bien étudié.

Jean-Roch n'aimait pas beaucoup la tournure que prenait la carrière de René. Pour lui, la chanson était une affaire de famille, dans la cuisine ou le salon. «Vous ne pourrez jamais entendre ces concerts-là sur disque, disait-il à l'impresario. Vous ne pourrez jamais les acheter. Ce sont des souvenirs inoubliables. Et ces belles choses ne seront jamais violées...»

Pour l'impresario, Jean-Roch Simard était devenu un «emmerdeur». D'autant plus qu'aux débuts de la carrière de son fils, il voyageait parfois avec lui. Dans la grosse voiture de l'agent, les disputes n'étaient pas rares entre les deux hommes, sans que l'on sache vraiment pourquoi. L'emmerdeur était tout simplement de trop. Encombrant.

Un jour, René Simard arriva pour un court séjour à l'Île-d'Orléans. Il devait avoir quinze ans, tout au plus. Mais déjà riche et célèbre, il était le petit roi, le préféré de sa mère Gabrielle. Les autres enfants se la fermaient quand il était là...

– Viens dans la salle à manger avec Martin et maman, ordonna René à son père.

Lorsque les quatre furent réunis, un court mais terrible dialogue s'engagea entre René et Jean-Roch :

– Dis à maman tout ce que tu fais de mal.

– Je sais que j'ai un problème, mais il faut comprendre, plaida le père.

– Tu as une mauvaise influence sur tout le monde. Tu t'en vas !

La famille se brisa d'un coup. Personne ne protesta. Nathalie croit se souvenir d'avoir vu partir son père sur le chemin du Bout-de-l'Île avec une petite valise. Aujourd'hui, elle est convaincue que l'ordre venait de l'impresario et que son frère René n'en avait été que l'exécuteur.

Quand l'homme ordonnait quelque chose et que René semblait d'accord, la mère acceptait. Le départ de son mari ne la chagrina guère. Souvent, plus tard, elle racontera aux journalistes que sa vie de couple était un enfer. On colporta que Jean-Roch avait été vu dans les rues de Québec, couchant à l'occasion sur des bancs publics. Toutefois, il se sortit de cette difficile situation après avoir entrepris une cure de désintoxication en 1977.

Depuis le jour où son père avait été chassé de chez lui, Nathalie conclut que l'impresario était plus important que son propre père pour René.

Vers l'âge de cinq ans, Nathalie avait pris conscience de la disparition de son père. Son frère Martin ne devait lui en fournir les raisons que beaucoup plus tard. Depuis ce jour-là, Nathalie souffre d'une grande absence : celle de son père.

Parfois, il lui arrivait de réclamer Jean-Roch en pleurant. Alors, on lui répondait, presque brutalement : «Ben non! Tu fais mieux de ne pas le revoir. Il est parti…»

Tout naturellement, Martin, le frère aîné qui avait treize ans de plus que Nathalie, joua le rôle de père auprès d'elle. Il lui achetait ses cadeaux de Noël et l'emmenait faire des virées en moto-neige. La petite fut particulièrement fière lorsque, à sa première communion, à l'église de Saint-Pierre, Martin l'accompagna jusqu'à l'autel.

L'absence du père changea beaucoup de choses dans la vie des Simard. La chanson était soudain devenue autre chose qu'un passe-temps de famille. Les rêves d'enfant de Régis et de René – par exemple, ils se promettaient de former un groupe – ne se sont jamais réalisés. La chanson était devenue, sans que les Simard s'en rendent compte, une affaire de professionnels.

Ce départ provoqua aussi l'éclatement de la famille. Nathalie et Jean-Roger, de même que Martin, l'aîné, restèrent avec leur mère. Ils séjournèrent quelque temps au complexe immobilier Les Jardins de Savoie, à Charlesbourg. À la même époque, René Simard avait loué une très grande maison à Saint-Hilaire

Tout naturellement, Martin, le frère aîné qui avait treize ans de plus que Nathalie, joua le rôle de père auprès d'elle.

(aujourd'hui Mont-Saint-Hilaire), non loin de Montréal, et il y fit rapidement venir sa mère et les enfants qui vivaient avec elle.

Quand Nathalie arriva dans la maison de son frère, elle l'appela aussitôt « le château », tant elle était impressionnée par la façade avec ses hautes colonnades, le grand salon et l'escalier tournant qui montait à l'étage, l'immense plateau rempli de fruits frais posé sur une table de marbre, la table de billard au sous-sol. Sa chambre était fraîchement décorée. Pour elle, c'était l'opulence. Dehors, il y avait même une grande piscine creusée en forme de T, avec un plongeoir. Avec ses yeux de petite fille, tout prenait un aspect démesuré.

À partir de ce jour-là, elle fréquenta l'école Hertel-de-Rouville, à Saint-Hilaire. Forte en mathématiques, elle éprouvait plus de difficultés en français. Cependant, Saint-Hilaire représentait d'abord l'endroit des grandes fêtes. Nathalie avait maintenant dix ans, et son frère René la comblait de cadeaux, la déguisait en sorcière à l'Halloween – cette fois, c'est elle qui faisait peur aux autres ! –, l'emmenait faire du ski.

À cette époque, René était souvent absent, car il animait une émission hebdomadaire réalisée à Vancouver pour la Canadian Broadcasting Corporation (CBC), le *René Simard Show*. En 1979, il invitera d'ailleurs Nathalie à participer à un hommage en l'honneur de Pierre Elliott Trudeau. Par la suite, pour remercier « les p'tits Simard », le premier ministre les conviera à sa résidence officielle, à Ottawa.

À ce dîner très officiel, un peu guindé, l'impresario et son entourage avaient soigné leurs manières. Le premier ministre avait offert à la petite Nathalie de partager son dessert. Elle était un peu gênée mais Trudeau avait insisté, lui tendant son assiette. Lui avait ri de bon cœur, même si les autres invités avaient fait les gros yeux et trouvé que la jeune Simard manquait un peu de classe. Le premier ministre avait dû en garder un bon souvenir, puisque, quelque temps plus tard, il fit référence à « l'incident » dans une lettre adressée à René.

Tant qu'elle habitait à Saint-Hilaire, Nathalie participait à des événements avec son frère. Mais avec René venait l'impresario, dont elle avait toujours aussi peur, sa même peur irraisonnée d'antan. Quand le téléphone sonnait, elle craignait que ce soit lui, qu'il lui demande de venir chanter, qu'il lui fasse enregistrer des disques et participer à des émissions de télévision, qu'elle devienne célèbre et qu'elle se fasse enlever. C'est effectivement ce qui allait se produire...

Le frère et la sœur étant alors très proches, il n'est pas surprenant que l'impresario songea à les faire travailler ensemble. Les célébrations de l'Année internationale de l'enfant lui en fourniraient l'occasion. En décembre 1978, un groupe pop suédois, ABBA, avait participé à un grand concert au profit de l'UNICEF – Fonds des Nations Unies pour l'enfance – et fait don des droits de sa chanson *Chiquitita* à l'organisation. L'impresario eut l'idée d'en faire enregistrer une version française à René, mais ce jeune homme, de dix-huit ans maintenant, avait besoin d'un partenaire.

L'impresario chercha longtemps la perle rare et, soudain, il pensa à la petite sœur de René qu'il croisait à l'occasion à Saint-Hilaire.

– Dis-moi, René, ta sœur sait-elle chanter? questionna l'impresario au téléphone.

– Comme tout le monde dans la famille...

– Passe-la-moi, ordonna l'homme, impatient comme toujours.

Il demanda à Nathalie de pousser quelques notes et, bien entendu, elle chantait juste et avec rythme. Quand on est la fille de Jean-Roch Simard et la sœur de René, on a la chanson dans le sang.

René Simard insista tout de même pour que sa jeune sœur réfléchisse. «Penses-y tout de même : on ne le fera que si ça te fait envie», insista-t-il. Mais comment cette petite fille d'à peine dix ans refuserait-elle de chanter avec son frère?

En mai 1979, la chanson *Tous les enfants du monde* connut un succès extraordinaire, en partie à cause de la présence de Nathalie, qui fut la découverte du moment.

L'impresario avait le génie de la mise en scène et pensait à tout. Il appelait cela sa *gimmick*. Il imposa à Nathalie la même coiffure que René lorsqu'il chantait l'*Ave Maria* de Schubert. «Mon Dieu qu'elle ressemble à René!» disaient les gens en voyant la pochette du 45 tours.

– C'est une *gimmick*! expliquait l'agent. Et cela marchait... René Simard, le jeune homme de dix-huit ans après lequel toutes les jeunes filles couraient, était encore là. Mais il semblait avoir son double à côté de lui, comme s'il commençait une deuxième vie. Une seconde carrière certainement. Désormais, le «p'tit Simard» était une petite fille...

Sur le plan financier, l'impresario ne perdit pas de temps. Dès le 4 mai 1979, la mère de Nathalie Simard, Gabrielle L'Abbé, demanda formellement la convocation d'un «conseil de famille» pour entériner la nomination d'un tuteur. Madame Simard expliqua que «Nathalie Simard désir[ait] œuvrer dans le monde artistique et a[vait] été approchée afin de signer des engagements pour des tournées musicales». Tels sont du moins les mots que les avocats Leger, Robic et Richard mirent sous sa plume...

Le nom de l'impresario n'apparaissait pas sur la liste des membres du conseil de famille, mais on y retrouvait trois dames Bachand : Marie-Ange, la mère, Claudine, son adjointe, et Murielle. Outre René et sa mère Gaby, on y lisait aussi les noms de Régis et de sa conjointe, Jackie Rousseau.

Le conseil se tint officiellement le 17 décembre 1979, et René Simard devint «tuteur à la mineure», Nathalie. Le subrogé tuteur fut le comptable de l'impresario. La tutelle prit officiellement effet le 11 janvier 1980. Nathalie avait dix ans et demi.

Il serait surprenant que Gabrielle L'Abbé fût l'instigatrice d'une telle idée. Quant au père, Jean-Roch, déjà en cure de désintoxication et totalement sain d'esprit, il n'avait pas été consulté. Quant à la Curatelle publique et le protonotaire de la Cour supérieure du Québec, district de Saint-Hyacinthe, ils ont approuvé ces actes sans poser de questions.

Le moins qu'on puisse dire, c'est qu'avant même de débuter sa carrière d'artiste, Nathalie Simard était bien encadrée…

Pour le grand public, Nathalie n'était encore que « la sœur de René ». Une fois le disque de la chanson de l'UNICEF enregistré, elle dut retourner à l'école et subir les humeurs des camarades, comme autrefois à Sainte-Pétronille. De ceux qui étaient fiers d'avoir une célébrité dans leur classe et qui continuaient de jouer à cache-cache avec elle dans le petit bois, de l'autre côté de la maison. Et des autres, un peu jaloux, qui la menaçaient de « lui péter le nez » à la sortie des classes.

Il y eut aussi quelques émissions de télévision pour stimuler les ventes du 45 tours. La première sortie de Nathalie eut lieu lors de l'émission *Le Jardin des étoiles*, de Michel Girouard. Elle y fit surtout de la figuration. On la traitait comme une enfant : « Qu'elle est *cute* ! » s'extasiaient les grands. L'enfant était impressionnée par les projecteurs et les grosses caméras du studio. Tout le monde avait des conseils à lui prodiguer… « Tu t'installes comme ça, tu regardes cette caméra pendant que René parle, fais attention à tes petites jambes… » Et l'animateur de s'émerveiller de sa ressemblance avec René.

L'impresario, lui, était moins content. Pour la pochette du disque, Nathalie avait revêtu une robe et portait des chaussettes blanches. Après deux ou trois lavages, elles avaient viré au gris…

– Comment ça, *crisse*, que les bas à Nathalie sont pas blancs ? cria-t-il à René. Moi, ma femme, elle lave les bas des enfants, pis ils redeviennent toujours blancs.

Une nouvelle fois, l'impresario se servait du jeune homme pour faire des reproches à la mère. Peu à peu, Gabrielle L'Abbé devenait encore plus craintive, sachant à quel point l'impresario pouvait être exigeant. Elle aussi commençait à appréhender la sonnerie du téléphone.

Nathalie fut aussi invitée, seule cette fois, à la plus populaire émission de variétés du canal 10 : *Parle, parle, jase, jase*, animée par Réal Giguère. C'était presque la consécration !

L'entreprenant agent de René Simard pensait qu'il y avait sûrement là un filon à exploiter. À moins qu'il n'ait voulu recréer la carrière de René jeune ? Toujours est-il qu'aussitôt après le duo avec son frère, Nathalie enregistra son premier *single*. Sur une face du 45 tours, on trouvait la chanson interprétée par la vedette, et sur l'autre, la version instrumentale. Bien des enfants de cette époque se sont ainsi amusés à apprendre par cœur leurs chansons préférées et, en retournant simplement le disque, à tenter de les chanter sur la musique.

Cette première chanson s'appelait *Une glace au soleil*, et elle fut longtemps la préférée de Nathalie. Toute une génération a fredonné le même refrain :

Si tu m'offres une glace à la vanille
Je serai, je serai gentille
Si tu m'offres une glace au chocolat
Je ferai mes devoirs avec toi
Si tu m'offres une glace pralinée
Je serai sage toute l'année
Si tu m'offres une glace aux ananas
Tu pourras venir jouer chez moi...

(L. Gaste et J. Luent)

Ce premier 45 tours en solo a la particularité d'être le seul où on voit, sur la pochette, Nathalie portant des nattes. C'était la femme de l'impresario qui avait eu l'idée de la coiffer ainsi, mais son mari piqua – dans son langage de taverne – une terrible colère.

– Hey ! *Tabarnak*, tu vas arrêter de changer mes affaires, *ostie*. C'est moi le boss, icitte, pis, *crisse*, toé, t'es là pour t'occuper d'elle, mais tu viendras pas m'mettre des bâtons dans les roues, pis m'dire quoi faire. Enlève ça, ces *osties* de couettes-là, c'est laite, pis *crisse*, tu l'sais c'est quoi le look que j'veux, pis c'est le look de René, c'est ça !

Très vite, Nathalie Simard retrouva sa coupe de petit page. On eût dit que l'impresario s'était créé un modèle d'enfant et qu'il ne voulait plus en changer…

Le succès de *Tous les enfants du monde* fut tel que Nathalie Simard vivra avant l'âge de onze ans sa première tournée internationale. René Simard partait présenter six concerts à Disney World, en Floride, et six autres à Disneyland, en Californie. La CBC enregistrerait les spectacles pour une émission spéciale – *Absolute Canada*. Cette fois-ci, Nathalie devait accompagner son frère pour chanter avec lui la chanson de l'UNICEF. C'était sa première expérience de « tournée » avec les sœurs Bachand qui jouaient alors les chaperons des « p'tits Simard ». Les religieuses de l'école Hertel-de-Rouville avaient glissé dans les bagages de l'enfant une vingtaine de devoirs à faire et de leçons à apprendre pendant ses soirées de loisir.

Une certaine complicité existait entre le grand frère et sa petite sœur. Un soir, au beau milieu d'un spectacle, alors que les deux Simard chantaient en duo, René se pencha vers Nathalie et lui chuchota à l'oreille, hors micro : « Caca ! » Prise d'un fou rire, la fillette fut incapable de chanter. En fait, elle ne put finir la chanson.

Après le spectacle, la petite fille était terrorisée. Elle savait que l'impresario n'avait sûrement pas aimé cela. Effectivement, assise dans les coulisses, elle entendit son pas rageur derrière elle. Comme d'habitude, il explosa :

– *Tabarnak*, t'es ben mieux de plus jamais me refaire ça ! Comment ça que t'as ri comme ça, *câlisse* ?

– Ce n'est pas sa faute, tenta d'expliquer le grand frère. C'est moi, c'est moi qui…

– Non, *ostie*! Faut qu'elle apprenne, *tabarnak*! Le monde, y paye. Tu vas comprendre que le monde paye pour venir te voir, pis demain soir, t'es ben mieux de pas me refaire une affaire de même!

Jusqu'au début de 1980, Nathalie n'eut pas vraiment de carrière propre, mais on commençait à parler d'elle dans les revues populaires. Un magazine familial – *Le Lundi* – publiait de temps à autre la «Fiche d'identité» de vedettes de la chanson et du spectacle. Nathalie eut droit à sa propre fiche dès l'âge de dix ans et quelques mois. Les réponses qu'elle fournit aux questions de l'éditeur du journal furent surprenantes… Surtout la dernière! Il est intéressant d'en relire quelques passages…

«SUPERSTITION : Aucune

BOISSON : Jus de fruits

PLAT FAVORI : Coquille Saint-Jacques

PARFUM : De ma maman

VOITURE : La Corvette de mon frère

CHANTEUR : Leif Garrett

CHANTEUSE : Ginette Reno

ACTEUR : Erik Estrada

SOUHAIT LE PLUS CHER : Rencontrer Erik Estrada

RÊVE LE PLUS FRÉQUENT : Erik Estrada

AMBITION : Chanteuse

QUALITÉ PRÉDOMINANTE : Gentille

DÉFAUT PRÉDOMINANT : Tannante (pas toujours)

CE QUE VOUS AIMEZ LE PLUS DES AUTRES : L'honnêteté

CE QUI VOUS IRRITE : Les personnes méchantes

QU'AURIEZ-VOUS AIMÉ FAIRE : Un impresario féminin!»

Cet instantané de Nathalie Simard par elle-même, un peu avant ses onze ans, est en somme un repère. On sait qu'elle aime les beaux acteurs au type hispano-américain, qu'elle veut devenir chanteuse et que son deuxième choix de carrière serait celui... d'impresario.

L'année 1980 marque la fin d'une enfance à Saint-Hilaire, où tout a beaucoup tourné autour de sa personne. Comme si sa mère et ses frères voulaient qu'elle profite au maximum de ce temps de l'innocence avant son entrée dans le monde du *show-business*. C'est sans doute pour cette raison qu'on célébra ses onze ans avec autant de faste.

On avait invité une cinquantaine de personnes, des enfants surtout, bien sûr, mais également quelques grandes personnes comme l'impresario et quelques-unes de ses adjointes. Lui était arrivé avec, comme cadeau, un petit chien frisé, un bichon maltais, que Nathalie baptisa aussitôt Chibouki à cause d'une émission de télévision pour enfants que Radio-Canada diffusait au début des années soixante-dix. Quant à René, il lui avait installé un grand lit à baldaquin dans sa chambre.

Mais la grande surprise, ce fut la visite de Mickey Mouse en personne, venu tout droit de Floride. Lors de son séjour à Disney World, Nathalie s'était liée d'amitié avec celle qui personnifiait Mickey, une naine du nom de Becky. Elle avait d'étranges lubies, mangeant des fourmis et mettant du lait dans son Pepsi.

– Mais c'est dégueulasse! protestait chaque fois Nathalie.

N'empêche que, grâce à son frère, Nathalie fut instantanément célèbre dans son école, lorsque la rumeur se répandit : Mickey Mouse s'était déplacé spécialement pour elle de la Floride à Saint-Hilaire!

Ce genre d'événement porte à croire que René dépensait sans compter pour la famille qui habitait avec lui. Dans l'entourage de l'impresario, on murmurait d'ailleurs volontiers que « René [était] devenu le soutien moral et financier d'un paquet de monde ». Trop de monde, faut-il comprendre… Mais si Nathalie doit beaucoup à René pour le lancement de sa carrière, tous les autres en ont indirectement souffert.

Après quelques mois avec sa mère à Saint-Hilaire, Martin, qui entrait dans la vingtaine, a été invité à partir. « Le beurre coûte cher… », avait grogné René. Avant de poursuivre la carrière artistique dont il rêvait, Martin Simard a lavé la vaisselle à Gagnonville et travaillé dans la construction à Calgary.

Jean-Roger, le plus jeune, fut expulsé de la maison de Saint-Hilaire pour avoir été surpris en train de fumer un joint de marijuana. René Simard était très soucieux de préserver son nom et sa réputation personnelle. « Il m'a coûté cher, mon nom! » ne cessait-il de répéter à ses frères et à leurs copines.

Martin avait appris à chanter sur les marches qui conduisaient au bar de l'hôtel Château Bel Air où il attendait son père. Il chantait les partitions de ténor à la chorale de Sainte-Pétronille et organisait des tournées de spectacles dans les hôpitaux avec Régis. Chanteur de cabaret, il réussissait à vivre de sa passion, mais il trouvait difficile de voir, sur les affiches, le nom « Martin Simard » en petites lettres et en gros « FRÈRE DE RENÉ SIMARD »!

Tous les Simard ont eu à subir la comparaison avec leur frère. Régis, par exemple, a fini par quitter l'école, excédé d'entendre son professeur lui répéter : « Simard, sors de la lune, t'es pas au Japon. La vedette, c'est ton frère, pas toi! » Lui aussi était doué pour la musique et il composait lui-même ses chansons, s'accompagnant à la guitare. Mais il souffrait de l'incessante comparaison avec René.

Les frères Simard, et le père sans doute, regrettent encore de n'avoir jamais pu tenter l'aventure de former un groupe. S'étant d'abord réservé René, l'impresario faisait maintenant la même chose avec Nathalie. Au père qui protestait, lui suggérant de s'occuper aussi des autres qui avaient du talent, l'impresario avait brutalement répondu : «Pour moi, il n'y a que René et Nathalie. Les autres, je les ai dans le c...» Il pouvait bien parler ainsi, puisqu'il les avait liés tous les deux à lui par contrat!

Quand la famille se dissout pour de bon, que les frères et les sœurs se marient et partent de leur côté, laissant René et Nathalie avec l'impresario, on a l'impression que quelque chose s'est irrémédiablement brisé.

Martin Simard aurait pu en faire une ballade : «On était une famille pauvre mais très unie. Notre famille était comme un beau vase que l'impresario a brisé. Puis il en a volé deux morceaux pour qu'on ne puisse pas le recoller...»

Finis les Simard! Désormais, on ne parlerait plus que de René. Ou de Nathalie...

CHAPITRE CINQ

« Nathalie »

Toi, tu es une femme, maman...

À onze ans, Nathalie Simard est d'abord un extraordinaire sourire au fond de magnifiques yeux bleus. Le visage rond, le nez légèrement retroussé, une fossette au menton, les cheveux châtain sagement rabattus sur le front, elle était l'enfant que toutes les mères rêvaient d'avoir, le modèle de toute une génération de petites filles.

Son rêve était de chanter comme Chantal Pary qui, dans les années soixante, avait aussi débuté très jeune. Son disque «Les gens heureux n'ont pas d'histoire» tournait beaucoup à la radio quand Nathalie eut l'âge de s'intéresser à la chanson.

Et c'est vrai que les deux avaient un petit air de ressemblance. Comme Chantal, Nathalie avait la voix et le sens du rythme. Elle avait aussi un grand talent et une mémoire phénoménale pour apprendre ses textes.

Nathalie Simard voulait-elle vraiment faire carrière dans la chanson? À cinq ans, elle avait peur de la célébrité et des ennuis qui venaient avec. À dix ans, après son duo avec René pour l'UNICEF, elle pensait retourner sagement à l'école. Mais la chanson la tenait...

Le grand frère René raillait d'ailleurs sa sœur : «Nathalie voulait savoir ce que c'était [la chanson]. Elle a aimé l'expérience, mais de là à en faire une carrière, je ne sais pas. Nous ne l'avons pas forcée, je ne l'aurais pas permis. Le plus drôle est lorsqu'elle reçoit son chum, elle sort son disque et le petit gars écoute sagement... »

Il y a probablement un peu de légende là-dedans. Mais pour un agent d'artistes à la recherche de nouvelles vedettes, surtout après le succès de René Simard et avec la possibilité de le répéter, Nathalie Simard devait représenter une bien grande tentation. Claudine Bachand – «Coco» pour la jeune chanteuse – trouvait d'ailleurs qu'elle était «la réincarnation de René, avec le même caractère et les mêmes dispositions».

À onze ans, Nathalie était comme une pierre précieuse. L'impresario allait la tailler à sa façon, la sertir des plus jolis costumes et des plus beaux décors. Le caillou allait devenir bijou. Les textes, la musique, la mise en scène, la pochette du disque, l'impresario déciderait de tout... Pour le meilleur et pour le pire.

Certains matins, il arrivait parfois avec une nouvelle chanson et disait : «C'est bon ça! On va faire ça...» Ce pouvait être effectivement bien bon, et convenir à la jeune chanteuse, mais son opinion à elle importait peu, puisqu'il avait toujours le dernier mot. Qu'elle aimât cela ou pas !

Dès son premier microsillon, l'impresario avait voulu lui faire interpréter une chanson de Noël qu'elle trouvait ridicule...

– Voilà c'que le petit Noël m'apporte, un cadeau du ciel... C'est ma sœur qui m'a fait penser à ça. C'est bon! avait dit l'homme.

– Mais c'est bébé, je ne peux pas chanter ça! avait protesté Nathalie.

Nathalie est d'abord un extraordinaire sourire au fond de magnifiques yeux bleus.

– *Tabarnak*, c'est bon, pis les enfants vont aimer ça. Il faut que tu la fasses…

En studio, la jeune chanteuse se sentait grotesque de chanter certaines chansons. Sur le même disque, elle en trouvait une en particulier – *Goldorak* – franchement quétaine. Les paroles lui allaient si mal…

> *Il traverse tout l'univers*
> *Aussi vite que la lumière*
> *Qui est-il ? D'où vient-il ?*
> *Formidable robot des temps nouveaux…*
> *C'est Goldorak le grand,*
> *Le grand Goldorak*
> *C'est Goldorak le grand,*
> *Le grand Goldorak…*
>
> (P. Delanoë / P. Auriat)

« *Tabarnak*, c'est bon ! C'est bon… », avait insisté l'impresario.

Dans ces chansons, lui ne voyait qu'un corps d'enfant se trémoussant au rythme de la musique. Les paroles ? Il s'en foutait. Le contenu n'avait jamais été son point fort.

À l'exception de son émission de télévision, avec Ève Déziel et Jacques Michel qui lui composaient de très beaux textes et de merveilleuses mélodies originales, Nathalie Simard n'eut jamais la chance de voir de grands auteurs ou compositeurs, tel Eddy Marnay pour Céline Dion, lui composer des chansons. L'impresario avait tendance à aller au plus pressé, et au moins cher : des chansons connues, parfois des airs vieillots, mais auxquelles la voix et le sourire de Nathalie donnaient une nouvelle fraîcheur.

Lors de l'enregistrement du premier disque, l'impresario se montra paternel… « C'est bien la petite, t'es *cute* ! » Et les textes – de vieux textes de Noël comme *Petit papa Noël*, *Ça bergers, assemblons-nous* ou *J'ai vu maman embrasser le Père Noël* – étaient plus faciles à retenir. Elle en connaissait bien les mélodies pour les avoir entendues tant de fois chantées par son père et ses frères. Il lui suffisait d'apprendre les paroles par cœur.

Metteur en scène et concepteur de spectacles à l'occasion, éclairagiste au besoin, l'agent lui disait quoi faire, voyait aux moindres détails.

– Fais ci, fais ça. Va à droite, va à gauche. Frappe des mains…

Pendant des années, Nathalie avait vu son frère chanter. Elle tentait de l'imiter, parfois gauchement. Tant qu'elle n'était qu'une enfant, cela pouvait paraître gentil et mignon. Mais avec le temps, l'impresario voulut ajouter un vernis professionnel.

Chorégraphe improvisé, il mimait des jeux de scène et ordonnait à Nathalie : « Là, tu rentres, pis quand la petite musique part, pis que tu chantes pas, tu te tournes de côté pis tu fais ça avec tes petits poings, pis tu te tournes, tu fais encore comme ça… »

Nathalie tournait à gauche, puis à droite, revenait à l'avant-scène et recommençait à chanter… Ce n'est pas pour rien qu'on avait surnommé les petits Simard « les marionnettes » !

Parfois, l'imagination de l'impresario débordait un peu trop. Après *La Danse des canards*, il eut une toquade pour les danses. La danse du petit chat, la danse de ci, la danse de ça…

– Moi, les danses, wow là, ça va faire ! avait osé protester Nathalie.

L'impresario avait la curieuse habitude de concevoir la pochette du disque avant même d'avoir commencé l'enregistrement. La *gimmick*, toujours la *gimmick* ! Il fallait donc choisir les vêtements qui seraient portés sur scène, plus tard, pendant les tournées de promotion. Claudine Bachand et Nathalie partaient alors acheter de nouvelles robes. Elles revenaient avec des sacs et des cartons pleins de vêtements, et lui s'installait, tel un expert en habillement de petites filles… « Ça oui… Ça non ! disait-il en montrant du doigt les robes étalées sur le divan de son bureau ou

une table de la salle de conférences. Ça, c'est *cute*, essaye ça !
Ça, ça va être beau… »

À ses débuts, Nathalie avait trouvé une pochette particulièrement belle. Les employés du bureau de l'impresario lui avaient
fait des compliments sur sa robe et sa coiffure. L'impresario lui
avait donné une pochette vide, et la petite fille était rentrée à
Saint-Hilaire avec enthousiasme. En entrant dans la maison, elle
l'avait brandie sous le nez de sa mère et de son frère.

– Regardez comme je suis belle !

– On ne dit jamais ça ! avait lancé René d'un air sévère.

Plus jamais la petite fille n'osa dire qu'elle se trouvait belle.
Elle attendrait qu'on le lui dise…

Avec son remarquable sens du marketing, l'impresario pensait
à tout. Nathalie chantait parfois avec son chien Chibouki, et
l'animal portait alors un vêtement qui changeait suivant les villes
où ils se produisaient : le chandail des Nordiques, l'équipe de
hockey professionnel de Québec, la Vieille Capitale. Et, bien
sûr, le chandail des Canadiens à Montréal !

Venait ensuite l'enregistrement, qui se déroulait généralement dans un studio de la Rive-Sud de Montréal. Un microsillon
33 tours – un « long-jeu » – contenait dix chansons. Dans sa
voiture, l'impresario faisait entendre des cassettes à la petite fille.
Elle les écoutait ensuite chez elle, le soir avant de s'endormir et
le matin en se levant. Dieu que sa mère a pu haïr ces musiques
que Nathalie faisait jouer très fort !

Parfois, la gamine répétait avec son frère, ou avec Claudine
Bachand. Rarement avec l'impresario, qui n'était pas vraiment
doué pour la chanson ! Toutefois, quand Nathalie arrivait en
studio, l'agent reprenait le contrôle de tout. Les techniciens
faisaient jouer la bande sonore trois, quatre ou cinq fois pour
permettre à Nathalie de se réchauffer la voix. Puis quand « ça
sort[ait] bien », l'enregistrement débutait. On arrêtait, on reprenait
telle phrase, on recommençait jusqu'à ce que tout soit parfait.

Cela pouvait prendre plusieurs jours pour un seul microsillon, et Nathalie Simard en faisait deux ou trois par année.

Un chanteur doit travailler avec des écouteurs pour entendre la bande sonore sur laquelle il place sa voix. Pour une petite fille, cela peut être difficile, d'autant plus que les écouteurs sont généralement trop grands pour sa tête !

On n'a pas idée à quel point, pour une enfant de onze ans, ces séances étaient stressantes ! Elle n'osait pas exprimer d'opinion sur les textes qu'on lui imposait ou sur les jeux de scène qu'on lui demandait d'exécuter. Nathalie restait toujours une enfant docile face à un adulte autoritaire et exigeant. « Faut que j'écoute ce qu'on me dit et que je fasse ce qu'on me demande… », se répétait-elle.

Obéir : elle ne connaissait que ce mot. Mais au commencement, c'était un jeu, puisqu'elle jouait à « faire comme René ».

Les tournées de promotion – à ses débuts, elles avaient souvent lieu avec son grand frère – étaient encore plus exigeantes. Là encore, l'impresario contrôlait tout. Avant de partir, il préparait la gamine à répondre aux questions des journalistes : « Lui va te poser telle question, il faut que tu répondes ça. » En quelque sorte, cela représentait pour Nathalie d'autres textes à apprendre. Et il valait mieux pour elle ne pas se tromper, car l'homme était sévère.

La force des Simard tenait à leurs tournées dans toutes les villes de la province. Il n'y avait pas un directeur de salle, pas un patron de centre commercial qui ne voulait les avoir. L'impresario disait toujours oui, puisque « ça fai[sai]t vendre des disques ».

Un artiste expérimenté prend plaisir à ces voyages où il retrouve des visages connus, des lieux familiers. Mais, pour une fillette, cela représentait toute une aventure. À chaque étape, elle devait répéter les mouvements sur de nouvelles scènes. Très jeune, Nathalie Simard a appris à rentrer « côté cour » et à sortir « côté jardin ». Cependant, elle devait désormais occuper des positions toujours différentes sur des scènes nouvelles. Le fichu rideau, en particulier, ne tombait pas toujours au même endroit ! En plus, les salles pour les changements de costume n'étaient pas non plus très privées. Bref, c'était la bohème...

Le spectacle fini, la gamine exténuée aurait bien aimé aller se coucher. Parfois sa chambre n'était pas prête, ou on n'avait pas encore décidé si elle dormirait avec René ou avec Coco. Les grands, eux, avaient une seule envie : sortir au restaurant pour décompresser et célébrer.

La petite Nathalie suivait tout le monde, trouvant les conversations bien ennuyeuses. Alors elle s'allongeait sur deux ou trois chaises, dans un coin, et s'endormait. On ne l'a jamais oubliée, paraît-il !

L'impresario avait ses habitudes, souvent dans les mêmes restaurants italiens. Il choisissait toujours le vin le plus cher et, après quelques verres, parlait aussi le plus fort. L'heure était venue de « manger du prochain » comme on dit. Devant René, ses employées, sa femme, d'autres artistes de passage ou le propriétaire du restaurant, l'homme intarissable répandait les ragots du monde du spectacle. « Untel couche avec unetelle », ou encore « Elle a dû se mettre à genoux pour faire un disque avec lui... » À l'occasion, il se mettait en scène lui-même, parlant d'une chanteuse encore peu connue qui avait sollicité son appui pour faire un disque...

– Moi, vas la faire chanter dans mon micro, la p'tite... On riait fort autour de lui. Nathalie ne comprenait pas toujours les blagues, mais elle conserve de ces moments-là un souvenir du milieu du spectacle : un monde de requins qui s'entredévorent. N'ayant aucun autre point de référence, elle finit par se convaincre que les compliments qu'on lui destinait n'étaient pas sincères, que son admirateur mentait.

Un jour que sa mère lui demandait si elle s'amusait dans cette nouvelle vie de « vedette », Nathalie répondit : « J'ai peur de me tromper dans mes chansons, j'ai peur de ne pas répondre la bonne affaire, je suis tout le temps sur le gros nerf, tout le temps stressée... »

Malgré l'expérience qu'elle prenait, Nathalie Simard ne pouvait même pas se dire : «Ce soir, je fais une émission avec Michel Jasmin. Il est gentil, lui, alors je relaxe…» L'impresario avait toujours quelque nouvelle exigence, quelque message particulier à faire passer…

Surtout, il avait une stratégie : imposer le prénom de «Nathalie», qui seyait tout autant à une fillette de onze ans qu'à une adolescente de seize ans. De toute façon, cette gamine aurait toujours le visage d'une enfant. *Nathalie chante pour ses amis*, *Noël avec Nathalie*, *Nathalie Simard* tout simplement, *René et Nathalie en concert*, *Chante avec Nathalie*, et la série du *Village de Nathalie*…

Dès ses débuts dans la chanson, la Nathalie en question a été entraînée dans une spirale sans fin. Elle se sentit d'abord comme dans un manège, s'attendant à ce que la grande roue arrête. Elle suivait, docile. Mais la roue a continué de tourner pendant près de vingt ans.

L'enfant n'a jamais vraiment profité de son succès, car elle n'avait tout simplement pas le temps d'y penser. Parfois, ses fans se précipitaient à la porte d'un studio pour lui demander un autographe ou la féliciter. Mais elle devait immédiatement passer à autre chose, aller ailleurs. Même la période des fêtes – quand les tournées arrêtaient – n'était pas vraiment des vacances, car elle savait qu'en janvier, tout recommencerait, qu'il faudrait apprendre d'autres chansons, recommencer les répétitions. Il lui est même arrivé de perdre connaissance tant il y avait de monde dans les centres commerciaux.

Elle ne vivait que pour la chanson et pour cet agent, dont les seuls artistes, à l'époque, étaient les deux Simard. Les week-ends où elle allait chez lui, à Sainte-Adèle, il sortait ses cassettes et visionnait les spectacles qu'il avait produits.

– Regarde! C'était bon, ça…, disait-il.

Les amis de l'impresario en avaient assez. Dès leur arrivée chez lui, il n'était question que des Simard. Un véritable lavage de cerveau. «Décroche, là», protestaient certains.

Mais rien ne l'arrêtait. Les invités venaient passer un week-end de repos, mais ils ne se couchaient pas avant d'avoir regardé une émission de René ou de Nathalie Simard. Le lendemain, ça recommençait !

Évidemment, la vie privée de la petite fille en souffrait beaucoup. Après le départ de René de Saint-Hilaire, Nathalie et sa mère habitèrent à Vimont. L'enfant fréquentait maintenant une école privée, Le Jardin rose. Un peu vieillot, le bâtiment sentait la vieille école. Les petites filles portaient l'uniforme : jupe grise, chemisier blanc, gilet vert et bleu. Toutes les maîtresses s'appelaient « Tante » – Tante Gisèle pour le français, Tante Jeannine pour les mathématiques, Tante Marcelle pour l'anglais et la catéchèse. Cette année-là, Nathalie reçut le sacrement de la confirmation.

Les « tantes » s'accommodaient tant bien que mal des absences de plus en plus fréquentes de leur élève. Quand celle-ci partait en voyage, elles lui donnaient des devoirs, quand elle revenait, elles l'installaient à côté de leur bureau, s'assurant qu'elle suive bien la leçon, même si elle avait manqué de grands chapitres de la matière enseignée. Elles faisaient en sorte que l'enfant puisse demander de l'aide en cas de besoin.

Nathalie n'était pas une première de classe, et ce fut de moins en moins agréable pour elle de retourner à l'école après deux ou trois semaines d'absence. Se trouvant encore moins bonne et ayant peur d'être ridiculisée, elle craignait de lever la main, autant pour demander une explication que pour répondre à une question.

Finalement, lorsque l'impresario proposa à sa mère de lui faire quitter l'école secondaire et de l'inscrire à des cours privés, Nathalie fut soulagée. Normalement, elle devait fréquenter le Collège des Eudistes de Rosemont tous les samedis matin, mais, une fois de plus, les exigences des tournées prirent le pas sur les études. Plus tard, on l'inscrivit à des cours de danse à l'école de Louise Lapierre, sur le plateau Mont-Royal. René l'avait fréquentée lui aussi et en pensait le plus grand bien. Par la suite, avec à peine un secondaire II, la jeune femme se sentira tout le temps handicapée.

Pour l'instant, Nathalie ne pouvait même pas mener une existence de petite fille. Elle n'avait pas le temps de sortir avec les amies de son âge et, quand bien même elle l'aurait eu, elle devait demander la permission au bureau de l'impresario. Pour aller au cinéma avec sa cousine Marie-France et les copines de sa « gang de Vimont », on lui imposait un chaperon !

Et Nathalie, qui vendait des dizaines de milliers de disques, n'avait jamais un sou ! Chaque semaine, cérémonieusement, Claudine Bachand, chargée de distribuer la paie des employés, lui remettait son « enveloppe » : 5 dollars d'argent de poche, jamais un sou de plus !

On semblait d'ailleurs ne pas trop savoir ce qu'était l'argent chez les Simard. Un jour, alors que Nathalie habitait encore à Saint-Hilaire et que tout le monde partait, on avait demandé à sa cousine Andrée de venir la garder pour le week-end. Personne n'avait songé à laisser de l'argent pour l'épicerie. La pauvre gardienne, alors dans la vingtaine, se servit de son propre argent de poche et fit son marché en additionnant soigneusement chaque dépense pour avoir de quoi payer une fois arrivée à la caisse.

La petite Nathalie resta marquée par l'expérience. Elle observait sa cousine et, nerveuse, se demandait : « Est-ce qu'on va avoir assez pour tout payer ? » Peut-être était-ce à cause de ce genre d'incident, somme toute plutôt banal, ou du surmenage d'une petite fille menant une vie d'adulte ? Toujours est-il que les sautes d'humeur, les colères soudaines, les lubies d'enfant gâtée aussi, se firent plus fréquentes et surprirent son entourage. Qu'elle en a reçu, la pauvre Marie-France, des pots de yaourt dans la figure !

Nathalie se souvient très bien, par exemple, qu'elle adorait maquiller et coiffer sa mère. Elle avait développé ce talent à force d'observer les maquilleuses et les coiffeuses du « Canal 10 ». Jusqu'à l'âge de quinze ou seize ans, la petite fille avait joué à la poupée avec sa mère. Mais certains jours, elle était tellement brutale que la mère ne pouvait s'empêcher de se plaindre : « T'es dure avec moi aujourd'hui », disait-elle.

Même lorsqu'elle était devenue une jeune fille, ses parents ne voyaient toujours en Nathalie qu'une fillette modèle, une « petite parfaite ». Les journaux populaires, qui faisaient flèche de tout bois – ils ont réussi à obtenir des entretiens avec papa et maman Simard –, ont laissé des traces de leurs témoignages. En voici quelques exemples.

Jean-Roch Simard parle : « Elle est pure, vraie et honnête. Quand je vois toutes les petites filles de son âge aux prises avec des problèmes de drogue, je me considère chanceux d'avoir une fille comme elle... C'est ma petite dernière, elle est un petit oiseau bien frêle pour moi, un petit vase de porcelaine. »

Et le père de se rassurer. « Si quelque chose..., commence-t-il, laissant entendre que pas une loi ne l'empêcherait de se porter à la défense de sa fille. Mais je sais que René est là, et il est le plus grand protecteur de sa petite sœur... »

Gabrielle L'Abbé explique : « Nous vivons à une époque où il y a tellement de problèmes de drogue chez les jeunes. L'important, c'est qu'elle sache que je suis là quand quelque chose la tracasse, et je tente de garder l'esprit ouvert... »

Et Nathalie de confirmer : « Maman dit que je suis encore une petite fille, qu'il arrive tellement de choses et qu'il est préférable de ne pas prendre de chances... Mais il y a certaines choses que je ne lui confie pas, je ne sais trop pourquoi. Mais on ne dit pas tout à une mère. »

Quand elle fêta ses onze ans – l'âge où se termine l'enfance, dit-on –, Nathalie Simard était comme un bel oiseau en cage, mais qui chantait malgré tout, n'ayant jamais connu la liberté. Ses amis, ses collègues, les auteurs et compositeurs qui travaillaient pour elle, le grand public... tout le Québec, en somme, ne se rendait pas compte que Nathalie Simard se sentait bien dans le refuge de sa peau d'enfant.

– Je la berce encore et je la prends dans mes bras comme une poupée, raconte sa mère.

Quand Nathalie couchait chez elle, elle rejoignait souvent sa mère dans son lit. Elle apportait alors son oreiller, son ourson, et elle venait se blottir contre elle.

– Toi, tu es une femme, maman…, disait-elle.

CHAPITRE SIX

Le secret

*Le grand corps de l'homme, un peu
alourdi par ses quarante ans, se glissa sur la
peau douce d'une fillette de onze ans...*

Comme toutes les petites filles et tous les petits garçons de cinq ans, Nathalie et Jean-François avaient leur secret.

C'était au temps de la grande maison blanche de Sainte-Pétronille. De l'autre côté du chemin du Bout-de-l'Île, un peu vers la droite, on accédait facilement à la rive du grand fleuve. Au bord des rochers, il y avait une modeste cabane de bois où, autrefois, des pêcheurs avaient sans doute rangé leurs filets.

Maintenant abandonnée, elle servait de lieu de rendez-vous pour Jean-François et Nathalie. Le garçonnet habitait assez loin et il venait de temps en temps rencontrer sa copine Nathalie, près de chez elle. Tout cela était bien discret. Secret.

Un jour, il demanda à Nathalie de voir son « petit truc ». Il avait entendu dire que chez les filles, « c'était pas pareil ». Il voulait voir...

– C'est comment ? insistait-il.

Et les deux enfants « s'étaient montré » leurs différences…

– C'est quoi ça ? cria la petite fille en voyant la chose de Jean-François.

C'est ainsi que Nathalie, comme bien des fillettes de son âge, apprit que les garçons avaient un pénis.

Jean-Roch Simard était un homme très religieux. Son épouse, Gabrielle, une femme prude. On ne parlait jamais de sexe dans la maison des Simard. Même les grandes sœurs et les grands frères n'évoquaient jamais la chose devant Nathalie. Et ce n'était sûrement pas les religieuses de l'école qui se chargeraient de l'éducation sexuelle des écolières de Sainte-Pétronille, surtout pas à cet âge-là.

À onze ans, tout ce que Nathalie Simard sait, ou à peu près, c'est que les filles ne sont pas constituées comme les garçons.

*

Au fait, avait-elle bien onze ans ? Dans sa tête, elle devait plutôt avoir neuf ans, ou neuf ans et demi. Elle se souvenait que c'était à l'époque de son premier disque avec René – « Tous les enfants du monde ». À moins que ce ne fût un peu après, à l'occasion de l'enregistrement de son premier disque à elle – « Joyeux Noël »…

Les policiers avaient calculé que ce devait être vers l'âge de dix ans ou dix ans et demi. Puis, le 17 novembre 2004, la Chambre criminelle et pénale de la Cour du Québec avait établi que cela s'était passé « à partir du 7 juillet 1980 », date du onzième anniversaire de Nathalie.

« Considérant l'espace temps qui nous sépare de cette époque et l'impact que cela a sur les mémoires, expliqua maître Josée Grandchamp, la loi commande que l'accusé bénéficie du calcul lui étant le plus favorable situant ainsi les premiers gestes à partir de juillet 1980 alors que la victime a onze ans. »

Onze ans ou dix ans, voire neuf ans et demi, cela est-il vraiment important? Pour lui, sans doute, puisqu'il s'agissait du «calcul le plus favorable». À onze ans, Nathalie n'était plus tout à fait une enfant. À neuf ou dix ans, cela semblait beaucoup plus grave. Cela faisait de lui un vrai pédophile, un prédateur.

Quant à Nathalie, elle se souvient qu'elle était très jeune. Trop jeune. Et l'âge ne change rien à son passé…

Nathalie prend ses repères sur son corps. «Je n'avais pas encore de poils…» Ou avec la sortie de ses disques : «Si c'était au temps de "Nathalie chante pour ses amis", c'était en 1980…» Ou avec les déménagements de l'impresario : «Dans son condominium de l'Île-des-Sœurs…» Ou à la couleur de ses voitures : «C'était une Mercedes grise, intérieur en cuir rouge, décapotable…»

Mais le temps a-t-il tellement d'importance? Qu'est-ce que cela change qu'on ait onze, douze, quatorze, seize ans? Rien sinon qu'on veut de moins en moins et que cela fait de plus en plus mal…

Pour Nathalie, seule la première fois a compté puisqu'elle s'est immédiatement sentie coupable et qu'elle a commencé à vivre avec un «gros mensonge», faisant d'elle une sorte de complice.

Elle l'a écrit au juge Robert Sansfaçon, le 15 juillet 2004, sur les feuilles lignées du cahier d'écolière de sa petite fille :

«Il a toujours été présent pendant mon enfance et aussi de mon adolescence, et plus les agressions s'accumulait et plus c'était lourd à porter et à garder comme secret…

«En plus d'être mon agresseur, il était aussi mon gérant, donc il avait un parfait controle sur ma vie. J'avais peur de lui mais au fil du temps j'ai développer une grande confiance en lui puisque nous avions un enorme secret ensemble, donc il a abuser de la peine que j'éprouvais et aussi de ma confiance…»

*

La première fois donc, l'impresario et sa jeune chanteuse revenaient d'un studio d'enregistrement.

Un grand nombre de ces studios se trouvaient dans la région de Montréal, et lui résidait sur la Rive-Sud, à Saint-Lambert. Nathalie habitait encore à Saint-Hilaire, à une quarantaine de kilomètres au sud-est de Montréal. Il avait donc proposé à sa mère que la petite reste chez lui lorsqu'elle travaillerait dans un studio de télévision ou de radio à Montréal, ou dans les environs. Au fait, pourquoi pas chez les Bachand, comme René? Personne ne s'en était étonné…

L'homme avait quitté Carole, sa première femme, qui s'occupait de ses deux petites filles pendant la semaine. Il habitait donc seul avec sa nouvelle compagne.

– La petite ne dérangera pas et elle aura sa chambre, avait-il expliqué à Gaby.

Malgré son jeune âge, Nathalie Simard vivait la vie d'une artiste. Dans le monde du spectacle, on ne disait pas : «La petite Nathalie doit manger à midi parce qu'elle va avoir faim.» Ou : «Il faut qu'elle se couche à 21 heures.» Dans le milieu du *show-business*, on mange quand on peut. On dort quand on a le temps.

La conjointe de l'impresario dînait souvent seule et avait rarement de la cuisine supplémentaire à faire pour sa pensionnaire. En effet, l'impresario et sa jeune chanteuse rentraient souvent à des heures inhabituelles.

Encore une fois, sa mère, avec qui elle vivait, le grand frère qui prenait tant soin de sa carrière, personne ne trouvait rien d'anormal à cette situation. Comme si tout le monde avait oublié l'âge de l'enfant. Une petite fille de onze ans découche plusieurs soirs par semaine, vit chez son agent, voyage souvent seule avec lui, et personne ne s'était étonné? Fallait-il que l'impresario les ait tous envoûtés pour qu'ils aient trouvé cela «normal»!

Ce serait donc pour son bien que Nathalie coucherait à Saint-Lambert, puis à l'Île-des-Sœurs. Ce serait son «chez nous». Elle y aurait sa chambre de petite fille…

*

Au moment où cela s'est passé, il faisait nuit et, sur l'autoroute qui longeait le fleuve, la circulation était fluide. Un peu en avant, on voyait déjà l'immeuble où se trouvait l'appartement de l'impresario, au cinquième étage.

En partant du studio, ils avaient un peu parlé de la journée, de la chanson que Nathalie avait enregistrée. À un moment donné, presque machinalement, il avait allumé la radio, et elle s'était plongée dans ses pensées. C'était un poste où on parlait beaucoup. Soudain, Nathalie remarqua qu'on traitait des relations sexuelles entre un homme et une femme, des relations «complètes». La petite fille n'arrivait plus à détacher son attention des paroles qu'elle entendait et se sentait de plus en plus mal à l'aise. Mais qu'aurait-elle pu y changer? C'était toujours lui, le chauffeur, qui mettait les cassettes, qui sélectionnait les postes. Elle se laissait conduire. Elle suivait.

Lui ne disait rien, semblant l'ignorer, comme s'il avait oublié la présence de l'enfant.

– Est-ce qu'on peut changer de poste? Ou fermer la radio? demanda timidement Nathalie.

L'homme parut un peu surpris, comme dérangé dans ses pensées…

– Ben non! Tu trouves pas ça drôle? Ça t'excite pas? lança l'homme de quarante ans.

– Non! J'aime pas ça! répondit la petite fille de onze ans.

De plus en plus mal à l'aise, Nathalie avait peur d'être mal jugée d'écouter ce genre d'émission. On l'obligeait pour ainsi dire à franchir un interdit. Elle aurait voulu se boucher les oreilles, mais elle restait pétrifiée, effrayée à l'idée de faire le moindre geste, comme si cela allait attirer l'attention de l'homme à côté d'elle.

– As-tu déjà vu ça, un pénis ? demanda l'homme en stationnant sa voiture sur l'accotement de la route.

Elle aurait pu répondre : « Oui, celui de Jean-François... » et tourner cette question en dérision. Mais c'était son agent qui parlait, celui qui passait son temps à prendre l'initiative des questions, à lui suggérer des réponses ou à lui donner des ordres. Elle avait peur de le décevoir...

Elle murmura un « Non » tellement timide qu'il signifiait : « Mais pourquoi me poses-tu cette question-là ? » Quand on a dix ou onze ans et qu'on se trouve seule avec l'homme qui s'occupe si bien du grand frère, de la mère, qui apporte de beaux cadeaux – « un vrai père Noël », disait-on chez les Simard –, on ne s'attend pas à ce genre d'interrogation de la part d'un tel personnage. Nathalie se tassait de plus en plus contre la portière de l'auto-mobile, une manière de sortir de son embarras.

Elle se souvient qu'il portait un imperméable beige. Elle a entendu le froissement du tissu et le bruit d'une fermeture éclair.

– Touches-y !

Était-ce un ordre ? Ou le soupir d'un homme en rut qui ne se contrôlait déjà plus ? Quand la gamine a répondu : « Non, j'veux pas ! », l'impresario a tout de même bien été obligé de reconnaître le timbre de voix d'une gamine de onze ans, la voix pure et cristalline de Nathalie Simard, dont il s'occupait en exclusivité et qui lui rapportait tant d'argent. Était-elle à ce point devenue un « produit » qu'il en avait oublié son âge ? Les produits n'ont pas d'âge. Était-ce un objet, une poupée qu'on faisait danser et chanter ? Toutefois, une poupée ne parle pas. Et celle-là parlait. Il continua malgré tout...

– Envoye, vas-y, c'est pas grave. Touches-y...

«Pas grave…» Pour lui, ce devait être comme au théâtre, quand il lui demandait de se tourner à droite, à gauche, «pis tu fais ça avec tes petites mains».

Nathalie a obéi, comme elle l'a toujours fait depuis que l'impresario lui donne des ordres. Sans regarder. Elle l'a tout juste frôlé. L'homme a tout de suite éjaculé.

– *Tabarnak!* Comment tu connais ça? Qu'est-ce que t'as fait là? J'ai déchargé. J'ai les mains pleines. Passe-moi un Kleenex en arrière…

L'homme eut encore un grognement, «Hoon…», en la regardant d'un air sévère.

Ses yeux étaient terribles.

Puis il ajouta :

– Il faut jamais parler de ça à ma femme, il faut jamais que personne sache ce que TU as fait…

Coupable!

L'homme lui avait simplement demandé «d'y toucher». Et elle l'avait bien fait, puisqu'il avait dit «qu'elle connaissait ça»! Mais c'était «pas grave», vraiment? Alors, pourquoi ne fallait-il pas en parler à sa femme? Quand il avait dit «pas grave», cela voulait dire : pas grave pour lui. C'était elle, la coupable. Lui s'était laissé faire. Il l'avait laissée le toucher!

L'homme glissa quelques Kleenex dans son pantalon, puis la voiture démarra. Durant les quelques minutes qui les séparaient du stationnement situé au sous-sol, il ne prononça aucun mot. Ni dans l'ascenseur pour monter au cinquième étage. Sa femme les attendait, mais Nathalie n'osa pas la regarder.

– Je suis fatiguée, dit-elle seulement, courant presque à sa chambre tapissée de jaune et crème.

On lui avait installé un divan-lit dans le *den*, une pièce où se trouvait un grand écran pour les projections. Même la porte fermée, elle pouvait entendre les voix de l'impresario et de sa femme lorsqu'ils se couchaient, dans la chambre juste à côté.

Ce soir-là, la petite fille n'arriva pas à dormir. Elle repensait à la scène, dont elle n'avait même pas mesuré toute l'importance. Elle ne comprenait même pas vraiment ce qui avait eu lieu. Quelque chose avait jailli du pénis, violemment. Dans sa tête de dix ou onze ans, elle devinait que l'incident était inhabituel, anormal, «pas correct». Elle soupçonnait qu'un événement sérieux et grave s'était passé entre elle et son agent, mais elle ne savait pas dire lequel. Elle ne le dirait jamais...

Nathalie comprit aussi plus cruellement que jamais, cette nuit-là, qu'elle n'était pas chez elle. Comme toutes les petites filles de son âge, elle aurait voulu rentrer à la maison, prendre son oreiller et son ourson, et se glisser contre le corps chaud de sa maman. «Toi, tu es une femme...» Mais elle était seule, chez l'homme, couchée en boule. Elle pensa au lendemain, au moment où elle sortirait de sa chambre et embrasserait l'épouse de l'impresario.

Dès le soir où elle avait évité les yeux de la femme, elle avait su qu'elle vivrait dans le mensonge face à elle. Elle ne pouvait lui en parler, ni à sa mère, et surtout pas à son frère, puisque c'était elle «la coupable».

Dans la voiture qui les emmenait au studio pour une autre journée de travail, l'homme la semonça, l'intimida, l'effraya. Il ne parla pas de travail cette fois, mais de ce qui s'était passé la veille...

– Faut pas que ça se sache...

L'homme la mettait en garde et l'enfermait peu à peu dans son silence.

– Je vais aller en prison. Tu vas briser des vies autour de toi. Ta carrière sera détruite, finie! Celle de René aussi...

Pour Nathalie, c'était la pire des menaces. Pas la carrière de René, ce grand frère qu'elle admirait tant! Elle ne pouvait pas lui faire ça, à lui...

L'homme ne lui a jamais demandé comment elle se sentait. Comme si cela n'avait pas d'importance. Lui seul comptait. Les apparences. La carrière. La *gimmick*. Cette première agression, il la traitait comme un spectacle raté de Nathalie, que personne n'avait vu heureusement, et dont il ne faudrait jamais parler.

Alors, l'impresario entreprit l'initiation de la petite fille...

Quelques jours plus tard, alors qu'ils étaient seuls dans la salle de projection – sa «chambre» aussi! –, il mit une cassette dans le magnétoscope. Sur l'écran, trois jolies filles faisaient de l'exercice...

– Ça t'excite pas?

Il voulait lui apprendre à se masturber elle-même, elle, une petite fille de onze ans...

Puis «toucher» ne lui suffisait plus. Il lui montra à faire bouger sa main «comme ça».

C'était la petite main d'une fillette de onze ans.

Puis il lui mit son pénis dans la bouche...

– Plus profond, comme ça.

Comme elle était une enfant, il utilisa une image d'enfant:

– Suce comme si c'était un popsicle...

C'était la bouche d'une fillette de onze ans.

Dans la voiture, il écartait parfois ses jambes, la caressait, glissait son doigt. Un peu plus loin. Toujours plus loin. La peur la tenaillait. Elle se taisait, et l'homme ne disait toujours rien.

«C'est arrivé pas longtemps après l'histoire de la voiture», se souvient Nathalie. Elle ne saurait dire s'il s'agissait d'une semaine ou d'un mois. Mais pas longtemps: «Nous habitions toujours à Saint-Lambert...»

«Nous...»

– Elle aura sa chambre, avait expliqué l'impresario à sa mère.

C'était donc devenu son autre chez-soi. Elle y avait ses habitudes. Lui aurait les siennes…

Nathalie Simard était couchée sur le divan, dans le *den*. Il devait être tard puisqu'elle dormait déjà d'un profond sommeil. Elle sentit une main l'effleurer. C'était la première fois qu'on venait la tirer de son sommeil en pleine nuit à Saint-Lambert.

Alors, elle l'aperçut, dans sa robe de chambre. Ses mains avaient déjà commencé à courir entre ses jambes. Ce ne fut pas long : le grand corps un peu alourdi par ses quarante ans se glissa sur la peau douce de la fillette de onze ans. Peut-être dix ans ou dix ans et demi. Il glissa le pantalon de son pyjama de flanelle et il essaya…

Nathalie pleurait.

– Non, j'veux pas…

– Chut, murmurait l'homme. Chut…, répétait-il. Laisse-moi aller.

– Non, j'veux pas, j'veux pas, disait l'enfant, chaque fois plus fort.

– Juste un petit peu, juste un petit peu…

Le visage défait, l'homme tremblait. Il lui mit sa grosse main sur la bouche.

– Chut…

C'était inutile. Seules des larmes sortaient maintenant des yeux de la fillette. Son cri était fait de silence : elle avait tellement peur que la femme de l'impresario se réveille. Il dut s'y prendre à plusieurs reprises. Son pénis était trop gros. Cela ne rentrait pas. Il essayait encore, recommençait…

– J'ai mal ! Ça brûle…

– Chut…

L'homme se retira avant de jouir. Il avait apporté avec lui ses mouchoirs de papier, les maudits Kleenex.

Puis il quitta la chambre sans bruit. Sans dire un mot.

Nathalie était seule à présent. Elle s'essuya le visage avec la manche de son pyjama. L'homme l'avait tellement léchée ! Cela sentait l'alcool. Elle était sonnée, saisie, comme si elle venait de recevoir une énorme gifle. Elle se demandait ce qui venait de lui arriver. À vrai dire, elle savait ce qui c'était passé, mais elle n'avait jamais pensé que cela lui arriverait comme ça…

À dix ou onze ans.

Nathalie Simard se coucha sur le côté et pleura de honte.

*

Quand le couple déménagea au Jardin de l'Archipel, à l'Île-des-Sœurs, le supplice se poursuivit. Habituellement, Nathalie couchait dans la chambre des filles de l'impresario. Quand elles venaient pour le week-end, elle dormait dans le salon. Toutefois, rien n'arrêtait l'homme.

Comme au chalet de Sainte-Adèle. La plupart du temps, il y avait beaucoup d'invités, et beaucoup de vin. La beuverie se terminait tard dans la nuit. Quand tout le monde était couché, l'impresario prenait sa douche et montait au deuxième étage. Il s'était installé une sorte de rite. Tout en haut de l'escalier, sur sa gauche, l'homme se dirigeait d'abord vers la chambre de ses filles qui dormaient dans deux lits jumeaux. Il les embrassait, tirait la couverture sur leurs épaules. Puis il passait dans la pièce à côté…

Nathalie entendait la clenche tourner. Elle savait que c'était lui. Qu'il était monté et avait pénétré dans la chambre de ses filles. Elles n'avaient que quelques années de moins qu'elle, encore des enfants de moins de dix ans. Nathalie en avait onze…

Parfois, l'homme faisait cela sur son petit lit individuel. Parfois au fond d'une immense garde-robe où on rangeait les vêtements d'hiver.

C'était toujours pareil, un *pattern* diraient des spécialistes. L'homme prenait son plaisir, vite, seul, brutal. Puis il s'en allait, abandonnant la petite fille là où il l'avait trouvée, tel un objet qu'on laisse derrière soi, sachant qu'on le retrouvera à la même place la prochaine fois...

Plus tard, Nathalie résumera ce rite à des policiers : « Il me pognait les seins, même si j'en avais pas. Il m'a montré comment le sucer, ça, c'était dans l'auto... À l'appartement, il m'a pénétrée avec ses doigts et, plus tard, ce fut une relation complète avec son pénis. Ça faisait mal. J'avais peur que sa femme nous surprenne... »

Avec le temps, l'homme devenait jaloux. Un employé de la production du *Village* avait offert à Nathalie une robe de chambre. L'impresario avait obligé la jeune fille à la rendre. La pire crise de jalousie était survenue à Sainte-Foy, à l'Auberge des Gouverneurs du boulevard Laurier. L'impresario louait toujours deux chambres, une pour lui et une pour son artiste, afin de ne pas éveiller les soupçons. Quand il la rejoignit ce soir-là, l'homme était fou de rage. Il lui serra les poignets brutalement, la prit par le cou, la secoua. Elle avait très peur, pleurait de douleur. Elle lui demandait d'arrêter, mais il la secouait encore plus fort en lui demandant d'arrêter de crier pour ne pas éveiller la curiosité des clients de la chambre voisine.

— Tu es à moi, tu m'appartiens, dit l'impresario.

Sans doute pour se venger, ou l'humilier, ou lui prouver qu'elle lui appartenait vraiment, l'agent, selon l'acte d'accusation, « a commis une agression sexuelle alors qu'il utilisait une arme ou imitation d'arme, à savoir : une télécommande [de télévision] ». Pensait-il au puissant symbole que cela pouvait représenter ? Elle, une vedette, agressée avec une télécommande ! « Dans le cadre du règlement du dossier », la représentante du procureur général du Québec décida de retirer le chef d'accusation et de ne pas présenter de preuve sur cet incident. Ni sur ce qui suivit d'encore plus horrible et dégradant...

On dit que le juge Sansfaçon fut particulièrement outré par ce détail...

«À Saint-Lambert, district de Longueuil, à Sainte-Adèle, district de Terrebonne, à l'Île-des-Sœurs et Montréal, district de Montréal, à Sherbrooke, district de Bedford, à Québec, district de Québec, à Granby, district de Bedford... » L'acte d'accusation présenté au juge ressemblait à une liste de lieux à visiter, une sorte d'itinéraire de l'horreur.

«Et ailleurs au Québec», ajouta le juge. Il aurait pu se rendre jusqu'au Mexique, si la juridiction de la justice du Canada s'était étendue aussi loin. Car l'homme avait tenté de l'agresser là aussi, dans une piscine!

L'impresario était en quelque sorte le chauffeur attitré de Nathalie dans ses tournées. «Ailleurs au Québec», c'était au hasard des routes et des autoroutes du Québec. «Dès qu'on était seuls, il en profitait», dit la chanteuse. Et il ne prenait pas toujours le temps de stationner la Mercedes comme la première fois. Une fois, tout en roulant, il lui avait demandé de s'asseoir sur lui. La voiture avait zigzagué et il avait crié : «*Tabarnak*, faut que je regarde en avant, moi là!»

Incontrôlable, l'homme fonctionnait par impulsions, comme un automate. Il possédait tellement sa jeune artiste qu'il s'en servait en tout temps, en toute occasion.

Il avait aussi l'obsession de la propreté et de l'odeur. En plus de ses boîtes de Kleenex qu'il traînait avec lui, il gardait toujours à portée de main une bouteille d'eau de toilette Aqua Velva. Pour que sa femme, sa deuxième femme, avec qui il venait d'entamer une vie commune, ne s'aperçoive de rien.

D'ailleurs, les propos qu'il tenait sur cette personne étaient d'une terrible méchanceté. Comme pour se justifier auprès de sa jeune chanteuse, l'impresario lui racontait que sa conjointe était responsable de tous ses malheurs. Elle ne lui donnait pas satisfaction, prétendait-il, tout en ajoutant quelques détails grossiers. Il parlait ainsi d'une femme qu'il avait chargée d'accompagner Nathalie dans ses tournées! Avec lui, c'était toujours la faute des autres.

Il s'amusait aussi à faire peur à Nathalie, inventant des scénarios lubriques :

– J'inviterais mes chums, pis on te mettrait un sac de papier sur la tête, disait-il. Personne ne te reconnaîtrait, pis ils pourraient tous te f... l'un après l'autre. C'est moi qui déciderais quand ça commence, pis quand ça finit... Parce que moi, j'sus le boss, pas vrai ?

L'impresario a-t-il seulement, comme il l'avait fait à propos d'autres femmes et d'autres artistes, lancé des blagues sur sa chanteuse avec ses copains de restaurant et de beuverie ? A-t-il raconté ? Pendant vingt-cinq ans – un quart de siècle ! –, Nathalie n'a jamais parlé, même pas à sa meilleure amie. Mais lui, vantard comme il l'était, a-t-il gardé le silence ? Quelqu'un d'autre, de son cercle d'amis ou de son entourage, a-t-il été complice ?

Quand il commença à abuser de Nathalie, l'impresario promit qu'il allait «tout lui montrer». Tout ce qu'elle connaîtrait du sexe viendrait de lui... Comme dans le *show-business* en somme. Orgueilleux, il lui demandait :

– C'était bon ? As-tu aimé ça ?

Vantard, il imaginait :

– Les hommes qui te connaîtront après moi seront bien chanceux...

Depuis l'âge de neuf ans, Nathalie avait un seul souci : «performer» pour que l'impresario soit content d'elle. Chaque soir, après un spectacle, elle se demandait, angoissée : «Va-t-il être satisfait, au moins ?» Elle cherchait son regard, attendait un compliment. Elle ne voulait surtout pas se tromper, de peur de lui déplaire. Lui devait s'imaginer que Nathalie recherchait la même perfection dans ses rapports intimes avec lui...

Sur la scène comme au lit, l'impresario était le patron, décidait si «c'était bon», critiquait quand cela ne lui convenait pas.

Parfois, les deux vies s'entremêlaient. Parfois, cela se passait juste avant un spectacle. À quelques heures d'intervalle, du lit à la scène, elle devait toujours être égale à elle-même, «performer». Et des centaines de spectateurs, des milliers à l'occasion, de jeunes parents qui accompagnaient leurs petites filles de dix ou onze ans, comme elle, applaudissaient l'image de fraîcheur et de pureté.

La souillure était invisible, intérieure.

Dans sa vie de chanteuse, Nathalie Simard avait au moins les applaudissements du public. Dans cette autre vie qui appartenait à un seul homme, elle n'avait que son silence. De même qu'elle était unique sur la scène, elle croyait être la seule petite fille du Québec à vivre ces agressions. Cela l'enfonçait davantage dans son mutisme. Tout cela semblait tellement fou que jamais personne ne la croirait, craignait-elle.

En effet, son histoire était inusitée. Tellement incroyable que les policiers n'ont pas répété tout ce qu'ils ont entendu, que la représentante du procureur général n'a pas tout retenu des preuves qu'on lui a présentées, que le juge a décidé qu'il en savait assez.

Depuis qu'elle avait dix ou onze ans, Nathalie Simard vivait avec un terrible secret, d'autant plus lourd à porter que la seule personne avec qui elle le partageait, c'était son agresseur! Comme le premier jour où elle se replia en boule dans son lit, la petite fille voulut en finir...

Elle a repris son cahier d'écolière pour raconter cela au juge :

«J'ai souvent souhaiter tomber malade et de me retrouver à l'hopital pour que l'ont prenne soin de moi, dans le but d'être a l'abrit de tout ce que je vivais, j'ai eu aussi des penser de mort, non pas de m'enlever la vie mais que seule la mort pourrais arrêter mon calvaire et toute mes souffrances...»

Pendant un peu plus de vingt ans, Nathalie Simard allait vivre cruellement. Le silence des victimes est une prison bien plus abominable encore que celle où l'on enferme leurs bourreaux...

CHAPITRE SEPT

Un phénomène

Remuez le popotin
En f'sant coin-coin
C'est la danse des canards...

La prison de Nathalie était tout de même dorée. Son succès, grisant. Le lancement de sa carrière, fulgurant.

Dieu qu'elle aima cette vie d'artiste! Malgré son autre vie d'enfant abusée. En quelque sorte, la vie publique compensait les horreurs de la vie privée. Et les deux se mêlaient confusément dans sa tête... soumises au même homme.

Du protecteur à l'agresseur, de la scène à la vraie vie, la métamorphose était instantanée. À toute heure du jour ou de la nuit. Cet homme qui organisait si bien son succès, que voulait-il au juste? Son propre plaisir ou celui du public? À dix ans, il est bien difficile, et cruel, de trouver une réponse à ces questions.

Toute une génération de petites filles du Québec – celles qui sont nées au début des années soixante-dix – a rêvé d'être Nathalie Simard. Et toutes les mamans ont envié le sort de Gaby. L'illusion – c'en était une – était d'autant plus facile à créer que les magazines et les émissions de télévision célébraient tous les bons et les grands moments de sa carrière, embellissaient les rencontres avec d'autres grandes vedettes, montraient les foules qui se levaient pour la saluer et parlaient même de ses vêtements que les parents devaient acheter pour faire plaisir à leurs enfants.

À onze ans, être le sujet d'une émission spéciale pour tout le réseau TVA – *Une journée dans la vie de Nathalie* – n'est pas un fait anodin. Pendant une semaine, les caméras de Télé-Métropole l'avaient suivie, à l'école, à l'église, avec ses amis et des membres de sa famille, dans la grande maison de Saint-Hilaire.

Puis il y eut sa rencontre avec un chanteur, quarante ans plus vieux qu'elle ! La décision de son impresario de faire chanter Paolo Noël avec Nathalie fut un coup de génie. Qui devint une recette... Ce chanteur devenu animateur de télévision – proclamé « Monsieur Radio-Télévision » en 1968, avant même la naissance de Nathalie – était issu d'un milieu très défavorisé. Il avait fait les quatre cents coups dans sa jeunesse, comme Jean-Roch Simard. Pas surprenant que le moment le plus émouvant de l'émission fut l'interprétation, en duo, de *Je n'aurais jamais dû partir*.

L'émotion du chanteur et de sa jeune partenaire n'était certainement pas feinte lorsqu'ils fredonnaient cette histoire d'un père ayant quitté la maison et dont l'enfant s'ennuie. Paolo Noël devait bien penser à son père, en prison. Et Nathalie Simard au sien, qu'on avait chassé de la maison familiale de Sainte-Pétronille...

Tu es ma seule raison de vivre
Je m'ennuie de toi, papa
Papa, tu n'aurais jamais dû partir
Tu n'aurais jamais dû partir
Je n'aurais jamais dû partir...

(J. Berthiaume / N. Sedaka)

La petite histoire veut que le réalisateur, Gilles Vincent, ait jugé à la dernière minute que l'anneau d'or porté par Paolo Noël à l'oreille gauche ne constituait pas une tenue convenable pour une émission consacrée à une enfant. Le chanteur s'exécuta, demandant à sa femme, Diane Bolduc, de l'enlever. Mais il portait cet anneau depuis si longtemps que l'opération retarda l'enregistrement pendant de longues minutes et fit atrocement souffrir le pauvre artiste...

Mais que n'aurait-on pas accepté de faire pour Nathalie Simard !

Dans les années quatre-vingt, le succès de cette petite fille fut tout de même un curieux phénomène ! *Petit papa Noël*, *Voulez-vous danser grand-mère*, *Que sera sera* ou *l'Adeste fideles* sont des chansons de grands. Des rengaines de vieux, oserait-on dire !

En France, Francis Cabrel, Jacques Dutronc ou Serge Gainsbourg faisaient fureur. On dansait la salsa ! Au Québec, Robert Charlebois ou Diane Dufresne constituaient des valeurs sûres. Les groupes Offenbach et la Bottine souriante remplissaient des salles. Comme tout le reste, la chanson aussi se mondialisait : on parlait alors du courant *World Beat*.

Mais il est vrai aussi qu'au début de ces années, au Québec, le bouillonnement de la Révolution tranquille, les angoisses de la crise d'Octobre et la déception suscitée par l'échec du référendum sur la souveraineté en mai 1980 avaient provoqué une sorte de repli dans le domaine artistique. Cela se traduisit par des chansons moins engagées et visant surtout à satisfaire des impératifs de marketing.

Mais de là à faire chanter du Tino Rossi à la petite Nathalie !

Le plus extraordinaire, c'est que, dans son cas, cette tactique marchait ! Cela tint d'abord au fait qu'on exploitait son physique, celui d'une petite fille au frais minois, qui contrastait avec les vieux souvenirs qu'évoquaient ses chansons. Et elle avait cette voix, déjà puissante, bien placée, adulte avant l'âge.

Toutefois, la petite fille ne mesurait pas la force de son talent. Pendant deux ans, elle s'amusa, imita son grand frère René. Pour le public, «René et Nathalie» formaient à eux deux un groupe. Et l'impresario était opportuniste. Parfois, il utilisait la présence de René pour imposer Nathalie. Parfois, c'était la simplicité et l'ingéniosité de Nathalie qui rafraîchissaient le genre de René Simard.

D'ailleurs, la petite fille ne s'offusquait pas de la situation. Comment l'aurait-elle pu? Elle était fière de son frère, il lui avait ouvert des portes et lui avait donné la chance de pratiquer un beau métier. Quand on faisait le bilan, le résultat n'était pas si mauvais.

Cependant, ce succès avait sa face cachée : la jeune Nathalie souffrait d'un problème d'identité. Elle se sentait trop jeune pour exprimer des opinions sur les choix de carrière qu'on lui imposait, et son impresario ne supportait aucun commentaire. Alors, ne connaissant rien à ce monde du *show-business*, elle passa sa jeunesse à obéir aux autres, convaincue que les grandes personnes étaient plus au courant qu'elle.

Nathalie Simard a passé presque toute sa carrière de chanteuse à faire ce qu'on lui disait de faire. Elle finit par vivre dans l'angoisse de ne pas satisfaire : «Faut que j'écoute ce qu'on me dit et que je fasse ce qu'on me demande», se répétait-elle.

Mais l'obéissance pouvait devenir soumission quand l'impresario échangeait la scène pour un lit...

Longtemps restée la petite chanteuse que son impresario tenait par la main, Nathalie Simard était isolée du milieu artistique. Elle n'a jamais oublié ce jour où elle visita le plateau de Jacques Boulanger pour une participation à son émission *Boubou*. Elle fut surprise du nombre de personnes qui l'attendaient sur le trottoir pour l'applaudir et lui quêter un autographe. Mais des gardes de sécurité formaient une barrière entre elle et son public.

L'impresario et son attachée de presse l'avaient entraînée rapidement vers sa loge d'où elle n'était sortie que pour l'enregistrement de l'émission. Puis elle était repartie de la même manière, en coup de vent et sans aucun contact avec son public.

La jeune Nathalie était fière de son frère, il lui avait ouvert des portes et lui avait donné la chance de pratiquer un beau métier.

Pour quelque raison, l'impresario l'isolait, et Nathalie n'eut jamais beaucoup d'amis parmi les artistes. Il l'avait d'ailleurs mise en garde contre ce « milieu de requins ». Et contre les dangers de fréquenter tel chanteur, dont il disait qu'il était « un homme à femmes ». Lui, le bon protecteur !

Jeune comme elle l'était, et avec toute la domination dont son impresario était capable, Nathalie Simard finit par se renfermer sur elle-même.

Elle était entrée dans le monde de la chanson populaire sans préparation et presque par accident. Par relations de famille, pourrait-on dire. Pendant les premiers mois, elle pensait que chacun des événements qu'elle vivait – une chanson avec son frère, une émission dans les studios de Walt Disney, un disque – serait probablement le dernier.

Ce qui a permis à Nathalie Simard de survivre dans ce milieu, c'est la scène et son public, et non les interminables séances de studio à enregistrer, seule avec ses écouteurs sur la tête, un disque ou une émission de télévision.

Sur scène, l'artiste échappait à son Pygmalion.

Nathalie a toujours été de nature très angoissée. Juste avant d'entrer en scène, elle serrait dans sa main un contenant de plastique dans lequel elle vomissait souvent. Puis elle s'essuyait la bouche, se recomposait le visage et entrait dans la lumière des projecteurs. Et la magie opérait. La gorge nouée, la voix un peu voilée, elle avait parfois besoin de quelques minutes pour être dans le ton. Mais dès que cette crispation passait, elle reprenait confiance et se lançait. Alors, elle se sentait bien.

Elle avait de la présence, le sens de l'improvisation pour faire face à tous les imprévus et une empathie naturelle envers son public : chanter devant ses admirateurs lui permettait de s'échapper, littéralement. « Sur scène, je suis le boss ! » se disait-elle.

Sur scène, Nathalie Simard était intouchable.

Chaque instant qu'elle passait sur les planches lui appartenait : l'impresario ne pouvait plus venir lui donner des ordres. Ni l'engueuler... Ni la toucher. Elle était seule face à son public, comme protégée par les milliers de paires d'yeux fixés sur elle.

Son auditoire était composé de jeunes familles : de jeunes parents surtout, qui s'étaient déplacés pour faire plaisir à leurs enfants. À l'époque, on ne se vantait pas trop d'aller voir un spectacle de Nathalie Simard; certains trouvaient même cela un peu quétaine. Mais ils venaient quand même, prétextant que c'était pour faire plaisir aux petits. Pourtant, ils applaudissaient aussi fort que leurs enfants !

L'impresario ne s'était pas trompé : le succès fut presque instantané. Son premier disque – « Joyeux Noël » – se vendit à 30 000 exemplaires, ce qui est déjà beaucoup pour une petite fille de onze ans. Puis en 1981, son deuxième disque important – « La rentrée » – s'est vendu à 75 000 exemplaires, en trois semaines seulement après son lancement.

Pour Nathalie, les spectacles étaient aussi l'occasion de se faire une nouvelle bande d'amis : des musiciens, des choristes, des danseurs. Ils étaient d'autant plus gentils avec elle qu'elle était une enfant docile et anxieuse d'apprendre. Ses premiers cours de danse, elle les a reçus des danseurs de sa troupe. Ses cours de chant, avec les choristes de ses spectacles. Elle était l'enfant gâtée de la tournée, mascotte autant que vedette.

À la fin de chaque tournée, la séparation était toujours aussi triste, comme après une année scolaire ou un camp de vacances, alors qu'on dit au revoir à ses meilleurs amis.

À onze ans, avec son frère, elle a connu les scènes de la Place-des-Arts à Montréal, du Grand Théâtre de Québec et du Centre national des Arts à Ottawa. À treize ans, toute seule cette fois, mais devant plus de 50 000 spectateurs, elle chanta les hymnes nationaux du Canada et des États-Unis à l'ouverture d'un match des Expos au Stade olympique de Montréal.

Cette année 1982 fut aussi celle de *La Danse des canards*. C'est peut-être la chanson qui l'a fait le plus connaître par tous les publics : petits et grands, jeunes et vieux, bourgeois des grandes villes et paysans des campagnes. D'abord lancée en Europe sur les paroles du Belge Terry Rendall et la musique du Suisse Werner Thomas, la chanson connut un tel succès que certains l'ont surnommée la «Macarena» française des années quatre-vingt.

Ce fut une autre découverte de l'impresario : il avait le flair pour ce genre de rengaines. Au cours d'un voyage en Europe, il avait entendu la chanson qui tournait sans cesse à la radio et dans les cabarets. Il en avait ramené une copie dans ses bagages...

– C'est bon ça, les gens vont aimer..., avait-il dit en la faisant écouter à Nathalie.

Et ça a marché ! Les Québécois l'ont adoptée dans la version de Nathalie : près de 250 000 exemplaires vendus, un disque platine double et le trophée de la chanson la plus vendue au gala de l'ADISQ de 1982. La chanson devint vite une véritable rengaine ! Dans les fêtes de village, les mariages et même les parties de bureau, à peu près tout le monde a dansé sur cette musique...

Et les petites filles comme les grand-mères, des gens fort sérieux comme des fêtards en goguette, tout le monde de joindre les mains en forme de bec – coin-coin ! –, de mettre les mains sur les hanches et d'agiter les coudes pour se secouer les plumes – coin-coin ! –, de plier les genoux et de se trémousser l'arrière-train – coin-coin ! – et de frapper des mains en criant : «Coin-coin !»

L'image de Nathalie Simard est restée définitivement marquée par cette chanson, certains l'évoquent pour rappeler sa popularité, d'autres, plus méchants, pour en faire l'exemple ultime de la niaiserie. Sauf que, sans le savoir, c'est sur la version française de *La Danse des canards* que la plupart des Québécois ont dansé plutôt qu'avec le disque de Nathalie Simard !

À peu près à la même époque, le Québec s'enticha pour une autre danse et la chanson thème de la comédie musicale, *Pied de poule*. Elle avait d'ailleurs valu un Félix de la mise en scène au concepteur Marc Drouin. Tout le monde dansait la chorégraphie de *Pied de poule*, ce qui risquait de reléguer *La Danse des canards* au second rang. Dans un de ces coups de génie qui le caractérisait souvent, l'impresario décida de récupérer le phénomène à son avantage.

René et Nathalie Simard présentaient alors un spectacle en duo. Nathalie chantait sa *Danse des canards*, bien sûr, puis René entrait en scène avant la fin du numéro de sa petite sœur et l'interrompait.

– *La Danse des canards*, c'est *out*! Astheure, c'est *Pied de poule*…

La petite partait en frappant du pied, l'air très fâchée. René commençait son numéro, dansant effectivement sur l'air de *Pied de poule*. Puis Nathalie rentrait en robe rose, veston de cuir noir, une couette dans les cheveux à la Olive Houde, l'héroïne de la comédie musicale. Et elle entonnait la chanson…

– Tu me diras pas que je suis *out* comme ça! lançait ensuite Nathalie à son frère. C'était le fou rire dans la salle.

Quelques années plus tard, c'est Nathalie elle-même qui improvisera sur le même thème pour retourner à son avantage une situation plutôt embarrassante. Au cours d'un concert en plein air qui rassemblait 15 000 personnes à Hull, alors qu'elle faisait la promotion de son disque «Au maximum» et chantait en direct sur une piste sonore préenregistrée, la sonorisation a flanché, ne laissant à Nathalie Simard que son micro. Elle parlait, tentait d'improviser, s'agitait sur la scène, mais le public, sans doute pour se moquer un peu d'elle, réclamait *La Danse des canards*.

– Vous pensez sans doute que cela me dérange encore, cette chanson-là? Eh bien, on va la faire ensemble…

Et Nathalie Simard de demander aux spectateurs de mettre les mains aux hanches et de se secouer les coudes… Coin-coin! Le public s'est laissé prendre au jeu et s'est mis à chanter et à mimer tous les gestes de la danse. C'était le fou rire général quand quelqu'un, du parterre, désigna le groupe de policiers municipaux qui assuraient la sécurité.

– Tiens ! Tiens ! lança Nathalie, qui avait tout de suite compris. Ces gars-là n'arrêtent pas de nous distribuer des contraventions. On va les faire danser maintenant !

Lorsque la chanteuse fit monter les policiers sur la scène, la foule hurlait. C'était osé et cela aurait pu tourner au désastre. Mais les policiers aussi s'y sont mis, secouant leurs coudes et agitant leur arrière-train – coin-coin… Les spectateurs présents s'en rappellent encore.

Véritable bête de scène, même à l'adolescence, Nathalie Simard improvisait dans toutes sortes de situations. Un soir qu'elle avait cassé un talon de ses chaussures, elle était sortie en coulisses, était revenue avec une nouvelle paire à la main, les avait enfilées tranquillement et avait repris sa chanson. Le public, débonnaire, acceptait à peu près tout de Nathalie Simard. Comme on accepte tout d'une enfant.

De la scène, Nathalie Simard en voulait toujours plus. Elle en redemandait. Cependant, l'impresario n'était pas enthousiaste. Les tournées sont certes utiles pour pousser les ventes d'un disque, mais une fois l'objectif atteint – généralement au moins 50 000 copies et un disque d'or –, il faut vite passer à autre chose.

À ce moment-là, d'ailleurs, les Simard étaient partout, et l'agent d'artistes était fort occupé. René et Nathalie continuaient leur carrière. Martin et Régis chantaient dans les cabarets. Et même Gabrielle L'Abbé, qui se faisait appeler « Maman Simard » pour la circonstance, publiait des « Recettes de chez nous », puis « Les bons soupers de Maman Simard », dans le magazine *Le Lundi*. La compilation des chroniques de la mère donnait des livres, tout comme la compilation des chansons des enfants fabriquait des disques à répétition !

En 1982, Nathalie était en passe de devenir un simple pion sur l'échiquier beaucoup plus vaste de l'impresario. Pourtant, elle produisait beaucoup, au rythme de trois disques par année. Mais ses chansons sur les animaux, les contes pour enfants et les reprises – avec René et pour la troisième fois! – des vieux airs de Noël faisaient « bébé » ou « niaiseux ».

Une exception d'importance, tout de même : en 1983, Jean-Pierre Ferland composa une chanson spécialement pour elle, *La vie commence à quatorze ans*…

Cette première expérience aurait pu représenter un tournant dans la carrière de Nathalie Simard : chanter désormais des chansons originales composées par des auteurs de talent plutôt que de vieux airs ringards. Elle aurait pu aussi sortir un premier disque en anglais… Comme Céline Dion. En effet, cette année-là, Céline – quinze ans – volait de plus en plus souvent la couverture des magazines à Nathalie – quatorze ans. Cela aurait dû être un avertissement pour l'impresario, d'autant plus qu'il connaissait très bien celui de Céline Dion.

Certes, Céline Dion avait elle aussi commencé sa carrière avec un disque de chansons de Noël. Mais elle était encadrée par un professionnel – René Angélil – qui, dès son premier album, commanda une chanson – *D'amour et d'amitié* – à l'un des plus grands paroliers français, Eddy Marnay. Le résultat fut encore plus foudroyant que dans le cas de Nathalie, trois ans plus tôt. Eddy Marnay composera une soixantaine de chansons pour Céline…

La carrière de Nathalie Simard n'était pas finie pour autant. Au contraire, elle rebondira en 1985, puis encore en 1990. Mais elle tournait un peu en rond et tenait beaucoup aux artifices de marketing concoctés par l'impresario.

Au printemps de 1983, on sortit une ligne de vêtements Nathalie Simard, dessinée par une certaine Yolande Britton. L'impresario utilisa ses deux petites filles comme mannequins. Astucieux, il prétendit qu'il voulait ainsi aider l'industrie québécoise du vêtement en luttant contre les importations et en faisant fabriquer ici. Ce fut un autre succès : toutes les petites filles de dix à quatorze ans voulaient porter les robes, les ensembles de jogging et les gilets portant la griffe **N $\flat$ S**. Tout cela fit parler de Nathalie, mais ne la poussa pas forcément à chanter de plus belles chansons.

Dans sa hâte de devenir un as du produit dérivé – la nouvelle mode dans le domaine de la culture populaire –, l'impresario sautait les étapes.

De surcroît, sa chanteuse, qui avait désormais quatorze ans, devenait coquette et n'aimait pas toujours la manière dont on la représentait dans les catalogues – surtout quand cela la faisait paraître plus grosse –, ni qu'on affuble des mannequins de robes qu'elle ne porterait jamais elle-même. Alors elle se fâchait et piquait des crises de nerfs… «Nathalie est très orgueilleuse, ce qui est tout à fait naturel pour une fille de son âge», expliquait l'impresario d'un ton paternel.

Ce qu'on ne savait pas, c'était que l'impresario reprochait de plus en plus souvent à Nathalie Simard de devenir grosse. Une nuit qu'il était éméché, il l'avait appelée au téléphone pour lui passer ses commentaires sur la couverture d'un magazine qui parlait de son nouveau régime : « J'ai vu la couverture du magazine, mais te fais pas d'illusions, t'as juste l'air mince. T'es grosse ! » Pourtant, elle était effectivement mince. Mais son corps de petite fille changeait. Elle entrait dans l'adolescence et l'impresario ne paraissait pas aimer cette perspective…

Une autre idée de l'impresario, celle du «fan-club de René et Nathalie», était carrément mercantile. Pour une contribution de 10 dollars, les «amis» de Nathalie recevaient une photo, parfois dédicacée, un *Journal de Nathalie*, trimestriel, et les plus veinards avaient droit à un coup de téléphone personnel – elle en passait une dizaine par mois. Cela contribuait à la popularité de Nathalie, et elle se sentait aimée par son jeune public.

Mais cela faisait aussi sonner le tiroir-caisse de l'impresario : les 50 000 membres du fan-club, ayant chacun versé une contri-

Toutes les petites filles de dix à quatorze ans voulaient porter les robes et les ensembles arborant la griffe N♪S.

bution de 10 dollars, rapportèrent un demi-million de dollars au producteur !

Le fan-club était administré par Jean Pilote, neveu de l'impresario, et les sœurs Bachand. Ce Jean Pilote était apparu dans la vie de Nathalie quand il avait été nommé membre du deuxième conseil de famille, en janvier 1982. Claudine Bachand et sa mère en faisaient toujours partie. C'est ce conseil qui autorisait René à signer, au nom de sa sœur, un contrat de gérance avec l'impresario.

En ce 28 janvier 1982, la boucle avait été bouclée. L'impresario avait mis en place toute une équipe pour gérer les affaires de Nathalie Simard jusqu'à sa majorité. Lui s'occupait personnellement de sa vie privée, et personne, dans cet entourage encombrant, ne remarqua rien...

Le jour de ses quinze ans, Nathalie Simard enregistra son dixième microsillon, cette fois dans un studio appartenant à l'impresario lui-même. La production de la « Ligne Nathalie » fut de plus en plus intégrée et payante !

Le bilan sera impressionnant : tous ses disques se vendaient à plus de 50 000 exemplaires, ses concerts faisaient salle comble et ses spectacles en plein air attiraient tant de monde qu'ils nécessitaient parfois la mise en place d'un service d'ordre important.

Au début de l'adolescence de Nathalie, les émissions de télévision la courtisaient, en particulier le réseau TVA. Lorsque Réal Giguère, l'animateur vedette de la grande époque de Télé-Métropole, voulut rendre hommage au cardinal Paul-Émile Léger dans le cadre de son *Club Sandwich*, Nathalie Simard fut la deuxième invitée. Elle y chanta *Ave*, une pièce sur la famine en Éthiopie qui fit verser quelques larmes au prélat de quatre-vingts ans.

« Disque d'or », « Disque de platine », « Félix » : toutes ces récompenses ne disaient pas grand-chose à Nathalie Simard. Elle

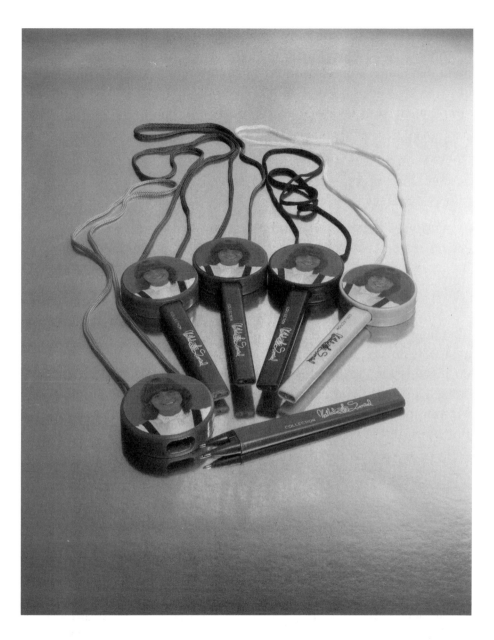

De nombreux produits dérivés faisaient la promotion de la collection Nathalie ♪ Simard.

ne mesurait pas l'importance de ces trophées… Ni leur valeur! L'impresario ou son attachée de presse les emportaient généralement dans leur bureau. Aujourd'hui encore, la chanteuse n'a pas ces trophées pour décorer les murs de son grand salon, ou tout simplement pour les montrer à sa petite fille…

En somme, du *show-business*, elle n'a connu que le spectacle, l'obsession de bien «performer», la crainte d'oublier un texte ou de faire un faux pas. Les affaires? Elle ne s'y est jamais vraiment intéressée. René, son tuteur aux biens, s'occupait de tout.

Parfois, l'impresario offrait un cadeau à sa chanteuse, un gros cadeau comme un téléviseur. La petite pleurait de joie… Il ne lui serait pas venu à l'idée que le téléviseur avait été payé avec l'argent de son dernier disque…

Ainsi, Nathalie a voulu posséder sa propre voiture avant d'atteindre sa majorité. Elle n'avait qu'un permis temporaire, mais avait hâte de prendre le volant. Comme elle était encore mineure et qu'il s'agissait d'un achat important, il avait fallu réunir le fameux conseil de famille. Cela s'était fait le 23 mai 1986. Son frère Martin, ainsi que sa femme, Louise Bélanger, étaient présents. Prenant son rôle au sérieux, Martin avait osé demander:

– Nathalie veut une voiture et elle la mérite, mais est-ce qu'elle a les moyens de s'en payer une?

– Ça, c'est pas de tes *câlisses* d'affaires, avait rétorqué René, le «tuteur à la mineure».

Finalement, elle aura sa voiture, une «surprise» que lui réserva un jour son impresario. Alors qu'elle revenait d'un voyage à Los Angeles, l'homme l'attendait à la tête d'une sorte de délégation de son bureau. Une Honda Prélude blanche, intérieur bleu, attendait devant l'entrée de l'aérogare de Dorval. Il y avait même un téléphone à l'intérieur, ce qui impressionna beaucoup la jeune fille. «Je pourrai plus facilement te rejoindre», précisa l'impresario.

Nathalie le remercia de lui avoir «offert» cette voiture, bien qu'elle eût été payée avec son propre argent. Et l'impresario d'ajouter, le plus naturellement du monde :

– Mais de rien, Nathalie…

À seize ans, un heureux hasard propulsa Nathalie vers une nouvelle carrière, à la télévision cette fois.

Depuis quelque temps, le comptable de Nathalie Simard, également son subrogé tuteur, faisait signer des chèques en son nom par les cosignataires, achetait le premier appartement ou la première voiture de la jeune fille, remplissait ses déclarations d'impôt. Mais le comptable en question était aussi le comptable de l'impresario! Autrement dit, il fait le compte des dépenses et des revenus de l'impresario, et le compte des dépenses et des revenus de la vedette. La comptabilité de l'un et de l'autre était-elle bien étanche?

Nathalie habitait alors à Duvernay, un quartier de Laval, au nord de Montréal. L'impresario avait décidé qu'il était temps qu'elle possède son propre appartement. Le comptable de son producteur de disques – et le sien! – avait fait les arrangements pour les formalités d'achat. Nathalie ne savait même pas combien cela lui avait coûté! Mais une chose est certaine : il avait été payé avec l'un des nombreux chèques en blanc qu'on lui avait fait signer à l'avance.

CHAPITRE HUIT

Le Village

Il faut savoir quoi faire
Il faut dire :
Non ! Non ! Non ! Non ! Non !
Et puis courir
Tout d'suite à la maison...

Le Village de Nathalie fut une belle rencontre entre un compositeur qui aimait les enfants et une jeune artiste qui savait leur parler.

Et aussi la rencontre, fortuite celle-là, entre un homme d'affaires de génie et un impresario en mal de quelque nouveau contrat.

De 1985 à 1988, cette émission fera partie de la petite histoire de la télévision québécoise puisqu'elle conduira indirectement à la création du réseau TVA en tant que producteur d'émissions. Ce fut d'ailleurs la première émission pour enfants, avec acteurs, produite par un réseau privé.

L'homme d'affaires en question était Paul Vien. Banquier de formation, il s'était un jour retrouvé propriétaire de deux stations de télévision à Sherbrooke (Télé-7) et Trois-Rivières (Télé-8), ainsi qu'à Rivière-du-Loup, Rimouski et Gaspé. Il convoitait la station CFCM-TV de Québec (Télé-4) qui lui permettrait de créer le premier réseau privé de production d'émissions de télévision au Québec. [Créé en 1971, le réseau TVA n'était alors qu'un réseau de diffusion.]

Le Conseil de la radiodiffusion et des télécommunications canadiennes (CRTC) ne s'opposait pas à la création d'un nouveau réseau, mais il voulait des engagements de Paul Vien. Un peu comme on jette des dés sur une table, l'homme d'affaires offrit de produire des émissions pour enfants dans les studios de la Vieille Capitale. L'affaire fut conclue en décembre 1984, facilement financée grâce au Régime d'épargne-actions du Québec créé par un ancien ministre des Finances du Parti québécois, Jacques Parizeau. Le Réseau Pathonic (du nom des trois enfants de Paul Vien – Patrick, Thomas, Nicole) naîtra officiellement en septembre 1986. Mais il restait à créer la fameuse émission pour les enfants…

Jacques Michel allait en être l'artisan. De son vrai nom, Jacques Rodrigue, cet auteur, compositeur et interprète fut aussi de la révolution culturelle qui provoqua l'émergence de nouveaux groupes québécois, dans les années soixante. Le sien s'appelait les Colibris et se spécialisait dans le répertoire français, avant que son fondateur se lance, tout seul, dans le folk-rock américain.

Malgré de bonnes critiques, sa carrière avait démarré lentement. Mais reconnu au Festival de Spa en Belgique en 1970 avec *Amène-toi chez nous*, puis au Festival international de la chanson populaire de Tokyo avec *Un nouveau jour va se lever*, il rentra au Québec. Il arriva en pleine crise d'Octobre, lorsque des militants du Front de libération du Québec (FLQ) enlevèrent un ministre et l'assassinèrent, provoquant l'intervention de l'armée canadienne au Québec.

Dans la crise nationaliste qui bouillonnait, et avec la montée du Parti québécois qui fit élire ses premiers députés à l'Assemblée nationale du Québec en 1970, Jacques Michel participa aux soirées *Poèmes et chants de la résistance*. Son dernier succès y fit rapidement figure d'hymne national. Il devint alors un des héros de la jeunesse indépendantiste de gauche.

Quand il lança son dernier album – « Maudit que j'm'aime » – en 1982, avec sa nouvelle compagne Ève Déziel, il songeait à la retraite. Il était entré dans la quarantaine et voulait céder sa place aux plus jeunes. « Il faut savoir partir avant qu'on vous dise de le faire », se disait-il.

L'impresario de Nathalie Simard allait lui donner l'occasion de se mettre au service d'une adolescente de talent.

Son agent, Raymond Paquin, avait dit un jour à Jacques Michel : « Si j'étais toi, je concevrais une émission pour les enfants… » L'idée lui trottait dans la tête. Ce qu'il aimait dans les émissions pour enfants, c'est l'absence de censure. On peut tout faire dire à des enfants, les adultes ne vont pas y chercher de sombres intentions. Et le message passe tout autant.

En 1984, l'impresario de Nathalie Simard prit contact avec Jacques Michel : Télé-Métropole voulait faire une autre émission spéciale d'une heure avec elle et avait besoin d'un bon auteur-compositeur pour concevoir des liens, écrire des enchaînements. Aimant beaucoup faire de la direction d'artistes, Jacques Michel accepta tout en exigeant d'assister à l'enregistrement. Il vit alors comment la jeune chanteuse travaillait.

La jeune fille de quinze ans chantait bien. Et juste. Elle apprenait ses textes rapidement et possédait une bonne diction. Elle dansait aussi, avec beaucoup d'énergie, et prenait son travail au sérieux. « Nathalie la travaillante », c'est peut-être ce qui impressionna le plus Jacques Michel. Il ne l'oubliera pas…

Alors en tournée de promotion pour son dernier album, les journalistes lui demandaient, dans chaque ville qu'il traversait, quels étaient ses projets. Sous l'impulsion du moment, et un peu pour en finir avec cette embarrassante question puisqu'il n'avait aucun projet précis, il lança : «J'écris une série télévisée pour Nathalie Simard!»

La nouvelle fit le tour des journaux populaires et n'échappa donc pas à l'impresario. Quelques semaines plus tard, à Montréal, celui-ci tomba sur Jacques Michel par hasard et lui lança à brûle-pourpoint : «*Câlisse*, j'vas-tu finir par l'avoir c't'affaire-là, l'émission de télévision pour Nathalie?»

Jacques Michel n'avait encore rien écrit! Comme il habitait alors à North Hatley, dans les Cantons-de-l'Est, il raconta que son projet était chez lui et promit de le rapporter la semaine suivante. Il jeta alors rapidement quelques idées sur papier et revint voir l'impresario, comme promis.

– T'as pas d'histoire avec ça! grogna l'homme.

Mais quelques jours plus tard, quand Jacques Michel lui soumit un vrai scénario, il adora! L'impresario contacta immédiatement le directeur des programmes de Pathonic, Serge Lalonde, et lui demanda si, à tout hasard, il ne serait pas intéressé par un projet d'émission pour les enfants avec Nathalie Simard. Il tombait bien!

On était déjà au printemps de 1985, et Paul Vien se demandait comment il allait pouvoir tenir sa promesse envers le CRTC. S'il perdait la confiance de l'organisme fédéral, il pouvait dire adieu à son beau projet de réseau!

L'affaire fut rapidement conclue, mais on était en juin 1985, et la nouvelle émission devait entrer en ondes à l'automne. L'impresario téléphona immédiatement à Jacques Michel et lui demanda de se mettre à l'ouvrage rapidement. Ce dernier prit quand même le temps d'appeler son agent avant d'écrire une ligne : «Dépêche-toi d'aller négocier un contrat pour nous avec Pathonic, parce que l'autre va négocier un contrat global et il ne va rien nous rester.»

À l'époque, l'impresario n'avait pas très bonne réputation. Il n'en menait pas large non plus : on disait qu'il devait beaucoup d'argent à Pierre Péladeau, le fondateur du *Journal de Montréal* et de plusieurs magazines populaires, et que son entreprise périclitait.

Nathalie Simard et son frère René, qui lui servait de tuteur, auraient bien dû le savoir !

Paul Vien proposa un contrat de 200 000 dollars pour une première année, renouvelable une deuxième fois. Les conditions des années suivantes – on envisageait alors d'en faire cinq – restaient ouvertes à la négociation. Selon les habitudes du milieu, l'homme d'affaires supposa que le cachet serait partagé moitié-moitié entre l'artiste et son agent.

Il n'était pas loin de la vérité. Pendant la saison 1985-1986, la première, Nathalie Simard toucha effectivement 1 724,15 dollars pour chacune des trente-neuf émissions originales, et 1 034,49 dollars pour les cinquante et une reprises, ce qui lui donna un cachet de 120 000,84 dollars pour cette année-là.

Mais lorsque les conseillers légaux de Pathonic examinèrent le contrat, ils se rendirent compte qu'il y avait un problème dans la relation entre la jeune chanteuse et son impresario. Le réseau de télévision s'aperçut en particulier que les contrats entre Pathonic et l'impresario, au nom de Nathalie Simard, auraient dû être approuvés par le conseil de famille. Cela se fit enfin… avec dix mois de retard : la première saison du *Village de Nathalie* était déjà terminée ! La négociation fut donc plus serrée que prévu et jeta un froid entre l'homme d'affaires et l'agent.

*

– On commence en septembre, annonça enfin Paul Vien.

Puisque Télé-Métropole commençait à faire les yeux doux à l'homme d'affaires pour racheter le réseau Pathonic et faire ainsi de TVA un vrai réseau propriétaire de toutes ses stations, il fut vite convenu que *Le Village de Nathalie* passerait partout, y compris dans la grande région de Montréal. L'impact fut énorme…

Entre parenthèses, Jacques Michel ne trouvait pas qu'appeler l'émission *Le Village de Nathalie* était une bonne idée. Selon lui, la jeune Simard devait garder son prénom pour elle et poursuivre en parallèle sa carrière de chanteuse. L'émission aurait pu être intitulée *Le Village d'Émilie*, pensait-il. Mais l'impresario en décida autrement, et pour une bonne raison : il avait d'autres projets qu'une simple émission de télévision, lui !

Comme toujours, il exploiterait ce nouveau filon avec un appétit vorace. En fait, *Le Village de Nathalie* allait devenir la vache à lait de son entreprise : une partie du cachet de la vedette servirait même à rétablir sa capacité d'autofinancement. Alors, l'impresario se servait-il du frère, René, pour avoir l'argent de Nathalie ? C'est ce qui se disait dans le milieu…

Il y eut 117 épisodes pendant les trois années du *Village*. Nathalie était au centre de tous les épisodes. Elle jouait le rôle d'une petite fille d'une dizaine d'années, enjouée, un peu espiègle, qui s'agitait beaucoup sur la place du Village, jouant des tours à ses amis.

Nathalie Simard commença la série à seize ans et la termina à dix-huit. Le corsage de sa fameuse robe bleue sur laquelle étaient cousus des petits cœurs roses était dessiné de telle manière qu'on ne voie pas sa poitrine. Elle devait également serrer ses seins naissants sous un bandage.

Encore une fois, l'impresario l'enfermait dans un rôle de petite fille, ceux qu'il affectionnait particulièrement…

Les décors étaient de couleurs pastel, le rose et le bleu dominant. Tout était produit dans la région de Québec, et les employés de Télé-4 prenaient un plaisir fou à préparer les différents éléments du Village. Conscients de réaliser quelque chose de grande qualité, ils avaient le sentiment d'appartenir à une équipe de gagnants.

Il y avait sept personnages principaux interprétés par des acteurs qui venaient généralement eux aussi de la région de Québec. Le plus important – joué par Serge Thibodeau – était Caboche, un garçon tendre et affectueux, secrètement amoureux de Nathalie. Comme son nom l'indique – «Cogne, cogne la caboche, dring, dring, toc, toc, toc, une bonne idée il faut que ça sorte» –, il aime organiser des jeux pour les autres.

Sur la table du salon de la maison de Nathalie prenait place une lampe d'Aladin, dans laquelle vivait Beding-Bedang (Marco Poulin), un génie qui savait tout. Confident de Nathalie, il était incorrigiblement gaffeur et ne savait pas tenir un secret. L'autre allié de la petite fille était Monsieur Gros-Bon-Sens (Jacques Girard), redresseur de torts habillé en Superman, qui réglait les problèmes du Village. Dès que Nathalie appelait «S.O.S. GBS», il apparaissait, prêt à solutionner quelque problème.

Le professeur Cric-Crac-Pot (Louis-Georges Girard) habitait dans un laboratoire, juste à côté de la maison de Nathalie. Il inventait sans cesse de nouvelles expériences pour rendre son entourage plus heureux. Avec lui, la Nathalie Simard de la vraie vie a appris toutes sortes de choses. Par exemple, lors d'une émission portant sur le thème des vitamines, le professeur, qui présentait toutes sortes de fruits et de légumes, lui apprit que le kiwi était le fruit contenant le plus de vitamine C. Elle s'en souvient encore…

Le maire du village, monsieur Arrêt-Stop (Jacques Leblanc), était un peu l'empêcheur de tourner en rond avec son grand livre de la Loi, toujours à citer quelque nouveau règlement à respecter. «La loi, c'est la loi!» disait-il. Mais quand il devenait trop sérieux, c'est mademoiselle Bric-à-Brac (Marie-Thérèse Fortin), la propriétaire du magasin général du village – là où se racontaient les derniers potins et où se complotaient les meilleures blagues – qui ramenait la bonne humeur dans le Village: «Ce sont des enfants, il faut les laisser…» Enfin, mademoiselle Rouge-à-Lèvres (Marie Dumais, puis Sylvie Dubé), déguisée en boîte aux lettres et quelque peu cancanière, livrait les lettres d'amour aux gens du village.

Il y avait aussi quelques personnages secondaires comme madame Ursule des Grands Honneurs, grande bourgeoise du village voisin, ou monsieur Hambourgeois qu'interprétait, pour un épisode… Jacques Michel lui-même !

Il y avait du merveilleux dans tous ces personnages et les décors où ils évoluaient. Chaque épisode avait un thème, généralement éducatif et relié aux temps forts de l'année : Noël, le Nouvel An, l'Halloween, la rentrée des classes ou les vacances, l'anniversaire ou le mariage de quelqu'un. «Nous voulons communiquer aux enfants de tous les milieux, sans distinction de race ni de langue, un certain nombre de valeurs essentielles», expliqua Raymond Paquin, l'agent de Jacques Michel, dans la présentation de l'émission.

Outre les dialogues, Ève Déziel écrivit le texte d'une chanson originale que Jacques Michel mit en musique.

Parfois, on exaltait effectivement des valeurs comme la compassion…

Je suis d'accord avec toi
C'est une bien triste histoire
Mais je persiste à croire
Que tout s'arrangera
Ça s'arrangera
Souris-moi…

… ou la solidarité…

Qu'est-ce qui fait compter des points ?
C'est l'entrain ! C'est l'entrain !
Qu'est-ce qui bat tous les records ?
C'est l'effort ! C'est l'effort !
Qu'est-ce qui fait les grandes victoires ?
C'est le vouloir ! C'est le vouloir !
Qu'est-ce qui fait la réussite ?
C'est l'esprit d'équipe !

À l'occasion, on sentait l'esprit engagé, et franchement idéaliste, de Jacques Michel qui remontait à la surface. Comme quand il parlait des élections... Eh oui !

On peut être en désaccord
Sans être des ennemis.
On peut être de l'autre bord
Sans provoquer des conflits...
On peut se faire la lutte
Sans se faire la guerre.

Pour cet épisode, l'auteur a fait interpréter deux chansons à Nathalie. En cette semaine de novembre 1986, l'ancien militant de la gauche indépendantiste du Québec fut en verve :

Ce qu'on fait pour un autre
N'est jamais perdu.
Ce qu'on fait pour un autre
Nous sera rendu un jour ou l'autre...
                                    (J. Michel / È. Déziel – les quatre extraits)

La politique, c'est le service des autres, après tout !

*

Quand l'impresario présenta le projet à Nathalie Simard – «un gros projet d'émission pour enfants» –, elle fut tout de suite emballée. Le fait de jouer un personnage de neuf ans ne la dérangeait pas beaucoup : à la scène, elle avait toujours été une petite fille. Il y avait de la magie là-dedans, un rêve que toutes les petites filles auraient voulu vivre. Pour elle, c'était aussi une façon de revivre cette enfance qu'elle n'avait jamais vraiment connue.

Cependant, Nathalie n'avait aucune expérience du théâtre. Comme pour la chanson, elle apprendra sur le tas.

Ce n'était pas simple, à seize ans, de jouer le rôle d'une fillette de neuf ans : elle a dû apprendre à «sourire dans la voix», comme on lui disait. Et à tenir des propos qui semblaient enfantins, joyeux. «Bonbon, quoi!» dit-elle lorsque Jacques Michel commença à lui décrire son personnage.

Produire un épisode par semaine représentait tout un défi, d'autant que l'auteur résidait dans les Cantons-de-l'Est, la vedette principale, dans la région de Montréal, et que le tournage avait lieu à Québec! Jacques Michel envoyait ses textes à Nathalie, qui les apprenait souvent dans la voiture que conduisait la femme de l'impresario, en se rendant dans la Vieille Capitale.

Tout le monde se donnait rendez-vous au Château Bonne Entente ou à l'Auberge des Gouverneurs, à Sainte-Foy, et chacun se mettait au travail dans sa chambre, le jour, le soir, après le souper. Souvent, Nathalie effectuait une première lecture avec Jacques Michel et Ève Déziel, qui interprétaient les autres personnages. Parfois, plus spectatrice qu'actrice, elle pouffait de rire aux répliques de l'un ou de l'autre.

– Ne ris pas, parce que c'est vraiment ça que tu vas entendre pendant le tournage, lui disaient ses professeurs.

Quand l'équipe se retrouvait dans les studios de la rue Mayrand, à Sainte-Foy, le matin des tournages, on faisait des «italiennes» – une déclamation rapide des textes pour vérifier que les acteurs les connaissaient bien et pour établir le rythme de l'épisode. Puis, le réalisateur, Pierre Gagnon, assurait la mise en place et dirigeait une répétition générale.

«On tourne», «On coupe», «On reprend celle-là». Au début du *Village*, les salles de montage et de mixage étaient très occupées. Le tournage de la première émission, «Nathalie joue à l'école» – elle devait être diffusée juste avant la rentrée des classes! –, a tout de même pris deux jours, tant la vedette avait un apprentissage à faire.

Pour chaque épisode, Nathalie devait apprendre les dialogues, les paroles et la musique en plus. Contrairement aux chansons qu'elle présentait en concert ou qu'elle enregistrait, elle n'avait pas deux ou trois semaines pour se familiariser avec le rythme, l'intérioriser, mais seulement un jour ou deux. Parfois moins quand on voulait enregistrer deux émissions la même semaine.

Heureusement, elle avait de bons professeurs. Jacques Michel a passé beaucoup de temps à lui apprendre à jouer la comédie. Les autres acteurs, tous des professionnels, veillaient sur elle avec sollicitude. Louis-Georges Girard en particulier, professeur en studio autant que dans son rôle de Cric-Crac-Pot, l'aidait, en cas de besoin, à mieux comprendre une scène et à trouver le ton juste.

Ce fut une grande aventure, dans un environnement où Nathalie se sentit chaudement entourée et aimée.

En outre, le public répondait bien! Dès la première année, l'émission attira de 700 000 à 800 000 téléspectateurs. Plus de un dixième de toute la population du Québec! Pour une émission s'adressant aux enfants, présentée le dimanche en fin d'après-midi et rediffusée le samedi matin, c'était du jamais vu dans l'histoire de la télévision au Québec.

Pour Paul Vien, ce succès était important. Non seulement il avait tenu sa promesse, mais il avait surtout acquis une grande crédibilité auprès des membres du CRTC. Cela lui servirait plus tard quand la surenchère pour la cession du contrôle de son entre-prise et la propriété des licences de six postes de télévision du Québec ferait rage entre le groupe COGECO et le groupe TVA. Les enchères allaient monter!

La publicité commerciale étant interdite dans les émissions pour enfants, Pathonic allait d'abord chercher du prestige. Le million de dollars que coûtait cette émission au groupe était réparti entre les sept stations qui en faisaient partie. Cela créait ainsi, parmi tous les postes de télévision, une culture de la production réseau : il ne serait plus nécessaire de concentrer toute la produc-tion à Montréal. C'était un travail de pionniers de la télévision moderne qu'on faisait avec la série *Le Village de Nathalie*.

Toutefois, l'émission diffusait de la publicité sociétale, un type de publicité qui ne vend pas un produit, mais cherche seulement à influencer le comportement des téléspectateurs, les enfants notamment. Ainsi, le grand fabricant allemand de produits pharmaceutiques Sandoz en avait conçu une : « Ah non ! Non ! Ce n'est pas des bonbons », chantait un personnage du Village dans une pharmacie remplie de pilules. La publicité gagna un premier prix au Canada...

Pendant les tournages, on voyait beaucoup moins l'impresario. Il avait plutôt fait inscrire sa conjointe dans le contrat de production de l'émission afin qu'elle chaperonne, contre rémunération, la jeune animatrice. Elle partageait sa chambre avec Nathalie et s'occupait de tous ses besoins, de commander les repas, d'assurer son transport... « Une vraie mère poule ! » disait Paul Vien.

Elle avait de quoi s'occuper : *Le Village de Nathalie* était peu à peu devenu une vaste entreprise de marketing. Il y avait un fan-club, bien sûr, et un *Journal du Village* à produire. Un Jeu du Village. Des images du Village à découper et à coller. Une carte de citoyenneté du Village !

Le 31 janvier 1986, Pathonic International et le « Fan-club de René et Nathalie inc. » créaient la société éditrice du *Journal du Village de Nathalie*. Le fan-club – René et Nathalie, donc – devait recevoir 53 000 dollars à la constitution de la nouvelle société. Les profits du *Journal* et des autres produits dérivés devaient être partagés entre l'impresario, René Simard et Nathalie. Décidément, le *Village* rapportait à beaucoup de monde !

C'est presque une marque de commerce que Jacques Michel et Paul Vien avaient créé là, qu'on utilisait dans toutes sortes de circonstances, même les plus imprévues. Ainsi, le Centre de détention de Trois-Rivières avait été baptisé « Le Village de Nathalie », tant les 170 détenus s'y trouvaient bien !

Il y avait aussi « la robe du Village ». Comme l'impresario sortait un disque par année avec les chansons de Jacques Michel, il fallait organiser les promotions. Nathalie Simard visitait surtout

Il y avait, pour Nathalie, les robes du Village – la bleue, la blanche, la jaune –, toutes avec de petits cœurs de différentes couleurs.

© Les Magazines TVA inc. / Jean Bernier

Ce fut une grande aventure dans un environnement où Nathalie se sentait chaudement entourée et aimée.

© Les Magazines TVA inc. / Jean Bernier

Et le public répondait bien : de 700 000 à 800 000 téléspectateurs pour chaque émission.

© Les Magazines TVA inc. / Jean Bernier

les centres commerciaux des principales villes du Québec : elle devait toujours s'y présenter vêtue de la fameuse robe bleue avec les petits cœurs roses. On avait même créé des robes de différentes couleurs pour varier un peu : la bleue, la blanche, la jaune. Toutes avec des petits cœurs de différentes couleurs. C'est tout juste si Nathalie Simard ne devait pas porter sa robe pour aller au restaurant ! « L'image, le look », c'est ce qui comptait pour l'impresario. La chanteuse finit par faire ce qu'elle appelle aujourd'hui une « écœurantite » aiguë de cette robe.

Quand elle arrivait dans un centre commercial, elle avait peur qu'il n'y ait pas assez de gens, ou que quelqu'un se moque de sa robe. C'était tout le contraire qui survenait, évidemment : il y avait tellement de monde qu'elle devenait oppressée, surtout en été. Elle s'est même parfois évanouie. Toutefois, elle repartait enthousiaste, se sentant aimée. Elle vivait dopée par l'adrénaline, grisée par le succès.

À la même époque, la chanteuse était aussi porte-parole de la chaîne des magasins d'alimentation Metro. Une fois, alors qu'elle visitait le siège social de l'entreprise, son président, Gaétan Frigon, lui demanda d'aller rencontrer les enfants de la garderie des employés. Quand elle entra, habillée comme dans la vraie vie, les enfants ne la reconnurent pas !

L'impresario transportait toujours au moins une robe du Village dans le coffre de sa voiture, au cas où… Nathalie alla la chercher et la revêtit. Quand elle retourna dans la garderie, elle comprit, en voyant la lumière qui brillait dans les yeux des enfants, que ceux-ci l'avaient enfin reconnue.

Pour les enfants, Nathalie Simard n'était personne d'autre que l'héroïne d'un Village. Encore fallait-il qu'elle porte sa robe ! Elle vieillissait pourtant, approchait de ses dix-huit ans, et aurait bien aimé qu'on voie en elle autre chose qu'une enfant de neuf ans ! Elle se sentait prisonnière de son personnage autant que de sa robe.

L'artiste appartenait toujours à son impresario. Plus que jamais, Nathalie était sa chose… Au début du tournage, un incident avait embarrassé toute l'équipe. Il y avait eu une fête dans les Laurentides pour célébrer le lancement de l'émission. Paul Vien était là, lui aussi. Nathalie a toujours été un peu «colleuse» avec tout le monde, et, ce soir-là, elle s'était assise sur les genoux de l'homme d'affaires. Le lendemain, l'impresario lui avait fait en public une véritable scène de jalousie. «Non mais, as-tu vu le *crisse* de cochon? Si y pense…» Jaloux, l'impresario!

Nathalie et son Village étaient devenus un «produit» qu'il fallait proposer partout et toujours sous le même emballage. Le studio, les enregistrements, les voyages, les entrevues et la promotion prenaient tout son temps. Au bord de l'épuisement, elle commençait à parler de tout lâcher…

— Tu ne vas pas lâcher une formule gagnante! protesta son frère Martin.

Nathalie demanda alors à l'impresario que ce soit Louise Bélanger, la femme de Martin, qui l'accompagne dans les tournées. Elle se sentait plus complice avec sa belle-sœur qu'avec la femme de l'impresario. Il y avait une bonne raison à cela…

Un jour, l'impresario se rendit à Québec avec Nathalie Simard pour une tournée de promotion. Il avait apporté avec lui la fameuse robe du Village, fraîchement nettoyée et soigneusement emballée…

— Mets ta robe…, dit-il en étalant le vêtement sur le lit de sa chambre à L'Auberge des Gouverneurs de Sainte-Foy.

— Non! Pas cette robe-là! protesta Nathalie.

C'était la robe d'une petite fille de neuf ans, à laquelle rêvaient toutes les petites filles de cet âge.

Justement, c'est sans doute ce qui inspirait l'impresario. C'était toujours la petite fille qu'il désirait. Il lui enfila la robe, presque de force, et l'agressa sur le bord du lit... Comme si ce n'était pas assez, le goujat ajouta :

– Maintenant, quand je te verrai à la télévision, ou sur scène, je penserai à ça et je me masturberai en te regardant.

Il était dit que cet homme salirait tout, même les rêves d'enfants. Par la suite, lorsqu'elle se retrouvait sur scène dans sa robe du Village, avec des milliers d'yeux d'enfants posés sur elle, Nathalie Simard ne pouvait s'empêcher de penser à ce soir-là. Le public d'enfants et de jeunes parents qui était en train de faire la fortune de l'impresario rêvait en voyant Nathalie dans sa robe, pendant que l'homme, assis au milieu de tous ces gens, s'excitait tout seul, tel un voyeur.

Nathalie Simard hésitera longtemps avant de confier cette histoire à Jacques Michel et aux policiers. En la révélant publiquement, elle craignait de briser brutalement et pour toujours des milliers de rêves d'enfants.

Paradoxalement, une émission avait même porté sur le danger que couraient les enfants sollicités par des adultes mal intentionnés. En effet, il arrivait aux auteurs de recevoir des lettres d'enfants ou de parents qui leur suggéraient d'aborder un thème qui les préoccupait. Celui-ci avait été choisi...

Mais que pouvait penser Nathalie Simard, ce 1er mars 1987, quand elle chanta les paroles de Jacques Michel qu'il vaut la peine de relire...

Quand un inconnu veut te dire un secret
Quand un inconnu veut t'offrir un jouet
Dis-lui « Non » et sauve-toi en courant
Va tout raconter à tes parents...

Il faut savoir quoi faire
Il faut dire :
Non ! Non ! Non ! Non ! Non !

144

Quand un inconnu veut t'offrir des cadeaux
Quand un inconnu veut t'offrir de l'argent
[...]
Quand un inconnu veut te prendre en photo
Quand il t'invite à monter dans son auto
[...]
Quand un inconnu t'invite dans sa maison
Quand un inconnu veut t'offrir des bonbons
Dis-lui « Non » et cours vers ta demeure
Va tout raconter à ton père ou à ta mère...

(J. Michel / È. Déziel)

On ne trouve cette chanson sur aucun des trois disques *Le Village de Nathalie* produits par l'impresario. S'était-il senti embarrassé de la choisir parmi la quarantaine de chansons composées par Jacques Michel cette année-là ?

Les responsables de l'émission accordaient beaucoup d'importance aux suggestions de leur public. Ils avaient reçu quelques lettres d'enfants qui avaient été agressés sexuellement et souhaitaient qu'une émission porte sur ce sujet. Nathalie, le gentil Caboche, la drôle de madame Bric-à-Brac, le bon professeur Cric-Crac-Pot et même le sévère monsieur Arrêt-Stop leur inspiraient une telle confiance qu'ils trouveraient sûrement du réconfort dans leur manière d'aborder le problème. Jacques Michel en avait parlé à l'impresario...

– Nous autres, on fait pas ça. On est là pour faire rêver les jeunes, pas pour les éduquer.

L'impresario avait tranché...

*

Pour la troisième année de l'émission, le tournage s'était déplacé à Montréal et avait changé de réalisateur. Raymond Paquin avait repris le contrat de production, mais des problèmes étaient survenus. Pathonic devait céder ses droits sur l'émission,

145

et il fallait négocier une nouvelle convention. Ce fut à cette occasion que l'avocat de Pathonic, Nelson Landry, un homme particulièrement méticuleux, découvrit que la signature de Nathalie Simard avait été imitée – très mal en plus ! –, ce qui avait provoqué une autre discussion musclée entre Paul Vien et l'impresario.

L'ambiance sur le plateau n'était plus la même. Des conflits de personnalité avaient éclaté entre plusieurs interprètes. Bref, la formule avait fait son temps… Les cotes d'écoute de l'émission s'en ressentirent. Avec 300 000 téléspectateurs, le président de Pathonic savait qu'il ne pourrait plus continuer. Avoir maintenu en ondes la même série pendant trois ans, surtout une émission pour enfants, c'était déjà beaucoup. Et l'impresario lui-même, avec ses multiples opérations de promotion, avait sans doute contribué à ce succès. Toutefois, il en avait fait trop : la formule était usée.

Quand l'émission fut retirée, Nathalie Simard éprouva des sentiments partagés. Après la dernière année de tensions qu'elle venait de vivre, c'était une délivrance mais, en même temps, la fin d'un beau rêve. La bulle du Village venait d'éclater. Le temps de l'enfant artiste achevait.

Paul Vien avait dit à l'impresario : «Il faut penser à autre chose pour Nathalie Simard. Fais-lui apprendre l'anglais, elle pourra étendre sa carrière au reste du Canada ou aux États-Unis.» Il pensait alors à une nouvelle émission, *Les Patchoulis*, qui serait produite en anglais et en français, avec une trame internationale pour en vendre les droits à l'étranger. Un professeur d'anglais avait été recruté pour Nathalie, et le tournage devait commencer en février 1988.

Mais l'agent refusa. Il avait une recette, facile à produire, «beau bon pas cher» en quelque sorte, et cela lui suffisait.

Ainsi, il allait lancer, avec Télé-Métropole cette fois, mais toujours pour le réseau, *Les Mini-Stars de Nathalie*, une émission quotidienne de 30 minutes, aux heures de grande écoute, suivie d'un gala d'une heure, le dimanche soir, que la chanteuse animerait avec Serge Thibodeau, son Caboche du Village. En semaine, on y traitait de tous les sujets intéressant les jeunes. Il y avait même des chroniqueurs attitrés, comme la fille de l'impresario qui venait parler de livres pour la jeunesse.

Jacques Michel continuait de collaborer, surtout au *Gala des Mini-Stars* du dimanche soir. Cinq jeunes enfants venaient imiter leur artiste préféré – Mitsou, Gerry Boulet, Marjo, France Gall, Madonna ou... Nathalie Simard elle-même. Vêtus d'habits de music-hall, Nathalie et Serge Thibodeau inter- viewaient tour à tour les jeunes, mais tout cela sonnait faux. Des petites filles se présentaient en minijupes, comme leurs modèles, et outrageusement maquillées.

La critique fut féroce. L'écrivain Claude Jasmin avait publié dans *Le Devoir* un texte vitriolique : « Doit-on faire emprisonner cette Nathalie Simard qui, *via* la télé, ose présenter des enfants méprisés, bafoués, manipulés ? » demandait l'auteur. Il parlait d'un « cirque odieux où, manipulées par des mères simplistes et ignares, des petites filles (et des garçons aussi) déguisées, maquillées, singent maladroitement les stars du rock and roll mondial ».

Nathalie savait aussi que cette émission n'était pas très bonne, même si cela lui valut malgré tout un MetroStar... En fait, elle comportait deux problèmes : tout d'abord, même si Nathalie passait bien à l'écran, elle n'était pas une animatrice de télévision, et elle en était consciente.

Ensuite, les enregistrements étaient tout simplement bâclés. Comme elle avait commencé à travailler en France avec son frère à la production d'un nouveau disque – « Tourne la page » –, elle se rendait presque chaque semaine à Paris. Le lundi et le mardi, elle enregistrait cinq émissions à TVA. Puis elle partait le mardi soir à Paris et revenait tout juste pour son gala du dimanche. Autrement dit, elle en faisait trop !

Quand elle rendit visite à son médecin de famille, le docteur Yvon Bricault, de Fabreville, celui-ci ne ménagea pas ses paroles : «Écoute bien ce que je vais te dire. Là, il faut que tu prennes un *break*. Moi, quand je vais à Paris, cela me prend trois semaines pour m'en remettre. Toi, tu as fait vingt-cinq aller-retour cette année. Il faut que tu penses à te reposer...»

Mais cette fois, l'impresario avait embarqué Nathalie Simard dans un gros projet. Les Français la réclamaient. Télé-Métropole avait des émissions à enregistrer. La jeune femme fonctionnait comme un automate. Malgré ses vingt ans qui s'en venaient, elle n'avait pas le temps de penser à sa propre vie. C'est à ce moment-là que son association avec Jacques Michel se termina abruptement. Le compositeur ne se gênait pas pour critiquer lui aussi les jeunes invités de Nathalie qui choisissaient trop souvent des chansons en anglais. En plus, il n'était pas à l'aise de voir des petites filles de cinq ou six ans jouer les Madonna. Il s'en plaignit ouvertement à l'impresario, qui cogna le poing sur la table de son bureau...

– T'as besoin d'une leçon, Jacques Michel. Eh bien, tu l'as aujourd'hui : tu ne fais plus le show de Nathalie !

– Ce n'est pas moi qui ne fais plus le show, répliqua Jacques Michel. C'est toi qui n'as plus de show. Continue avec tes mini-stars, moi je pars avec le reste...

Le «reste» est devenu *Sur la rue Tabaga*, une autre émission pour enfants, diffusée cette fois au canal Famille pendant cinq ans. Jacques Michel était tout simplement parti avec les personnages, et d'anciens acteurs de ce *Village de Nathalie* dont l'impresario ne voulait plus.

En cinq ans, Jacques Michel avait tout de même fait de Nathalie une grande artiste. Alors qu'elle avait seize ans et jouait des rôles d'enfant, il lui avait appris le théâtre et la chanson, et à avoir de la présence sur scène. Souvent et longuement, ils avaient discuté d'autres choses que de chanson populaire.

Plus tard, les producteurs français qui travailleront à l'enregistrement des chansons de Romano Musumarra en 1988 le confirmeront à Jacques Michel :

– Ça paraît que Nathalie a travaillé avec toi ! Quand vient le temps de faire les *voice over*, on n'a jamais de problème avec elle. Avec René, il faut sans cesse recommencer...

Jacques Michel avait appris le métier à Nathalie Simard. Mais elle ne lui avait rien dit. Lui n'avait rien deviné. Même lors de ces soirées où, seuls dans une chambre, ils discutaient longuement des sujets sérieux qui commençaient à intéresser l'adolescente.

Paul Vien non plus n'avait rien deviné. Même chose pour sa femme, Françoise, qui avait pourtant une formation en travail social...

Tous les participants à la grande aventure du *Village de Nathalie* – auteurs, acteurs, techniciens et cameramen –, tout ce monde-là se dira plus tard, beaucoup plus tard : « Nathalie devait être une actrice exceptionnelle pour qu'on ne sente jamais ça... »

L'épouse de l'impresario non plus n'avait rien vu, rien su...

Nathalie avait beaucoup d'affection pour cette femme qui n'avait jamais eu d'enfants et qui prenait si bien soin d'elle. Mais elle était aussi « la femme de l'autre ». La jeune fille était très mal à l'aise de voyager constamment avec elle et de la voir prendre sa responsabilité de chaperon tellement au sérieux. La situation était intenable et ajoutait au stress de la jeune fille.

À la même époque, Nathalie retrouva son père, Jean-Roch. Il vivait avec son fils Jean-Roger à Laval et avait contacté sa fille. Après tant d'années de séparation, les deux avaient eu besoin de s'apprivoiser. Rapidement, Nathalie a refait ses caprices de petite fille. Elle l'appelait parfois le matin, lui disant : « Papa, j'ai rêvé que j'allais déjeuner chez toi... » Comprenant très bien où elle voulait en venir, il répondait en riant : « Viens-t'en, mon bébé, je t'attends... »

Cela n'arrivait pas souvent à Nathalie Simard qu'un homme lui dise : « Je t'attends… »

Parfois, le père et la fille se mettaient à jouer d'interminables parties de cartes. Pour Nathalie, ce père enfin retrouvé devint son port d'attache. Quelqu'un de solide sur qui s'appuyer. Quelqu'un dont elle était fière, puisqu'il avait gagné son combat contre l'alcool. Maintenant, c'est lui qui aidait les autres.

Mais Jean-Roch non plus n'avait rien vu. Sa fille ne lui avait rien dit, non plus…

C'est aussi vers l'âge de quinze-seize ans que Nathalie avait éprouvé des sentiments pour son agent. Elle le lui avait écrit. Elle n'a jamais cru qu'il quitterait sa femme pour elle, mais elle pensait malgré tout que ces « étreintes » n'étaient pas seulement inspirées par le sadisme. Peut-être y avait-il un peu d'amour dans tous ces gestes. Elle se trompait…

L'homme se détachait progressivement d'elle. À moins qu'il ne se soit désintéressé de la petite fille, maintenant qu'elle devenait une femme ?

À vingt ans, Nathalie Simard était une adulte. Une belle femme, et qui aimait qu'on le lui dise. Un jour, dans sa loge, Jacques Michel lui avait dit : « Toi, quand on te regarde, il y a en toi un feu intérieur qu'on ne sent pas chez ton frère… »

Elle aimait ce genre de compliment. Elle en avait eu si peu dans la vie, de la part de son impresario ou même de son frère René. Elle voulait vivre « au maximum ».

Toutefois, il n'est pas si simple de devenir une femme quand on n'a connu ni enfance ni adolescence. Toute seule dans son silence, Nathalie Simard n'avait pas fini d'apprendre…

CHAPITRE NEUF

Au maximum

Ce n'est pas toi qu'on veut voir,
c'est ta sœur!

Se peut-il qu'un jour – la carrière de Nathalie Simard ayant atteint son « Maximum », et celle de René ayant soudain ralenti –, la « p'tite Simard » soit devenue malgré elle, et par la seule volonté de son impresario, le faire-valoir de son frère? La question commence à se poser...

Le dimanche 23 octobre 1988, l'Association du disque et de l'industrie du spectacle québécois (ADISQ) accorda trois Félix à Nathalie Simard. Elle partage les deux premiers avec René pour leur disque « Tourne la page » et le vidéo-clip qui l'accompagne. Des trophées pour des disques d'« adultes », en somme.

Le troisième Félix? Il lui fut attribué, à elle seule, pour le meilleur disque destiné à des enfants. Décidément, pour passer de la « p'tite Simard » à la jeune fille sexy de vingt ans, Nathalie avait bien du mal à tourner la page!

La chanteuse a abandonné les robes bleu pastel et les petits cœurs roses. Sur la pochette du disque, elle porte désormais une veste de jean et une chemise blanche comme son frère René. Ou un tailleur noir – longue veste et jupe qu'on lui avait demandé de «relever» – pour la chanson *Tout si tu m'aimes*.

Rien de provocant. Après tout, elle n'en était qu'au début de sa métamorphose. Elle avoue elle-même qu'elle «aura toujours un petit côté bébé» et qu'elle «ne sera jamais vieille dans sa tête». Et les petites filles qui voulaient des vêtements de la collection Nathalie Simard grandissaient avec elle : certaines copieront sa coupe de cheveux adoptée pour le vidéo-clip.

Ce nouveau duo de René et Nathalie était une idée de l'impresario. Une bonne idée d'ailleurs, puisque ce fut aussi sa fête ce jour-là : ses pairs le désignèrent «Producteur de disques de l'année». L'homme lancera, à l'adresse des deux Simard qui avaient fait sa fortune : «Là, on n'est plus des quétaines !»

Dans le vidéo-clip primé, un danseur semi-professionnel de Toronto, Louis Drapeau, flirtait avec Nathalie. La famille fronça les sourcils et trouva que la petite dernière «se faisait pas mal aller»! On ne voyait pourtant que des becs dans le cou et quelques petits frotti-frotta discrets. Tout cela restait convenable. Les petites filles qui regardaient *Le Village de Nathalie* pourraient aussi visionner le vidéo.

«Je ne me serais pas vue faire ça à dix-sept ou dix-huit ans, mais ça fait plaisir de changer de look», confia-t-elle aux journalistes. Elle s'excusa presque d'abandonner son personnage traditionnel ! Elle était encore en transition, comme une chrysalide qui prend du temps à sortir de son cocon.

En rentrant au Québec, entre deux voyages à Paris, elle s'occupait encore beaucoup des enfants. Pendant deux ans, elle anima avec son frère le téléthon Opération Enfant Soleil, qui battit le record des collectes de fonds au Québec avec plus de cinq millions de dollars en 1990. Elle fut la porte-parole de la journée organisée par la Fondation canadienne Rêves d'enfants parrainée par les restaurants Poulet frit Kentuky et participa à une

Au moment du téléthon Opération Enfant Soleil, avec son ami Marc-André Coallier et son frère René.

campagne de financement en faveur des hôpitaux pour enfants du Québec.

Jeune fille à Paris, encore très proche des enfants au Québec, elle fréquentait discrètement son premier «fiancé». Leur rencontre n'eut rien de fortuit, ni de romantique d'ailleurs, puisque l'événement avait été encore une fois «mis en scène» par... l'impresario lui-même!

Nathalie approchait maintenant de ses dix-huit ans, et son impresario se souciait beaucoup de ce qu'on disait de la vie personnelle de son artiste, trop différente de celle d'une jeune fille de son âge : elle sortait peu, rarement seule, et jamais avec un prétendant sérieux...

– Il faut que je te présente quelqu'un, parce que le monde commence à se poser des questions, lui dit-il. Les gens me disent : «Comment ça que Nathalie a pas de chum?» Faut pas que le monde se pose trop de questions à ce sujet-là, c'est pas bon pour l'image.

L'élu s'appelait Guy Côté. Il avait travaillé pour l'impresario comme portier au Théâtre d'été de Sainte-Adèle, lorsqu'il avait monté, en 1987, la comédie musicale *La Faute à Elvis*. Et – il n'y a pas de petits hasards ! – Guy Côté travaillait aussi dans un magasin de disques au moment où Nathalie Simard le connut.

– Elle est belle, hein, Nathalie? Elle ferait une belle blonde pour toi, avait dit l'impresario au garçon.

Le moins qu'on puisse dire, c'est qu'il voulait que cela marche entre les deux jeunes gens! Ou qu'il voulait simplement caser sa protégée...

L'impresario avait pratiquement choisi les vêtements que Nathalie devrait porter pour la première rencontre : un chic ensemble jaune, avec bustier dégagé sur les épaules... «Pourquoi tu ne porterais pas ça?» avait-il suggéré. Mais la jeune fille était un peu gênée : provoquer n'avait jamais été son genre.

Guy Côté devint donc le chum, très officiel d'ailleurs, de Nathalie Simard. L'impresario n'arrêtait pas de dire aux amis et aux journalistes : « Nathalie a un chum. »

Cela mettrait fin aux ragots.

La jeune fille entreprit alors une démarche qui illustre son degré de dépendance envers cet impresario qui, disait-il, avait voulu l'initier à la sexualité. Pour la première fois, à dix-huit ans, elle alla consulter un gynécologue. Jusque-là, elle avait toujours été trop gênée pour dire à un médecin qu'elle avait eu des relations sexuelles avec un homme. Cet examen allait en quelque sorte la libérer : elle pourrait désormais prendre la pilule et se protéger. Car l'impresario, lui, n'utilisait jamais de condom. Avoir un chum, c'était contrôler, pour la première fois, son corps de femme...

Au-delà des arrangements et des combines de l'impresario, à présent entremetteur improvisé, les jeunes se sont vraiment aimés. Nathalie avoue s'être littéralement « garrochée » sur Guy Côté. Après tout, c'était son premier amant, et elle espérait ainsi se libérer de l'impresario. Elle voulait garder son nouvel amour pour elle toute seule. Trop.

De nature, le jeune était indépendant et rentrait parfois très tard dans la nuit. Comme il voyageait en moto sur l'autoroute des Laurentides, elle avait peur qu'il ait un accident. Alors, elle prenait sa voiture et parcourait l'autoroute, surveillant les gyrophares des voitures de police et des ambulances.

Elle se morfondait et souffrait beaucoup, et comme elle était aussi très occupée à ce moment-là, effectuant de nombreux voyages en Europe, elle mit fin à leur relation.

L'impresario avait bien « arrangé » ces fiançailles, mais cela ne l'empêchait pas de relancer encore et toujours Nathalie chez elle. Dans les restaurants, il essayait de lui caresser les seins, de l'embrasser devant tout le monde. Elle avait beau lui rappeler qu'elle avait un chum – qu'il lui avait lui-même présenté ! – et qu'elle n'était pas le genre de fille à courailler à gauche et à droite, il insistait. S'imposant parfois, mais n'osant jamais aller jusqu'à la violer...

La désirait-il encore, au moins ?

*

Plus Nathalie Simard approchait de ses dix-huit ans, plus son entourage devenait grossier et blessant avec elle. Un jour, l'impresario lui dit carrément : «L'autre jour, je t'ai vue de dos et j'ai pensé que c'était Ginette Reno !» Ce qui n'est pas plus gentil pour madame Reno que pour Nathalie. Mais il était comme ça, l'impresario : direct et, à l'occasion, un vrai mufle.

Tout en souhaitant que la jeune Nathalie se case, allant jusqu'à lui trouver un fiancé, il n'arrêtait pas de miner sa confiance en elle. Et René en rajoutait aussi à l'occasion.

À Paris, dans le hall d'un hôtel, l'impresario avait dit à René Simard et à Jean Pilote, assez fort pour que des inconnus l'entendent : «Ben voyons, Nathalie, elle a pas de belles jambes, *crisse*, faut pas qu'elle mette des jupes, ça a pas de *tabarnak* de bon sens !» Comme à ce moment-là, ils s'en allaient rencontrer des producteurs français importants, Nathalie Simard passa la soirée à se regarder les jambes et à se demander si les autres les voyaient aussi laides que ça. Pourtant, sur la pochette du disque «Tout si tu m'aimes», la jupe «relevée» à une vingtaine de centimètres au-dessus du genou mettait en valeur un bien joli galbe...

À cette même époque, à cause de l'impact du disque «Tourne la page» sur leur carrière en Europe, René et Nathalie rencontraient beaucoup de producteurs français. Lors d'une journée torride, alors qu'ils étaient dans la résidence d'été de l'impresario, à Sainte-Adèle, Nathalie portait un pantalon alors que tout le monde se prélassait autour de la piscine en maillot de bain. N'y tenant plus, la jeune fille demanda à la femme de l'impresario de lui prêter un maillot de bain. Son frère René laissa tomber le verdict :

– Non, tu ne mets pas de costume de bain : tu vas nous faire perdre des contrats...

Obsédée par son poids, Nathalie Simard se privait des bons plats que les autres avalaient sous son nez dans les chics restaurants parisiens. Chaque fois qu'elle prenait l'avion – et elle l'a pris une cinquantaine de fois entre Montréal et Paris en 1988 ! – elle s'obligeait à manger le poisson poché. À s'en écœurer : « Je suis tannée des petits poissons pochés d'Air Canada ! » disait-elle en rentrant chez elle.

Cela aurait pu être une belle période de la vie de Nathalie Simard : elle s'émancipait, elle avait un amant, et sa carrière prenait un nouveau tournant. Mais ses soirées parisiennes étaient gâchées par une nouvelle domination qu'exerçaient cette fois son frère René et le neveu de l'impresario, Jean Pilote.

Entre la France et le Québec, entre les *Mini-Stars* à TVA et la promotion du nouveau disque sur les grandes chaînes de télévision françaises, elle avait travaillé comme une forcenée, s'était surmenée. Mais elle était toujours traitée comme une petite fille. À Paris, elle vécut l'enfer.

Quand elle devenait mélancolique, Jean Pilote la brusquait : « *Tabarnak !* Arrête de te plaindre... » Et ses relations avec son frère, dont elle était alors la partenaire, étaient aussi tendues. On aurait dit que René prenait la place de l'impresario dans les moindres détails de sa vie privée, les agressions sexuelles en moins bien sûr, mais avec la même brutalité.

René ne se gênait pas pour commenter les toilettes que sa sœur achetait dans les grands magasins. Des commentaires du genre : « *Ostie* qu'il est laid, ton kit ! C'est assez laid ce que t'as acheté là... » Même chose dans les restaurants : le grand frère choisissait le menu, car il surveillait la ligne de Nathalie... qui avait tout de même dix-neuf ans !

Un soir, leur spectacle ayant particulièrement bien marché, ils décidèrent d'aller fêter au restaurant avec l'agent qui faisait la promotion de leur disque en France. Nathalie aborda timidement l'homme d'affaires français et lui dit : «On fête quelque chose de spécial ensemble, alors j'aimerais me gâter un peu. Peux-tu le dire à René ?» Magnanime, le grand frère répondit à sa petite sœur : «OK! Ce soir tu peux manger ce que tu veux...»

Il y avait quelque chose de malsain dans la vie de cette jeune adulte toujours dominée par des hommes – l'impresario, le neveu de l'impresario, la vedette de l'impresario – qui lui disaient quoi manger, comment s'habiller, où habiter... Pourtant, elle avait tout ce qu'il fallait pour s'émanciper.

Le duo de René et Nathalie dans «Tourne la page» – dont l'impresario avait eu l'idée – visait peut-être davantage à relancer la carrière de René qu'à ouvrir de nouveaux horizons à Nathalie. La carrière de son frère ne marchait pas fort à ce moment-là, et elle se sentait un peu coupable d'obtenir des contrats facilement. Comme inquiet, l'impresario lui disait souvent : «Oublie pas de dire merci à René...» Comme si elle ne devait ses succès qu'aux autres.

Toutefois, l'équipe parisienne du compositeur Romano Musumarra adorait travailler avec Nathalie. Et le public pouvait être cruel avec René : «Sors, c'est ta sœur qu'on est venus voir!» entendit-on un jour crier un spectateur lors d'un grand récital des deux Simard. Nathalie était peinée et bien embarrassée de cette situation dont elle n'avait pas voulu.

L'impresario prit des décisions étranges à cette époque-là. Quand, au début de 1988, une autre tournée au Japon fut envisagée, les disques CBS furent encore une fois intéressés par les Simard. Des producteurs japonais vinrent les écouter à Montréal. Ils jugèrent que la jeune fille faisait l'affaire, mais ils ne voulaient plus du grand frère. Ils trouvaient en effet qu'elle chantait en anglais pratiquement sans accent, ce qui lui donnait une valeur internationale supplémentaire.

L'impresario refusa tout net : « Si René le fait pas, Nathalie ne le fera pas non plus ! » Aucun contrat ne fut signé avec les Japonais. Certains trouvaient que Nathalie était devenue le faire-valoir de René...

Quoi qu'il en soit, elle décida de faire un grand disque en 1990, rien que pour elle et, encore une fois, presque entièrement avec des chansons de Musumarra. Après avoir été à si bonne école avec son impresario, elle savait qu'une chanson est autant « visuelle » que sonore. Elle choisit donc soigneusement sa coiffure, ses vêtements créés par un styliste pour la scène, et les arrangements vocaux. Bien sûr, c'était toujours l'impresario qui approuvait, mais il la laissait maintenant prendre des initiatives.

On avait l'impression qu'à vingt et un ans, elle était déterminée à se prendre en main et à montrer de quoi elle était capable. Elle lança son disque au Spectrum de Montréal, rien de moins !

La transition de l'enfance à l'âge adulte ne s'était pas totalement faite avec « Tourne la page ». Cette fois, elle changeait « Au maximum » ! Elle tombait dans le *funk* et le *street dance*. Et chantait du rap ! Certes, ses propos étaient mesurés. « Je ne dirai jamais des trucs osés sur un disque parce que je ne suis pas comme ça, explique-t-elle. Je n'aimerais pas que les parents interdisent à leurs enfants de m'écouter. »

L'impresario approuva ce premier disque « adulte » de Nathalie, mais à contrecœur. « C'est fini, la danse, c'est plus *pantoute* à la mode », disait-il. Pourtant, dans sa tête à elle, cela devait bien marcher puisqu'elle voyait d'autres artistes le faire. Au cours d'un spectacle au Théâtre Saint-Denis, elle décida de provoquer son agent : elle chanta *La Danse des canards* en... rap ! C'était au goût du jour, et elle avait envie de faire un clin d'œil à son ancien public, qui trouva d'ailleurs cela très drôle.

Un peu plus tard, l'impresario commenta l'audace de Nathalie. Il le fit devant un journaliste de Québec d'autant plus sympathique à ses confidences que l'agent venait de relancer le Théâtre du Capitole. Il se vanta d'abord : « J'ai fait vingt microsillons avec Nathalie Simard, et pas un seul ne s'est vendu en bas de 100 000 copies... » Elle aurait dû être millionnaire, alors !

Puis il laissa tomber ce commentaire, aussi paternaliste que méprisant pour l'artiste : « Nathalie souffrait de son image d'enfant dans sa vie sentimentale. Les gars sortaient avec, mais ne voulaient pas être vus en public. Cette image la suivait partout. Mais, moi, j'étais là : j'ai supporté le changement de look, j'ai investi 300 000 dollars. Mais le vingt-et-unième disque ne s'est pas vendu à 100 000 copies... » Vérification faite, elle en vendit tout de même 70 000 exemplaires : un autre disque d'or, donc !

L'homme ne s'était même pas rendu compte de l'incongruité de ses propos au sujet des problèmes psychologiques de Nathalie Simard. Si elle avait tant de mal à sortir de son image d'enfant, la raison en était peut-être fort simple : il avait créé délibérément cette image et l'y avait enfermée pendant cinq ans. Cinq ans de trop !

La promotion de ce dernier disque donna pourtant lieu à une tournée gigantesque dans une quinzaine de villes du Québec, des plus grandes aux plus petites. Les concerts de Nathalie pouvaient attirer plus de 10 000 personnes. Jusqu'à 20 000 un soir, sur la Rive-Sud de Montréal : la police avait dû l'aider à sortir de la salle tant la pagaille était grande parmi ses admirateurs.

Les organisateurs de ces événements n'en revenaient pas et se frottaient les mains. Pourtant, Nathalie Simard faillit ne jamais être payée...

Grisée par ce succès, la chanteuse croyait vraiment à sa nouvelle carrière... Tellement qu'elle ne se souvient toujours pas d'avoir signé de contrat pour cette tournée ! Elle voulait travailler, chanter, voir ces milliers de personnes l'écouter et l'applaudir, serrées les unes contre les autres, parfois sous la pluie.

Un jour, elle prit son courage à deux mains et se décida à appeler Jean Pilote. Elle était gênée, peu sûre d'elle-même...

– Je voulais juste savoir, comme ça... Je pense que je n'ai pas été payée pour ma tournée.

– T'as pas été payée pour ça ? s'étonna l'autre, fouillant fébrilement dans ses livres. Ah, ben oui, c'est vrai ! C'est correct, je vais t'envoyer un chèque...

Quelques jours plus tard, elle reçut effectivement un chèque de 17 000 dollars. Mille dollars par spectacle de la vedette : cela ne faisait vraiment pas cher du spectateur !

Plus elle avançait en âge, plus Nathalie Simard se rendait compte que sa vie n'avait été qu'un trou noir, dont elle sortait avec curiosité et embarras. La jet-set ne l'intéressait pas beaucoup, et, jusqu'à vingt ans, sa vie sociale s'était réduite à celle qui était organisée par l'impresario. Les seuls événements culturels auxquels elle avait participé concernaient les lancements de ses propres disques ou ceux de René.

Dans ces soirées, on n'arrêtait pas de lui chuchoter : « Untel est un crosseur », « Untel a dit ça de toi... » Résultat : elle se méfiait de tout le monde et ne croyait plus personne. Elle avait l'impression d'appartenir à un milieu artificiel, se privant ainsi de grandes amitiés qui lui auraient pourtant été tellement utiles.

À vingt ans, Nathalie ne connaissait pratiquement personne. La seule amie artiste qu'elle fréquentait un peu était Mitsou. Celle-ci avait aussi des problèmes, car son vidéo-clip *Dis-moi, dis-moi* avait été jugé trop osé et censuré par les chaînes Much Music au Canada anglais et MTV aux États-Unis.

Pour le disque « Au maximum », Claude Dubois avait écrit une chanson pour Nathalie, sur une musique de Romano Musumarra : *Avouer la femme*. Une fois encore, l'impresario l'avait mise en garde : « Fais attention à Claude Dubois, c'est un homme à femmes... »

Pourtant, elle passa beaucoup de temps avec l'auteur et découvrit un grand poète, qui l'a beaucoup respectée, protégée comme si elle était sa petite fille. Un collègue de grande classe en somme, qu'elle retrouvera avec grand plaisir en 2005, lorsqu'elle sera totalement débarrassée de son impresario.

Il a fallu du temps à Nathalie Simard pour se libérer de cette vie organisée par un seul homme qui lui disait quoi penser, quoi faire. «Lui, il sait tout, se répétait-elle encore à vingt et un ans, alors j'obéis.» Elle comprendra seulement beaucoup plus tard qu'elle est capable de choisir elle-même, de se forger ses propres opinions, d'être maîtresse de sa propre vie.

Un incident qui surviendra beaucoup plus tard illustre à quel point Nathalie Simard, même adulte, ne contrôlait pas grand-chose dans son existence. C'était en 1991, dans la période des fêtes, elle participait, à la Place-Bonaventure de Montréal, au Noël des chats, un événement parrainé par un fabricant de nourriture pour chats.

Après la soirée, on l'avait raccompagnée en limousine au bureau de l'impresario devant lequel elle avait stationné sa voiture. Elle parlait beaucoup de son véhicule, car elle en avait choisi le modèle : une Mazda Miata. En arrivant à destination, le chauffeur lui lança à la blague :

– J'espère que c'est pas celle-là, votre voiture ?

– Ben oui, c'est elle : elle est belle, hein ? répondit la jeune femme de vingt-deux ans, très fière.

– Vous n'irez pas loin avec ! ajouta le chauffeur en riant.

La voiture était effectivement immobilisée par un sabot de Denver ! Tous les frais afférents à la voiture étaient payés par le comptable de l'impresario, qui était aussi le sien. Il avait tout simplement oublié de payer les contraventions qu'elle avait amassées au fil des mois !

Cette dépendance à l'égard des autres, surprenante pour une artiste accomplie et une femme adulte, pouvait avoir des conséquences encore plus curieuses.

À dix-huit ans par exemple, c'est le temps de voter. Mais Nathalie était très loin de la politique. Le premier grand événement politique auquel elle participa fut une grande manifestation pour la défense de la *Charte de la langue française*, le 12 mars 1989 : 60 000 personnes étaient descendues dans les rues de Montréal à l'appel de la Société Saint-Jean-Baptiste, pour protester contre la Loi 178 que Robert Bourassa avait présentée, autorisant le bilinguisme dans l'affichage commercial. Le gigantesque défilé populaire s'était terminé par un concert auquel avaient participé des vedettes comme Jean-Pierre Ferland, Jean Lapointe, les Séguin.

Le 24 juin suivant, la Société Saint-Jean-Baptiste inscrivit Nathalie au programme de son grand concert, où elle se retrouva sur la même scène qu'Eddy Mitchell et Fernand Gignac, une curieuse compagnie tout de même !

Il pleuvait ce soir-là, et la chanteuse ne percevait devant elle que des parapluies. Des milliers de parapluies. Il fallait interrompre le spectacle. Nathalie vint sur scène et demanda aux spectateurs de regarder vers le ciel : « On va demander à l'Être suprême de faire en sorte qu'il arrête de pleuvoir, dit-elle. Les gens sur scène sont tous branchés sur le 220 : c'est dangereux, et je les aime trop pour prendre un tel risque... »

Et la foule écarta les parapluies et leva les yeux vers le ciel !

La présence de Nathalie dans ces manifestations nationalistes surprenait les observateurs. Mais pourquoi donc ? Nathalie Simard n'avait jamais semblé montrer d'intérêt envers la politique. D'ailleurs, l'impresario lui conseillait toujours de répondre aux journalistes : « La politique, ça ne m'intéresse pas... » Il disait « blanc », Nathalie disait « blanc », ce que, des années plus tard, elle trouva franchement idiot.

Mais cela eut pour résultat que Nathalie Simard traversa les années mouvementées des grands référendums sur la souveraineté et des grandes manœuvres constitutionnelles entre Ottawa et

Québec sans vraiment rien remarquer. Le seul souvenir qu'elle ait de Pierre Trudeau est d'avoir fait des claquettes devant lui. De René Lévesque ou de Robert Bourassa ? Rien. De Brian Mulroney ? Si peu. De Jean Chrétien ? Pas vraiment d'intérêt. Bref, quand on parlait de politique devant Nathalie Simard, elle se taisait, craignant de dire quelque chose d'incongru.

Il ne faut donc pas se surprendre qu'elle ait voté pour la première fois à l'âge de vingt-quatre ans seulement ! Comme elle n'était pas familière avec le système électoral, il lui arriva de cocher la mauvaise case et de voter pour le mauvais candidat ! Elle a même voté pour le Bloc Pot, même si elle n'a pas vraiment d'intérêt pour la légalisation de la marijuana. Pendant une semaine, elle eut peur que tout le monde, dans sa circonscription, ne reconnaisse son bulletin et découvre ainsi comment elle avait – mal ! – voté, cette fois-là.

Comme sa vie de femme, la vie de citoyenne de Nathalie Simard commença en retard…

CHAPITRE DIX

Ève

Je n'avais vécu que des histoires de sexe.
Là, j'avais besoin d'amour.
Je tombais amoureuse facilement.

Pour Nathalie Simard, passer quatre années sans chanter de nouvelles chansons était tout à fait inusité. Quatre années, pourtant, le temps qui s'est écoulé entre la sortie de ses deux disques, « Au maximum » en 1990 et « Parole de femme » en 1994.

Un creux dans sa carrière ? Pas vraiment... « Tu vas prendre une année sabbatique », lui avait annoncé un jour l'impresario...

Pourtant, la tournée de spectacles avec ses chansons de « Au maximum » marchait bien. En octobre 1992, un récital au Théâtre Saint-Denis fit salle comble. Les rares critiques des journalistes qui la suivaient encore régulièrement étaient plutôt bonnes. À vingt-trois ans, la voix et la présence en scène de Nathalie Simard n'avaient jamais été aussi accomplies.

Elle, en tout cas, était convaincue que sa carrière aurait certainement pu continuer sur la lancée de son dernier disque.

Toutefois, l'impresario avait d'autres priorités. La réouverture du Théâtre du Capitole à Québec – un projet de 12 millions de dollars dans lequel lui et son neveu ont personnellement investi plus de deux millions – occupait tout son temps. Il avait aussi de nouveaux artistes dans sa maison de production. Johanne Blouin en premier lieu, avec qui il venait de faire un coup d'éclat : son disque – «Merci Félix» – s'était vendu à 200 000 exemplaires. Et d'autres comme Mario Pelchat, Renée Martel, Nelson Minville…

L'impresario avait donc d'autres chats à fouetter. Dans le cas de Nathalie Simard, tout comme il avait décidé du début de sa carrière, il avait le pouvoir d'y mettre fin.

L'homme avait-il peur que Nathalie prenne un autre impresario et que, ainsi libérée, elle se mette à parler de son passé ? Ou refusait-il que la petite fille qu'il avait contrôlée pendant plus de dix ans réussisse comme une adulte ? Et sans lui ?

Il faut reconnaître que Nathalie Simard n'avait pas beaucoup protesté non plus lorsque son agent lui avait dit de s'éloigner de la scène. «C'est le boss», s'était-elle dit comme d'habitude. Et puis elle avait trop travaillé, particulièrement pendant les quatre ou cinq années précédentes, et elle avait besoin de faire une pause, comme le lui avait recommandé le docteur Bricault.

Maintenant que l'impresario ne la pourchassait plus jusque dans les moments et les lieux les plus intimes de sa vie privée, elle pouvait penser à organiser sa propre vie d'adulte, avec d'autres hommes. Toutes les filles qu'elle connaissait à cette époque-là avaient un chum *steady* – une relation stable –, et elle avait hâte de se «caser» elle aussi.

Nathalie n'était pas devenue soudainement une dévoreuse d'hommes, mais elle reconnaît aujourd'hui qu'elle s'était «garrochée» sur eux, tombant facilement amoureuse. Elle voulait sortir de son passé qui, tout compte fait, se limitait à des expériences sexuelles sans plaisir.

L'impresario l'avait d'ailleurs dit : « Je t'apprendrai tout ! » Et elle avait passé sa vie à subir, passivement, les assauts de l'autre. Quand elle connut d'autres hommes, elle réclama donc de leur part beaucoup d'attention, de tendresse, d'affection. Plus que bien des hommes étaient prêts à lui en donner. Et ils trouvaient parfois qu'au lit, elle était une partenaire sans grande expression ni passion.

Comment auraient-ils pu savoir que cette femme qui connaissait manifestement les pratiques sexuelles ne savait rien des émotions et des sentiments qui, en général, les accompagnent ? Même lorsqu'elle en avait exprimé, à la fin de l'adolescence, pour son partenaire obligé – l'impresario –, celui-ci les avait repoussés.

Après douze ans de dépendance affective et sexuelle, Nathalie Simard aurait dû apprendre à être bien dans sa peau de jeune femme. Mais sa vie de couple ne pouvait pas combler le vide créé volontairement par son impresario. Il aurait fallu lui donner le temps d'apprendre à être amoureuse, et ses hommes n'en avaient pas toujours la patience.

Elle se savait jolie. Elle avait passé sa jeunesse à se faire dire qu'elle avait un sourire resplendissant, des yeux merveilleux, un beau visage. Elle aimait désormais que des hommes lui disent : « Nathalie, tu es belle… » Quand elle se promenait en Italie, par exemple, elle se faisait siffler dans la rue, et cela la flattait !

Ces compliments la changeaient tellement des remarques vulgaires de l'impresario qui lui reprochait toujours son embonpoint – « T'as des grosses cuisses », disait-il parfois devant d'autres personnes de son bureau, soulignant ses paroles d'un geste grossier – mais qui, en privé, lorsqu'il la désirait soudain, lui murmurait : « T'as un beau c… »

Après l'expérience avec son premier fiancé, Nathalie Simard vécut rarement seule. Parfois, ses amours intéressaient les paparazzis, comme son idylle avec Marc-André Coallier, « le plus gentil » de ceux qu'elle a connus à cette époque-là. Il animait alors *Le Club des 100 watts* à Télé-Québec (autrefois Radio-Québec), une autre émission pour les enfants! Ils étaient collègues en somme...

Les deux jeunes professionnels n'étalaient pas leur relation dans les journaux à potins et avaient même plutôt tendance à se cacher. Mais sans trop l'avouer, Nathalie Simard recherchait alors une relation solide, le mariage à vrai dire, avec un homme fort sur qui appuyer son corps et son âme meurtris par un lourd passé. Finalement, on parlera bien plus de la rupture entre Nathalie et Marc-André, en juin 1991, que de leur liaison de neuf mois.

Une autre relation, avec un homme fortuné, dura encore moins longtemps. Son amant avait de sérieux problèmes d'alcool, et cela lui apporta bien plus d'ennuis que de satisfaction. «Ça sert à quoi l'argent?» se dit Nathalie après trois mois en le mettant à la porte.

Au cours de l'été de 1992, la jeune femme crut enfin avoir trouvé ce qu'elle considérait être l'homme idéal : un mari et un père pour ses enfants. Elle l'avait rencontré à Laval, dans un bar, La feuille d'Érable, que dirigeait son frère Martin. Il s'appelait Alain Decelles et avait cinq ans de plus qu'elle. Beau gosse, plutôt grand, et surtout fort, Nathalie Simard se laissa aller : il semblait sûr de lui, prenait les décisions importantes. Ce fut ce qu'on appelle un coup de foudre.

Pourtant, l'impresario se méfiait de cet homme. S'était-il discrètement renseigné? Certainement mieux, en tout cas, que ne l'avait fait Nathalie.

Certains se moquaient discrètement du fiancé de Nathalie parce qu'il travaillait chez Lebeau Vitres d'autos. Effectivement, la plupart des gens ne s'attendent pas à trouver ce genre de travail dans le *curriculum vitæ* du mari d'une idole de la culture populaire. Mais Nathalie n'y attachait vraiment aucune importance.

L'homme avait déjà été marié et était père d'un petit garçon d'un an et demi. On lui connaissait quelques démêlés avec la justice, pour voies de fait simples et conduite avec facultés affaiblies. Disons que ce n'était pas le parti le plus séduisant pour l'image de Nathalie Simard. Ce qui devait déranger l'impresario.

La jeune chanteuse n'avait que faire de ces réserves. Les fiançailles officielles avec Alain Decelles furent célébrées dans le temps de Noël 1992, alors qu'ils séjournaient en Floride. Nathalie avait tellement hâte d'être enceinte qu'elle passa cinq tests de grossesse !

Elle était tellement amoureuse de son Alain que, six mois après l'avoir connu, elle attendait un enfant de lui. Et quelle expérience ce fut pour elle ! Elle fut d'ailleurs racontée dans un magazine – *Star Plus* – appartenant à l'impresario… Pour celui-ci, les petits profits n'existaient pas !

Et que fait une chanteuse lorsqu'elle sent un bébé bouger dans son ventre ? Elle chante, bien sûr…

Partons, la mer est belle,
Embarquons-nous, pêcheurs,
Guidons notre nacelle,
Ramons avec ardeur.
Aux mâts hissons les voiles,
Le ciel est pur et beau,
Je vois briller l'étoile
Qui guide les matelots !

Un air, vieux comme l'époque de *La Bonne Chanson*, que lui chantait sa mère lorsqu'elle était enfant.

Le lundi 29 novembre 1993, à 14 h 45, au quatrième étage de l'hôpital Sainte-Justine de Montréal, Nathalie Simard mit au monde elle-même la petite Ève. En effet, dès que les épaules du bébé sortirent, le médecin lui dit de la prendre. Le couple ne savait pas qu'il s'agirait d'une fille, mais ce ne fut pas une surprise, tant la mère en désirait une.

Nathalie promit d'être mère poule, se disant bien «catineuse», et annonça qu'elle jouerait à la Barbie avec elle. Elle avait même déjà acheté de la vaisselle en plastique! Le couple filait manifestement le parfait amour. Le père serait un modèle, et ils se promettaient d'avoir d'autres enfants ensemble...

Mais le «bon» père trouva rapidement que la petite Ève tenait trop de place dans la vie du couple. Quand elle était rentrée chez elle avec le bébé, Nathalie avait mis le berceau entre son mari et elle.

– Ça va faire! avait protesté rapidement le mari.

Il faut dire que Nathalie était une jeune mère particulièrement angoissée. Pendant son sommeil, elle voulait toujours toucher sa petite fille, ou lui tenir la main, pour s'assurer qu'elle respirait, ou que quelqu'un ne venait pas l'enlever.

Bien sûr, la jeune mère voulait allaiter son enfant. Elle voulait être une mère modèle. On lui avait appris qu'il n'y avait rien de mieux pour l'enfant, et elle appréciait ces moments d'intimité, peau contre peau, avec la petite Ève qui se nourrissait à son sein, puis s'endormait sur elle.

Cela ne dura malheureusement pas trois mois. Homme jaloux, Alain Decelles ne voulait absolument pas que sa femme allaite en public. Même dans les réunions de famille, Nathalie Simard devait s'isoler dans une chambre ou, pire encore, tirer son lait à l'avance et donner le biberon à sa petite fille. Elle abandonna à contrecœur...

Nathalie Simard avait toujours dit que son premier enfant assisterait à son mariage. Cela survint effectivement, l'été suivant, à Las Vegas. Ce fut presque un coup de tête! Nathalie avait dit, un peu à la blague : «Si on voulait, on pourrait se marier ici.» Et Alain Decelles était arrivé avec une robe de mariée. Ce n'était pas une bonne idée...

À ce moment-là, les finances du couple n'étaient pas très bonnes. Nathalie Simard possédait en copropriété un appartement assez luxeux, rue Berlioz, sur l'Île-des-Sœurs. Trop cher pour les moyens de l'artiste. Quand elle l'avait acheté, en 1989, elle croyait avoir assez d'argent pour le payer comptant. Mais en raison d'une entourloupette comptable du neveu de l'impresario, elle avait dû souscrire une importante hypothèque. [Nous reviendrons sur cette curieuse affaire…]

Nathalie était en « sabbatique » depuis plus de dix-huit mois et, comme toujours, les rentrées d'argent étaient irrégulières. Et il fallait bien manger, s'habiller, payer les vacances aux États-Unis, etc. Les comptes des cartes de crédit s'accumulaient, et les échéances se rapprochaient de plus en plus.

– Il y a un moyen! dit Decelles comme s'il venait d'avoir l'idée du siècle. On va frauder l'assurance et ça passera comme dans du beurre : tout le monde fait ça…

– Fais pas ça, je veux pas qu'on fasse ça, suppliait Nathalie en pleurant. Je ne suis pas à l'aise avec ça, jure-moi qu'on ne le fera pas!

– OK. On trouvera autre chose, répondit Alain Decelles.

En réalité, il le fit tout de même et Nathalie n'osa pas protester. Profitant du départ du couple pour un court séjour en Floride, au tout début de janvier 1994, il simula une effraction. Du travail d'amateur que la police n'eut aucun mal à reconnaître.

Le jour même de leur arrivée en Floride, Alain Decelles appela un ami à Montréal, lui demandant d'aller vérifier quelque chose dans leur appartement. Celui-ci découvrit que la porte avait été forcée, et Alain Decelles le pria de vérifier la présence de certains objets de valeur. C'était presque une liste d'épicerie qu'il lui donnait là! Évidemment, les affaires en question ayant disparu, le mari envoya son ami porter plainte au poste de police de Verdun pour une somme de 6 500 dollars.

Nathalie Simard, propriétaire de l'appartement, réclama alors 7 000 dollars à sa compagnie d'assurances, Boréal Assurances.

Puis, quand le couple revint de vacances, le 24 janvier, il révisa sa réclamation à la hausse et la porta à 54 000 dollars. Cet appétit d'Alain Decelles, pour un gain encore plus grand, entraînera sa perte...

La thèse du vol ne tenait tout simplement pas : l'immeuble où se trouvait l'appartement de Nathalie Simard était doté d'un système de sécurité, l'entrée était commandée par une carte magnétique, il y avait un gardien en permanence et la serrure des appartements était hautement sécuritaire. Il ne fallut pas beaucoup de temps aux policiers pour découvrir que les heures d'utilisation des cartes magnétiques d'Alain Decelles et de Nathalie Simard ne correspondaient pas à l'emploi du temps que le couple avait donné aux policiers dans sa déposition.

En effet, une semaine après leur retour de Floride, Nathalie Simard et Alain Decelles avaient été amenés au poste de police de Verdun. On avait enregistré leur déposition et pris leurs empreintes digitales.

Le « vol » s'était passé dans l'appartement de la jeune femme, c'étaient ses affaires qui avaient été volées, et elle ne voulait pas accabler son mari. Elle serait donc « coupable » elle aussi. Cette culpabilité des deux fraudeurs ne fit plus aucun doute lorsque, le 5 mars suivant, les policiers découvrirent à Saint-Janvier de Mirabel, à une cinquantaine de kilomètres au nord de Montréal, une grange dans laquelle se trouvaient les objets présumés « volés ». Pire encore, le bâtiment leur avait été prêté par un ami d'Alain ! Et les biens entreposés étaient loin de représenter la somme réclamée à la compagnie d'assurances. Quand on parle de travail d'amateur...

Les deux furent accusés de complot dans le but de frauder une compagnie d'assurances, de tentative de fraude et de méfait pour avoir soumis une fausse déclaration à la police.

L'impresario fut alors pris de panique. Voilà Nathalie Simard dans une sale affaire, aux mains des policiers : Dieu seul sait ce qui pouvait arriver ! Outre le fait que ce n'était pas bon pour l'image de l'artiste, l'incident allait-il déclencher quelque chose chez elle ? Allait-elle soudain se mettre à parler ? Il n'est pas rare en effet que des personnes accusées de méfaits cherchent dans leur passé toutes sortes de raisons qui expliqueraient leur égarement d'un moment. Et il y en avait, des raisons, dans le passé de Nathalie Simard !

– Nathalie, faut pas que tu parles de ce qui s'est passé entre nous deux, supplia une nouvelle fois l'impresario.

Mais il s'inquiétait pour rien. Ce n'était pas encore le temps pour Nathalie : elle se sentait toujours aussi coupable de ce qui s'était passé entre elle et l'impresario, et elle savait que, si elle parlait, sa vie serait finie. En fait, l'impresario la tenait doublement emmurée dans son silence : elle avait à présent une petite fille et elle craignait de ne plus avoir les moyens de lui offrir une enfance dorée…

L'impresario se rendit chez l'avocat de Nathalie Simard, Jacques Rolland, et les deux convainquirent la jeune femme de plaider coupable. Ils s'arrangeraient ensuite pour que l'affaire fasse le moins de bruit possible.

La date de comparution de Nathalie Simard devant la Chambre criminelle et pénale de la Cour du Québec avait été fixée au 4 mai suivant, et celle d'Alain Decelles au 2. Les avocats négocièrent discrètement avec les représentants du procureur général du Québec, et le plaidoyer de culpabilité de Nathalie Simard fut entendu deux semaines plus tôt. Son nom ne figura même pas au rôle en tant qu'accusée ce jour-là, et tout se passa rapidement.

L'avocat de Nathalie Simard plaida l'aveuglement de sa cliente : « Si la défense d'amour existait au Code criminel, c'est ce que nous plaiderions », dit maître Jacques Rolland. La représentante du procureur général, Marie-Andrée Trudeau, endossa cette thèse en présentant Alain Decelles comme le « cerveau » de l'opération.

Les peines furent légères, puisque Boréal Assurances n'avait pas perdu d'argent dans cette affaire. Seule la police avait perdu son temps! Le mercredi 20 avril 1994, Nathalie Simard fut condamnée à 2 000 dollars d'amende et Alain Decelles, à 4 000 dollars. Compatissant, le juge Roger Vincent leur donna six mois pour payer, faute de quoi ils feraient respectivement trois et six mois de prison.

Et dire qu'une astrologue avait prédit à Nathalie Simard «une année [1994] heureuse»!

Ironiquement, l'affaire déclencha une polémique dans les médias. Nathalie Simard avait plaidé le tort que lui causait l'importante couverture médiatique de son procès. C'était d'ailleurs pour cette raison que le dépôt des accusations avait pris plus de temps et que le procès lui-même s'était déroulé à la sauvette. Cela donna lieu, dans *La Presse*, à un éditorial de Pierre Gravel qui n'est pas sans évoquer un autre débat, qui se tiendra celui-là dix ans plus tard, à propos d'un autre procès dans lequel l'accusé plaidera coupable, et auquel Nathalie Simard assistera encore, mais cette fois en tant que témoin à charge.

«Pas facile, la vie d'artiste! commençait l'éditorialiste. La popularité devient vite un boulet qui expose [l'artiste] à la vindicte populaire bien avant sa comparution devant un tribunal. Ce sort, à première vue injuste, est un prétexte en or pour demander un traitement spécial et échapper à la curiosité des médias au moment de comparaître devant un juge. C'est ce qu'ont obtenu Madame Simard et son complice, qui ont plaidé coupables en catimini, quinze jours avant la date prévue… Un vieux truc pour tromper la vigilance des journalistes.

«Quand ils peuvent en bénéficier pour leur carrière, conclut Pierre Gravel, beaucoup d'artistes sont prêts à étaler leur vie privée au grand jour. Mais cette popularité a un prix. Ils n'ont qu'à s'en prendre à eux-mêmes lorsque leurs fans veulent également tout savoir de leurs bêtises…»

174

Pour Nathalie Simard, ce triste épisode ne fut malheureusement que le prélude à une série d'autres déboires. Sur le plan financier, les affaires du couple ne s'arrangèrent pas, et la chanteuse déclara discrètement faillite personnelle au début de 1995 : elle avait accumulé trop de dettes pour que la banque puisse continuer à financer l'hypothèque qui grevait la valeur de son appartement. Quand la Société d'hypothèque de la Banque canadienne de commerce (CIBC) saisit la copropriété que la chanteuse avait payée 280 000 dollars sept ans plus tôt, on apprit qu'elle avait, à deux reprises, augmenté son prêt hypothécaire et porté celui-ci à 230 000 dollars. Il ne lui restait pratiquement plus rien...

Pendant un certain temps, le couple se réfugia chez les parents d'Alain Decelles, à Fabreville.

En fait, il devenait de plus en plus inapproprié de parler de «couple». En effet, sitôt après le mariage en juillet 1994, le comportement d'Alain Decelles changea. Le mari devint méchant et méprisant. Quand Nathalie s'amusait dans une réception de famille ou entre amis, par exemple, il lui lançait : «Ris pas si fort !» Puis ce fut : «Marche pas de même ! Fais pas ci ! Fais pas ça !» Nathalie Simard se souvient de cette époque comme d'un véritable calvaire...

Les psychologues connaissent bien ce phénomène : les femmes victimes d'abus dans leur jeunesse deviennent trop souvent hélas ! la proie d'autres abuseurs.

La jeune femme sentait bien que son couple ne marchait plus. Les sautes d'humeur et le comportement excessivement agressif de son mari – qui n'allait pas jusqu'à la violence cependant – l'inquiétaient par-dessus tout. «Ce n'est pas vrai que ma fille va vivre dans une telle situation, se disait-elle. Nous allons nous séparer, et je vais pouvoir protéger ma fille comme il faut...»

L'impresario, qui n'avait jamais apprécié cette fréquentation, l'encourageait d'ailleurs à se séparer. Il offrit de lui verser

175

350 dollars par semaine – officiellement présenté comme un cachet d'artiste. En outre, sa compagnie de production paierait le loyer de 680 dollars par mois pour un appartement situé à Boisbriand, au nord de Montréal, ainsi qu'une voiture.

Pour la première fois, l'impresario « indemnisait » officiellement sa protégée sans qu'un tel paiement fût directement relié à la production d'un disque, d'un spectacle ou d'une émission de télévision. Toutefois, cela ne menaçait pas la santé financière de son entreprise : en octobre 1992, le journal *Les Affaires* avait évalué son chiffre d'affaires à une quinzaine de millions de dollars par année, elle comptait vingt-deux employés, et les plus récents disques de Nathalie continuaient à tourner.

En passant, ce fut une bonne idée de « séparer » Nathalie Simard de son conjoint. Cela lui évita d'autres embarras, car le nom de Decelles continuera d'être évoqué dans les journaux à propos d'affaires beaucoup plus graves.

Dans la soirée du mercredi 20 septembre 1995, des policiers faisaient des vérifications de routine sur la route 117, à Saint-Faustin, dans la région des Laurentides. On avait signalé des vols à Mont-Tremblant, et les malfaiteurs utilisaient régulièrement un camion blanc. Alain Decelles conduisait justement un camion blanc cette nuit-là.

– Qu'est-ce que vous transportez-là ? demandèrent les policiers au conducteur.

– Du foin, répondit-il avec aplomb.

Mais le foin sentait vraiment autre chose, une odeur caractéristique que l'un des policiers, ancien de la brigade anti-gang, connaissait bien. Alain Decelles fut arrêté sur-le-champ avec 1 500 plants de marijuana pesant 75 kilos et évalués par les policiers à 300 000 dollars. Cependant, un compagnon de route d'Alain Decelles s'échappa dans les bois.

Quand le fuyard fut repris, cela devint encore plus embarrassant pour Nathalie puisqu'il s'agissait de son frère Jean-Roger ! Il n'écopera que d'une simple amende de 2 500 dollars, tandis qu'Alain Decelles, en plus d'une amende de 4 000 dollars, sera condamné à passer 42 week-ends en prison. Il possédait alors un commerce d'entretien de chevaux dont il devait s'occuper pendant la semaine...

[Ce n'est malheureusement pas la dernière fois qu'on entendit parler du personnage. Au printemps de 1998, il défraya encore la chronique : Alain Decelles et son frère Sylvain furent pris dans une rafle policière mettant fin aux activités d'un réseau de production et de trafic de stupéfiants pour le compte d'une bande de motards criminalisés.]

Certains diront que ce mariage fut un échec. D'autres, que cette période hypothéqua la carrière de Nathalie Simard. En août 1994, parlant de ses futurs projets avec plusieurs artistes, l'impresario laissa tomber devant des journalistes : «Nathalie? Elle n'est pas très *hot* ces temps-ci...»

C'est vrai que tout semblait aller mal pour la chanteuse. Mais on ne dépouille pas un artiste de sa voix et de son talent. À vingt-cinq ans, après quatre ans de retraite quasi forcée, Nathalie Simard était prête à reprendre le travail. Elle chanta même sa détermination...

Parole de femme
J'me laiss'rai pas faire
Fini les rivières de larmes
L'amour quand c'est la guerre
C'est tranchant comme une lame.

Parole de femme
J'te laisserai pas faire
C'est pas du vague à l'âme
J'reprendrai ma lumière
Même si ça fait mal...

(J.-P. Dreau)

Le plus important trophée que Nathalie Simard remporta dans cette période difficile ne fut pas un disque d'or ou de platine, ni un Félix. Elle avait désormais une enfant, Ève, petite fille comme elle l'avait été elle-même à Sainte-Pétronille. Ève : une autre raison de vivre.

Un jour, elle deviendrait pour sa mère une impérieuse raison de gagner en se libérant de son passé...

CHAPITRE ONZE

Le déclin

J'ai dû faire beaucoup de ménage,
apprendre à vivre seule avec moi-même,
seule avec ma fille,
et à prendre mon temps...

Nathalie Simard ne saura jamais en combien d'exemplaires son disque de 1994, « Parole de femme », aura été vendu ! « C'est passé dans le beurre », lui a-t-on dit. Il a pourtant été très bien reçu par la critique ! Mais ce ne fut guère mieux qu'un succès d'estime...

Ce disque est son « meilleur », dit-elle, et celui où sa voix est la plus épanouie. Elle avait seize ans de métier, après tout, et cela se sent. L'enregistrement y avait d'ailleurs été pour quelque chose : ce n'était plus l'impresario qui le dirigeait, mais un professionnel de talent. Michel Le François avait modifié la façon de travailler de la chanteuse.

Habituellement, l'artiste entrait en studio, commençait l'enregistrement et, quand elle commettait une erreur, on arrêtait tout et on recommençait. Le François convainquit Nathalie Simard de chanter plutôt ses pièces en entier, sans aucune interruption. Il fit trois enregistrements de la même chanson et garda la meilleure prise.

Désormais, Nathalie devait apprendre et pratiquer ses chansons avec plus de soin, puisqu'elle n'avait pas droit à l'erreur. Elle s'appliquait! Le résultat final semble davantage réfléchi, plus profond en elle-même, plus authentique aussi.

Et les textes, parfois très vieux, sont aussi très beaux. Ils sont empruntés à des auteurs chevronnés qui avaient écrit pour des interprètes de la classe de Joe Dassin, Serge Reggiani, Gilbert Bécaud. Ou comme ce texte de Jean-Jacques Goldman...

Si tu veux m'essayer
Sans risque ou contrat
Juste quelques journées
Ça ira ou pas

Je me ferai géant
Pour t'impressionner
Je nous construirai des moments
Comme des morceaux d'éternité

(J.-J. Goldman)

«Ça sonne!» écrit la critique.

À une autre époque, ce disque se serait rapidement hissé au sommet des palmarès. Mais non! Nathalie Simard avait-elle donc «fait son temps»? Quatre ans d'absence, c'est très long dans le *show-business*. Pendant cette période, d'autres vedettes s'étaient imposées, avec leur style propre. Et les goûts avaient changé.

Le public semblait désormais avoir la tête ailleurs. La magie de la «p'tite Simard» n'opérait plus : elle avait eu vingt ans, s'était mariée, avait eu un enfant. Et depuis cinq ans, sa vie d'adulte allait de mal en pis, au point où son public n'arrivait plus à se souvenir de l'enfant ou de l'adolescente qu'elle avait été.

S'agissant du premier disque après ses démêlés avec la justice, certains y virent une opération de «rentrée en grâce» pour la

Son disque de 1994, «Parole de femme», fut son «meilleur», dit Nathalie Simard. Elle avait seize ans de métier et cela se sentait. «Ça sonne!» commenta la critique.

chanteuse. Tous les journalistes qu'elle rencontrait lui posaient des questions sur « l'affaire ». Agacée, elle se faisait cinglante à l'occasion...

– Je ne cherche pas d'excuse, mais vous en avez assez parlé et vous avez fait assez d'argent avec toute cette histoire, non ? lança-t-elle aux potineurs des journaux populaires qui avaient tenu la chronique de sa carrière.

L'impresario venait de vendre un de ses magazines éphémères – *Star Plus* – à Télémédia. Cela faisait partie d'une transaction qui conduirait éventuellement le magazine dans le giron du groupe Transcontinental, l'imprimeur auquel l'impresario devait un peu trop d'argent. Dans la transaction, il avait rajouté un « cadeau » : un reportage spécial de 75 pages sur Nathalie Simard. « Cela aide les nouveaux propriétaires », dit-il. Et cela ne nuisit pas à son entreprise non plus !

À cette époque-là, quand on ne parlait pas des déboires conjugaux de Nathalie, on abordait la question de son poids. « Un peu grassette peut-être ? » lui demandait-on avec insolence. Un jour, elle répondit qu'elle avait « perdu 20 livres ». Un autre, qu'elle avait « pris 10 livres ». Cela revenait à dire qu'elle était trop grosse et, si on en croit les articles, et surtout les photographies, elle pesait bien 50 kilos de trop ! C'était injuste, évidemment, mais elle prenait tout cela avec philosophie...

Elle ne se fâchait même plus quand elle entendait des commentaires de mauvais goût... « Une femme peut être très belle avec ses rondeurs, disait-elle. C'est ridicule, on donne des modèles et des idéaux aux jeunes filles. Les mannequins ont parfois l'air de petits gars... »

Nathalie Simard est peut-être une femme meurtrie, mais elle est forte.

Lucide, elle s'acceptait comme elle était. Elle avait une fille dont elle devait s'occuper, un métier d'autant plus exigeant que les contrats ne rentraient pas aussi facilement ni aussi vite

Déterminée, Nathalie Simard « regardait en avant », disait-elle, et elle avait le goût de foncer.

qu'autrefois – il n'y aura pas de tournée de spectacles pour « Parole de femme »… Il était donc fini le temps où Nathalie Simard se rendait malade parce que son entourage lui parlait de son embonpoint. « Je suis bien dans ma peau », dit-elle maintenant.

Réaliste, elle savait qu'elle ne pourrait pas, comme d'autres interprètes, écrire ses propres chansons. Elle y avait pensé mais s'était trouvée quétaine. Pour la première fois, elle pensa plutôt à ce qu'elle ferait après sa carrière de chanteuse : « Gérant d'artistes »… Cela faisait tout de même seize ans qu'elle observait le sien !

Déterminée, elle « regardait en avant », disait-elle, et elle avait le goût de foncer. Tous azimuts, pourrait-on dire : les planches des théâtres, les plateaux de télévision et même… des rings de boxe ! Elle va tout tenter…

Sans l'impresario cette fois, même si elle mentait un peu à son sujet ! C'était encore lui qui avait produit ce disque dont on parlait en 1994 – et il y en aura trois autres, mais ce seront toujours des compilations. Des repiquages bon marché comme d'habitude. Elle confia à une journaliste du journal *Le Soleil* de Québec : « Sans lui, je ne serais rien. Jamais je ne me suis sentie "garrochée". J'ai du caractère. Je ne me suis jamais sentie obligée par rien… » Oui, il arrivait à Nathalie de mentir : c'était sa façon de se sortir de ce silence qui constituait un mensonge beaucoup plus gros encore…

Au printemps de 1995, Nathalie Simard se mit soudain à suivre des cours de théâtre. Comme professeure, elle choisit la comédienne Murielle Dutil – *Mourir à tue-tête* (présenté à Cannes en 1979), *Bonheur d'occasion*, *Chartrand et Simone*, *Aurore*… Elle serait donc en très bonnes mains ! Le résultat fut surprenant…

À l'automne de cette même année, Denise Filiatrault reprit en effet la comédie musicale de Michel Tremblay et François

Dompierre – *Demain matin, Montréal m'attend* – au Théâtre Saint-Denis de Montréal. Tremblay avait, selon ses propres termes, «*déjoualisé* la parlure» de sa pièce de 1970, immortalisée par Louise Forestier. Cela raconte l'odyssée d'une jeune fille du village de Saint-Martin venue à Montréal faire carrière dans la chanson. Les «icitte» étaient devenus des «ici», le «ta yeule, toé» changé pour «veux-tu te taire, toi». Et l'auteur avait inventé un nouveau personnage pour Nathalie Simard!

Sans doute mise en confiance par ses cours d'art dramatique, la jeune femme passa une audition. «Elle a été tellement bonne qu'on a décidé de lui confier un rôle», expliqua Michel Tremblay, manifestement séduit. Elle chantait, dansait, bougeait et, en plus, elle savait jouer la comédie. Voilà Nathalie Simard en prostituée : un petit rôle que celui de Cream, mais quel rôle!

Grande directrice d'acteurs, Denise Filiatrault aimait cette Nathalie Simard qu'elle poussait au bout de son talent... «Bouge-toi l'cul, Nathalie! criait-elle pendant les répétitions. Ouais, c'est ça. Plus cochonne encore. Pogne-toé les seins. On est dans un bordel icitte, pas au *Village de Nathalie*...» Peut-être que Michel Tremblay n'aurait pas dû «déjoualiser» son texte, après tout!

Les gens ne s'attendaient pas à retrouver Nathalie Simard dans un théâtre, surtout pas avec un texte de Michel Tremblay. Mais quand ils l'ont vue sur scène, ils ont été tout simplement renversés. Du talent, elle en avait tellement qu'en 1999, lorsqu'on reprit la comédie musicale une fois de plus au Casino de Montréal, Denise Filiatrault lui donna le premier rôle, celui de Louise Tétreault, la candide jeune fille de la campagne qui découvre la grande ville. «Elle est ben bonne, la p'tite», expliqua la patronne de la mise en scène.

En fait, Nathalie voulait ce rôle dès 1995, mais on l'avait déjà promis à Élyse Marquis. Cette fois, elle avait le premier rôle et elle exprimait sa confiance : «Avec Denise, on n'aura pas l'air d'imbéciles! Faut que ça roule et il n'y a pas de niaisage...» Elle avait de l'expérience : elle connaissait ça, les patrons exigeants et durs avec leurs artistes !

La troupe, les blagues en coulisse sur les costumes à paillettes et les trous de mémoire, sa collègue, Sylvie Boucher – sa grande sœur Lola Lee, sur scène – avec qui elle organisait des soupers et discutait, tard le soir, au téléphone… Nathalie fut heureuse pendant ces trois mois de la fin de 1999 au Casino de Montréal.

Elle en avait bien besoin d'ailleurs, car les années précédentes n'avaient pas toujours été faciles. En fait, il y a eu comme un grand trou dans sa vie au cours des quatre années précédentes.

Jean-Roch Simard étant tombé gravement malade en 1996, Nathalie en avait profité pour s'occuper de lui. Chaque matin, après avoir conduit Ève à l'école, elle partait visiter son père à l'hôpital, l'aidait à faire sa toilette, lui apportait des repas. Elle semblait vouloir rattraper le temps où on l'avait séparée de lui. Elle mena alors une vie bien privée.

Puis en juillet 1996, après les inondations du Saguenay qui avaient ravagé la région de Chicoutimi, les chanteurs professionnels de la famille Simard – Nathalie, René et Régis – enregistrèrent une chanson pour les sinistrés de Ferland-et-Boilleau – la nouvelle ville dont fait partie Saint-Gabriel-de-Ferland, le village natal des petits Simard. Un de leurs oncles mourut d'ailleurs d'une crise cardiaque lors de la catastrophe. Un gars du Saguenay, Paul Davis, écrivit la chanson *Mon village*, et les 5 dollars que valait le disque compact seraient versés aux familles.

Trois Simard sur un même enregistrement, cela ne s'était pas vu depuis 1979. Ce disque est presque une pièce de collection ! Et les paroles vont bien à Nathalie, même si elle-même n'est pas née au Saguenay, car elles conviennent tout autant au village de Sainte-Pétronille…

Qu'il est beau mon village
Et malgré tous mes voyages

Je ne l'ai jamais oublié
Je me souviens, on chantait, on criait
On courait sur la grève
Ce que j'en ai fait de beaux rêves
Qui ne reviendront plus jamais

(P. Davis)

Cette même année 1996, on « casa » littéralement Nathalie dans une autre comédie musicale, *Jeanne la pucelle*, dans laquelle René tenait le premier rôle. On lui avait vaguement promis qu'elle serait la *understudy* – la doublure – de Judith Bérard (ancienne vedette de *Starmania*), mais elle se retrouva dans les chœurs, à l'arrière de la scène. Il aurait fallu qu'elle chante faux pour qu'on la reconnaisse ! « Faut bien vivre », expliquait-elle alors.

C'est sans doute aussi pour cela qu'en 1997, l'impresario sortit une autre compilation de ses titres les plus connus, un double disque avec des ballades et des comptines, et aussi des textes célèbres comme *Un enfant*, de Jacques Brel. Sur la pochette, on voit Nathalie serrer dans ses bras la petite Ève, quatre ans, ce qui inspira un seul commentaire, plutôt méchant d'ailleurs, d'une journaliste du *Devoir*.

Dans les médias du Québec, ce sera à peu près la seule référence à un disque dont nul ne sait comment il s'est vendu. Toutefois, il présentait une innovation : lu sur un ordinateur, il permettait aux jeunes de chanter *Au clair de la lune*, *Cadet Rousselle* ou *À la claire fontaine* en *lip-sync*. Les miracles de l'informatique provoquèrent une sorte de retour à l'époque des *Mini-Stars de Nathalie*…

En même temps qu'elle tentait un retour au théâtre, Nathalie Simard réapparut à la télévision. On lui offrit une nouvelle émission d'une heure, le week-end : « La TV, c'est payant ! » s'était-elle d'abord dit. Cependant, elle savait aussi qu'elle n'avait pas de talent pour animer une émission. Elle hésitait.

« Je ne suis pas sûre que ce soit une bonne idée », dit-elle à son frère. Mais comme elle l'admettait volontiers à cette époque-là, « il faut bien vivre ». Et puis elle approchait de ses trente ans, l'âge des remises en question...

L'émission *Décibel* fut diffusée à partir du 7 février 1999. Elle tiendra deux saisons sur le réseau TVA. Elle s'adressait à des jeunes de huit à quatorze ans qui voulaient prouver leur capacité à « faire de la télévision ». Certains chantaient, bien entendu, et il arrivait à Nathalie d'enregistrer un duo avec les meilleurs. Mais d'autres concurrents pouvaient être bricoleurs, collectionneurs, imitateurs, humoristes, marionnettistes ou magiciens, acrobates, jongleurs, funambules, contorsionnistes. Il y aura même un spécialiste des échasses !

René Simard était à la fois directeur artistique, responsable des auditions au cours desquelles on sélectionnait les jeunes et... gérant de Nathalie. Ce fut en effet lui qui négocia son contrat, mais on se demande bien avec qui... L'émission était encore produite par l'impresario – ce qui lui vaudra d'ailleurs sa première subvention gouvernementale – et elle sera ensuite vendue, en bloc, au réseau TVA. René négocia donc avec la compagnie de production de l'impresario.

Contrairement à ce que Nathalie pensait, ce ne fut pas très payant : 1 200 dollars pour animer une émission d'une heure, soit 32 400 dollars par année, ce n'était pas le Pérou. Mais son frère le lui avait dit : « Ça fait longtemps que tu n'as pas fait de télévision, alors c'est raisonnable... » Et puis, avait-il ajouté comme pour la rassurer : « Je suis moins payé que toi, mais je le fais parce que tu es ma sœur. C'est la première fois que je fais un contrat avec un cachet aussi bas... »

Les magazines de télévision saluèrent ce « retour » de Nathalie au petit écran. C'était très différent de tout ce qu'elle avait fait jusque-là et elle le soulignait : « Je ne veux pas être "emboîtée" comme dans *Le Village de Nathalie*. »

Les auditions avaient lieu dans toutes les régions du Québec, et Nathalie se confiait beaucoup aux médias régionaux. Ce fut notamment à ce moment-là qu'elle raconta à un journaliste de

Trois-Rivières ce qu'elle avait retiré de ces années d'absence : « J'ai dû faire beaucoup de ménage, apprendre à vivre seule avec moi-même, seule avec ma fille, et à prendre mon temps. Et – ô miracle ! – il n'y a plus d'homme dans ma vie, ce qui, dans mon cas, est exceptionnel. »

Cependant, l'émission avait été trop vite montée. Dans les premiers mois, on avait écrit les textes à la dernière minute, sélectionné des candidats à la sauvette et bâclé les enregistrements. Bref, Nathalie Simard avouait « faire de son mieux », mais ce n'était pas fameux. Sans que cela eût forcément un rapport, elle entra en conflit avec une directrice de production. Bref, les premiers temps de l'émission furent chaotiques…

Puis, quelques semaines après le lancement, René Simard dut abandonner son poste pour interpréter le rôle principal du *Phantom of the Opera*, à Toronto. Il demanda alors à un animateur de foules qui travaillait beaucoup avec TVA, Donald Beaudry, de s'occuper de sa sœur : « Nathalie a besoin d'un coup de main », lui dit-il.

Le « coup de main » en question aura un jour des conséquences que ni René ni l'impresario n'auraient pu imaginer à cet instant-là…

Donald Beaudry – connu sous le nom d'« Archy » sur la scène des spectacles d'humour et dans les événements d'animation de congrès ou de colloques d'entreprise – avait rencontré René Simard l'année précédente, sur le plateau de l'émission *Fais-moi rire*, au réseau TVA.

Beaudry débarrassa Nathalie Simard de ses *Q-cards*, ces fiches qu'utilisent les animateurs pour lire leurs présentations. Il lui conseilla plutôt de travailler sa mémoire, d'apprendre systématiquement tous ses textes et d'adopter, par la même occasion, un ton plus spontané. Boute-en-train, il faisait aussi le pitre à l'occasion, détendant ainsi l'atmosphère sur le plateau.

Nathalie en avait bien besoin. Elle était alors en proie à de violentes sautes d'humeur, sombrait dans des crises de larmes insoutenables, n'avait aucune confiance en elle. « Si je pouvais te dire ce que je vis, ce que je voudrais te raconter », disait-elle souvent à Archy quand celui-ci ne comprenait plus les terribles difficultés qu'affrontait Nathalie.

Après le fait, quand lui aussi apprendra, en 2004, ce qu'avait vécu l'animatrice, il comprendra : « Compte tenu de ce que je sais maintenant, Nathalie a été exceptionnelle… »

Car l'émission, après un rodage difficile, n'allait pas si mal. Diffusée le dimanche soir à 17 heures, elle attirait 535 000 téléspectateurs. C'était une grosse production en direct, avec orchestre sur la scène. Et après le départ de son frère, Nathalie Simard assura aussi la sélection des candidats : elle était excellente avec les jeunes. Elle ne voulait pas retomber dans le travers des *Mini-Stars* où des jeunes, trop jeunes d'ailleurs, avaient tenté d'imiter des adultes.

Pour cette émission « découverte », on ne retenait pas les candidatures de jeunes déjà aux mains d'un agent et sous contrat. Véritable *coach*, Nathalie tenait à rencontrer les candidats en l'absence des parents. Cela ne plaisait pas toujours, mais elle savait que certains enfants venaient là presque conduits de force par des parents qui rêvaient pour eux d'une carrière dans le *show-business*. Lorsqu'ils arrivaient aux auditions, quelques-uns se mettaient à pleurer : ils n'avaient pas choisi la chanson, la connaissaient mal ou ne l'aimaient tout simplement pas.

Alors Nathalie Simard les consolait doucement, leur demandait ce qu'ils aimeraient vraiment chanter, les convainquait de rentrer chez eux et de mieux se préparer. Elle leur promettait toujours de les écouter de nouveau, un ou deux mois plus tard. Véritable grande sœur, elle prenait les plus jeunes dans ses bras et séchait leurs larmes en disant : « C'est pas grave, je ne suis pas fâchée après toi… Tu te reprendras. »

Nathalie Simard tentait alors de donner aux enfants ce qu'elle n'avait jamais reçu elle-même dans sa jeunesse.

Pendant la première année, alors que l'émission durait une heure, Nathalie Simard terminait en interprétant une chanson. Quand elle décidait de faire un duo avec un jeune particulièrement talentueux, elle le laissait choisir lui-même sa chanson. Nathalie et son jeune partenaire travaillaient alors ensemble. Elle s'était découvert un talent de gérant d'artiste et c'est sans doute pour cela qu'elle commença à rêver pour elle de cette autre carrière.

La deuxième année, l'émission fut écourtée à une demi-heure. «Est-ce que je peux garder le même cachet?» demanda timidement Nathalie. Elle le gardera, bien sûr, puisque depuis le départ de son frère elle remplit deux fonctions plutôt qu'une! Les auditions l'obligeaient à faire le tour de la province. Dans certaines villes, il y avait plus d'une centaine de jeunes à évaluer et à sélectionner. On lui faisait faire là un travail de forçat.

Selon Donald Beaudry, il aurait pu y avoir une troisième saison de *Décibel*. Nathalie avait lancé des idées, mais l'impresario suivait ce projet de très loin. En deux ans de production, il n'avait rencontré que deux fois l'équipe de direction de *Décibel*.

Les participations aux auditions régionales restaient très courues, même après deux ans, ce qui témoignait de l'intérêt du jeune public. Et quoi qu'en aient dit ses détracteurs, l'émission avait fait découvrir de véritables talents, comme Cindy Daniel, qui jouera plus tard dans la superproduction *Don Juan*. Avant l'heure, *Décibel* pavait la voie à *Star Académie*.

Cependant, Nathalie Simard jugeait qu'elle n'était pas assez payée. D'autant plus que les rediffusions étaient incluses dans son cachet initial de 1 200 dollars par émission. Bien entendu, elle n'avait jamais vu ce contrat-là, pas plus que tous les autres. On lui faisait simplement signer une feuille de cachet à chaque émission, comme si elle était invitée plutôt qu'animatrice. «Ben voyons donc! Ça n'a pas de bon sens...», avait dit un conseiller à l'Union des artistes en voyant son contrat. Donald Beaudry pensait toutefois que cela correspondait aux normes du marché, surtout pour quelqu'un qui n'avait pas fait d'animation de télévision depuis longtemps.

En 2000, pendant que *Décibel* disparaissait, l'ADISQ fêtait l'impresario et lui rendait hommage pour sa quarantaine d'années dans le *show-business*. Tous les grands noms de la chanson et des variétés étaient réunis au Théâtre Saint-Denis de Montréal. L'homme prit cela avec humour : «Je trouve que ça a pris du temps, sauf que, des fois, un Félix Hommage, ça veut dire qu'il est temps de prendre sa retraite... » Ça s'en vient... Ça s'en vient... En attendant, le journal *La Presse* en fit aussi sa «Personnalité de la semaine».

*

Lors de son retour dans *Demain matin Montréal m'attend*, dans le rôle principal cette fois, Nathalie Simard avoua que celui-ci ne lui aurait pas convenu en 1995, parce qu'elle se trouvait «beaucoup trop ronde»! Mais depuis quatre ans, elle avait pris les grands moyens pour maigrir et se mettre en forme.

En effet, grâce à *Charlie* – un projet de magazine dont l'impresario n'a fait imprimer qu'un numéro pilote –, on découvrit qu'elle s'était mise à la boxe! Trouvant les exercices de conditionnement physique trop ennuyeux, elle se défoulait en faisant le coup de poing avec Deano Clavet, ancien boxeur devenu comédien. «Nathalie a l'œil du tigre», disait son entraîneur.

Nathalie faisait de l'humour quant à ses chances sur le ring : «Avant, il y avait Mohammed Ali, maintenant, il y a Nath... Ali!»

Au cours des années 2000 et 2001, Nathalie Simard était de plus en plus à la recherche de contrats, même de petits contrats, des *jobines*, dirait-on. «L'important, c'est que ma fille puisse manger, se disait-elle. Qu'il y ait de quoi dans le frigidaire, que je puisse payer les comptes, mettre de l'essence dans la voiture, habiller ma fille. » Mais, manifestement, elle avait des difficultés.

Elle obtint un petit rôle, celui du renne Comète, dans le film de Jean-Claude Lord, *Station Nord Ho! Ho! Ho!*, un conte féerique qui se passe dans le village du père Noël, interprété par Benoît Brière.

Elle fit une incursion au Théâtre d'été d'Eastman, en Estrie, pour la revue musicale *Qu'est-ce qu'on attend pour être heureux ?*, dirigée par Lorraine Beaudry. Avec Bianca Ortolano, Tony Conte, Joël Legendre, Patrice Bissonnette et Pierre Benoît, Nathalie Simard reprit le répertoire des monstres sacrés de la chanson française des années quarante – Édith Piaf, Yves Montand, Charles Trenet. Cela lui permit au moins de passer l'été dans un chalet de l'Estrie avec sa fille Ève.

Et ce fut tout…

Toutefois, Nathalie se faisait une raison. « Je me contente de ce que j'ai et je m'organise, disait-elle. Je pourrais vivre dans une cabane en bois, sans électricité, et je serais heureuse malgré tout. » Elle ne disait pas qu'elle pourrait « vivre sur la paille », mais elle en était pratiquement là…

Pourtant, elle voulait toujours travailler. Avec son interprétation dans la comédie musicale de Michel Tremblay et de François Dompierre, elle avait prouvé qu'elle avait du talent pour ce genre de production. Et les résultats obtenus à *Décibel* prouvaient aussi, quoi qu'elle en dise d'ailleurs, qu'elle pouvait encore animer des émissions de télévision, surtout des émissions pour les jeunes.

*

Maintenant qu'elle a pris goût au théâtre, elle rêve d'un rôle dramatique : « J'aimerais jouer un rôle de méchante, de *bitch*… » Tiens, tiens !

193

Et elle souhaite toujours – « Un jour, dans cinq ans, dans dix ans, quand je serai prête... » – faire un autre disque, seule, et avec des textes originaux, écrits pour elle : « J'ai des choses à dire, je note des idées, des thèmes qui me touchent. Mais j'attends de rencontrer la bonne personne pour mettre ça en chansons. » Avis aux auteurs-compositeurs, donc...

Pour l'instant, sa carrière est bel et bien terminée. « Ça dérangeait monsieur ! » accuse la chanteuse. En l'empêchant de travailler presque du jour au lendemain, tout en subvenant à ses besoins, l'impresario avait ainsi continué de gérer la vie de Nathalie Simard, à la maintenir dans sa dépendance. Il pensait sans doute que c'est le meilleur moyen de la tenir enfermée dans son silence

Mais grâce à l'émission *Décibel*, Nathalie Simard et Archy, comme elle l'appelle toujours, étaient devenus de grands amis. Ils restaient en contact. Et le jour venu, Donald Beaudry couperait le premier maillon de la chaîne qui tenait encore Nathalie Simard prisonnière...

En 1999, les magazines de télévision saluèrent le retour de Nathalie au petit écran avec l'émission Décibel…

... mais ceux qui travaillaient avec elle sur le plateau remarquaient ses soudaines sautes d'humeur : ils comprendront bientôt pourquoi.

CHAPITRE DOUZE

La trahison de Pygmalion

« T'as beaucoup d'argent », dit l'impresario.
« T'en as plus que moi », dit René.
Elle ne savait même pas de quoi ils parlaient...

Tel un Pygmalion, l'impresario avait fait d'une enfant une grande artiste de la chanson populaire. Mais lorsque l'enfant devint femme, on s'aperçut que sa fortune était plutôt modeste. Pire encore, on avait maintenu Nathalie Simard dans un tel état de dépendance qu'elle ne sut pas comment administrer ses affaires...

Dix-huit ans... L'âge de la majorité. Le 7 juillet 1987 aurait dû être un grand jour pour Nathalie Simard.

Pour bien des jeunes, la majorité, c'est le droit de voter. Ils peuvent fréquenter seuls les restaurants et les bars, acheter une bouteille de vin ou un paquet de cigarettes. Ils sont financièrement indépendants, c'est-à-dire qu'ils peuvent contracter un emprunt, obtenir un prêt hypothécaire et acquérir une maison sans rien demander à personne. Sinon à leur banquier ! Ils peuvent conduire une automobile depuis l'âge de seize ans mais, désormais, ils changeront de modèle librement. En outre, s'ils ont de l'argent, ils achèteront des meubles, s'offriront de nouveaux vêtements. En clair, ils feront face à toutes les nécessités de la vie...

L'impresario a soigneusement créé une légende autour de Nathalie. Elle est « la chanteuse la mieux payée du Canada ». On murmure même qu'elle gagne plus d'argent que son frère. Un million de disques vendus à quinze ans ! Faites le calcul. En plus, elle animait depuis deux ans une série télévisée – *Le Village de Nathalie* – qui devait, des journalistes sérieux l'écrivaient, lui assurer un revenu « dans les six chiffres pendant cinq ans ».

À dix-huit ans, Nathalie Simard découvrit l'envers du décor construit autour d'elle par son impresario... Oui, elle « travaillait » depuis huit ans déjà, mais n'avait encore jamais vu une feuille de paie. Elle avait un compte en banque, mais ignorait ce qu'il contenait. Elle avait un carnet de chèques, mais on lui avait demandé de les signer d'avance, « en blanc ».

Toute son éducation de citoyenne, de consommatrice – et même de contribuable ! – restait à faire.

La carrière de Nathalie Simard a débuté en mai 1979, avec *Tous les enfants du monde*, en duo avec son frère qui devint aussi son tuteur. Il n'y avait aucune raison à cela, puisque Nathalie avait deux parents, Jean-Roch Simard et Gabrielle L'Abbé, jouissant de tous leurs droits. Mais ce père avait été écarté cinq ans plus tôt, et c'est la mère qui avait réclamé la tutelle.

Quel tribunal – et par quel curieux artifice – avait approuvé cette tutelle aux biens de Nathalie Simard ? Il n'avait pas été difficile pour l'impresario d'organiser ce semblant de conseil de famille, le 17 décembre 1979, devant un protonotaire adjoint de la Cour supérieure du Québec. Depuis neuf ans qu'il fréquentait la maison, il était lui-même devenu une sorte de « chef de famille ». La nomination de René comme tuteur de sa petite sœur semblait, somme toute, bien naturelle... Même métier, parfois partenaires pour l'enregistrement de disques ou les tournées de spectacles, souvent ensemble dans les mêmes studios et avec le même impresario : le tandem allait de soi.

Toujours est-il que pendant toute sa carrière de mineure – la plus importante et la plus productive –, le patrimoine de Nathalie sera administré par son frère René et, comme le veut la loi, par un conseil de famille de huit membres choisis dans l'entourage de l'enfant... Et dans celui de l'impresario !

Cependant, à la dix-huitième année de Nathalie, il devenait obligatoire de faire les comptes. Ce fut très formel. Et expéditif en même temps ! Il y avait là René, le grand frère et le tuteur. L'impresario qui contresignait les chèques de Nathalie une fois remplis par le comptable. Jean Pilote, le neveu de l'impresario et vice-président de toutes ses entreprises. [Pilote avait remplacé Claudine Bachand qui, elle aussi, avait assuré la vice-présidence des entreprises de l'impresario au début des années soixante-dix.]

Et il y avait enfin le comptable de Nathalie, qui prêta d'ailleurs son bureau, situé sur le boulevard Crémazie Est, à Montréal, pour la tenue de cette importante réunion. Celui-là était influent, puisqu'il était à la fois comptable de l'impresario et comptable de ses entreprises, comptable de René et comptable de Jean Pilote. Les comptables, comme les membres de tout ordre professionnel, ont l'obligation morale d'éviter tout conflit d'intérêts. Même si, dans les années soixante-dix, les règles d'éthique étaient moins rigoureuses qu'aujourd'hui, la situation aurait dû paraître préoccupante, sinon aux yeux du tuteur de Nathalie, à tout le moins aux responsables de la curatelle publique.

Entendre, à dix-huit ans, qu'on vaut un demi-million de dollars a normalement de quoi faire sauter de joie. Mais Nathalie ne savait pas vraiment ce que cela signifiait : elle n'avait jamais rien acheté ni payé de sa poche avant. Le seul argent qu'elle avait vraiment administré, c'était son pécule de 5 dollars par semaine.

Le 31 août 1987, Nathalie reçut du curateur public du Québec un bilan de ses biens, au 31 décembre 1986. Son avoir était de 522 982 dollars, dont un appartement évalué à 70 000 dollars et une somme d'environ 60 000 dollars dans son compte en banque. Le plus curieux cependant, c'était la mention des «comptes à recevoir» des Disques Nobel et de la compagnie de production de l'impresario qui s'élevaient à 381 784 dollars...

– T'as beaucoup d'argent, hein? dit l'impresario.

– T'es chanceuse, parce que t'en as plus que moi! renchérit le grand frère.

Donc, Nathalie Simard n'avait pas vraiment devant elle un demi-million. Son pécule était en majeure partie constitué d'une reconnaissance de dette de l'impresario de près de 400 000 dollars. L'homme alimentait le fonds de roulement de ses entreprises avec les revenus de la jeune chanteuse! Le tuteur aux biens, René Simard, en avait-il fait mention à la curatelle publique à l'occasion de ses rapports annuels?

Ce jour-là, on promit à Nathalie Simard que la dette de l'impresario serait remboursée progressivement, par tranches annuelles, pour éviter qu'elle paie trop d'impôts...

*

Au fait, est-ce tant d'argent que cela après dix-sept disques, des tournées au Québec, un documentaire aux États-Unis, une grande émission de télévision qui était en cours, des campagnes de publicité?

Parlons d'abord de ce premier disque, le duo avec René. La chanson de l'UNICEF se trouvait sur un disque de René Simard qui s'intitulait «18 ans déjà». L'année suivante, son disque s'appela «Un homme». Un homme de dix-huit ans : il avait donc poussé de la barbe au «p'tit Simard»!

Or, l'enregistrement venait appuyer une campagne de financement de l'UNICEF en faveur des enfants : on ne pouvait tout de même pas faire d'un jeune homme son porte-parole! C'est pour cela que l'impresario cherchait désespérément un ou une partenaire à René. L'intérêt de cette chanson était d'abord l'enfant, Nathalie en l'occurrence.

Par la suite, l'impresario recréa tellement bien René Simard avec sa jeune sœur que, dans les nombreux disques et spectacles en duo, la seule présence de Nathalie prolongeait artificiellement la valeur «marchande» de René Simard auprès des enfants et de leurs jeunes parents. Quelle était la part de la petite fille dans ces disques et ces spectacles présentés en duo?

On savait, au moins, que René, lui, touchait une part sur les bénéfices de la société spécialement créée pour gérer les nombreux produits dérivés du *Village de Nathalie*, une série télévisée dans laquelle il n'avait pourtant aucune participation.

Cependant, c'était surtout la production des disques de Nathalie qui soulevait beaucoup de questions dans le milieu. Au moment de la production du disque «Au maximum», l'impresario avait dit à Nathalie : «Ça m'a coûté cher ce disque! J'ai dépensé 300 000 piastres…» Possible, mais ce n'est pas ainsi qu'on fait normalement les comptes dans l'industrie du disque…

Chaque disque est en soi un projet autonome qui engendre des coûts : la production, les droits d'édition, le pressage, la promotion, la distribution… Puis viennent les revenus, proportionnels au nombre d'exemplaires vendus. En fin de compte, il reste un «profit net» – de l'ordre de 20 % – que certains producteurs et interprètes – tels René Angélil et Céline Dion, par exemple – se partagent normalement en parts égales. À l'époque des débuts de Nathalie, un «long jeu», le fameux «33 tours» en vinyle, générait un profit net d'au moins un dollar, ce qui aurait dû laisser à Nathalie autour de 50 cents par disque vendu. Faut-il rappeler que Nathalie Simard collectionnait les «Disque d'or» – plus de 50 000 exemplaires vendus –, «Disque platine» – plus de 100 000 –, «Disque double platine» – plus de 200 000 exemplaires.

À dix-huit ans, rien qu'avec ses disques, Nathalie Simard avait probablement rapporté plus de deux millions de dollars à son impresario. De plus, celui-ci possédait sa propre maison de production – Les Disques Nobel inc. Et il était aussi l'agent de Nathalie Simard. Encaissait-il alors un pourcentage à titre d'agent et un autre à titre de producteur? Il se trouvait alors en conflit d'intérêts, puisque, producteur, il se préoccupait sûrement de ses propres bénéfices, alors que, en tant qu'agent, il devait plutôt défendre les intérêts de Nathalie face à son producteur – qui était lui-même!

Faute de comptes précis – et faute de vérifications indépendantes du «tuteur» ou du «comptable», tous deux désignés par l'impresario lui-même –, il était impossible de connaître la répartition des coûts de production. Par exemple, il y avait beaucoup de monde autour de Nathalie : l'épouse de l'impresario et les sœurs Bachand en particulier, employées de l'impresario. À Tokyo, pour le Festival international, ou à Québec, pendant le tournage du *Village*, dans quel compte le coût des hôtels, des restaurants, des billets d'avion des chaperons de Nathalie, l'achat de ses costumes de scène était-il inscrit? À celui de la production du disque, c'est-à-dire avant les profits nets? Ou à celui de Nathalie seule, donc soustrait de sa seule part des profits nets?

Lorsqu'ils apprirent que Nathalie Simard n'avait accumulé qu'un demi-million de dollars à dix-huit ans, les spécialistes de l'industrie du disque estimèrent qu'il manquait probablement «une couple de millions de dollars».

Car il y avait aussi les grands spectacles et les tournées, qui marchaient très fort. Quand on remplit la Place-des-Arts à Montréal, le Grand Théâtre à Québec, le Centre national des Arts à Ottawa, combien cela valait-il? Tout cela s'était passé alors que Nathalie était mineure.

Il y eut surtout l'épisode du *Village de Nathalie*, diffusé sur l'ensemble du réseau TVA, avec des cotes d'écoute de 800 000 téléspectateurs. Dans l'esprit du propriétaire de Pathonic, Paul

Vien, il s'agissait bien d'un contrat de 200 000 dollars par année «pour Nathalie Simard». D'ailleurs, l'impresario, qui se vantait beaucoup, avait glissé dans l'oreille d'un journaliste que Nathalie avait signé «un contrat d'un million de dollars», ce qui semblait plausible, puisque la série du *Village* devait, à l'origine, durer cinq ans. Deux des trois saisons qu'a finalement duré l'émission se sont déroulées alors que Nathalie était mineure. Cela aurait dû grossir sa fortune personnelle de quelques centaines de milliers de dollars lorsqu'elle atteignit sa majorité.

Nathalie Simard se souvient par exemple que sur des revenus de l'ordre de 300 000 dollars par année pendant la diffusion du *Village de Nathalie*, son gérant touchait une «commission» de l'ordre de 110 000 à 120 000 dollars. Il lui restait un revenu net d'un peu plus de 100 000 dollars. Car outre les impôts et ses frais de subsistance, le comptable prélevait le coût de ses voyages et de ses costumes de scène…

Enfin, où sont passés les quelques dizaines de milliers de dollars que Nathalie recevait pour parrainer des campagnes publicitaires comme celles des épiceries Metro? Et l'argent de tous ces produits dérivés vendus à coups de 5 ou de 10 dollars: par exemple, que sont devenus les 500 000 dollars du fan-club de Nathalie administrés par Jean Pilote et les sœurs Bachand? Seuls le tuteur aux biens ou le comptable pourraient le dire…

*

On aurait pu penser qu'après le 7 juillet 1987, alors que Nathalie Simard était majeure, les comptes seraient devenus plus transparents et plus clairs. Mais la chanteuse n'avait pas davantage le contrôle de ses biens, parce qu'elle ne le voulait pas ou qu'on ne l'avait jamais encouragée à prendre en main ses propres affaires. Tous les appartements qu'elle acheta – dans le quartier Val-des-Arbres de Duvernay, alors qu'adolescente elle hébergeait sa mère; à l'Île-des-Sœurs où, majeure, elle vécut avec son mari et eut son enfant ; à Sainte-Thérèse enfin, où, alors qu'elle avait trente-deux ans, l'impresario viendra l'agresser une dernière fois – furent payés par son comptable.

Nathalie Simard était tellement incapable d'administrer ses biens qu'elle appelait l'impresario, ou Jean Pilote, ou le comptable pour s'acheter un sac de golf ou un vêtement un peu coûteux, comme un manteau de fourrure qui valait plusieurs milliers de dollars...

– J'ai vu quelque chose de beau : est-ce que je peux me l'acheter ? demandait la jeune femme de vingt-deux ans.

– Ben oui, *tabarnak*, tu peux te le permettre ! lui répondait-on.

Déjà spoliée de plusieurs centaines de milliers de dollars, Nathalie Simard perdra tout ce qui lui restait par la faute de son impresario et de son entourage...

Cela faisait longtemps que l'impresario lui demandait de s'installer à l'Île-des-Sœurs, où lui-même résidait aussi, alors que la chanteuse habitait de l'autre côté de l'île de Montréal et de l'île de Laval. Nathalie avait demandé conseil à son comptable...

– Tu peux aller jusqu'à 200 000 dollars, et tu peux le payer *cash*, ce sera mieux pour toi, lui avait dit le conseiller.

Nathalie Simard ne chercha pas longtemps : elle trouva, sur la rue Berlioz, un appartement qui lui plaisait beaucoup. Mais il valait 280 000 dollars...

– Ben oui ! 80 000 dollars de plus, tu peux te le permettre, lui avait dit le comptable. Tu travailles fort, vas-y ! Les affaires vont bien.

Bien sûr que les affaires allaient bien à ce moment-là : le disque « Tourne la page », qu'elle avait enregistré avec son frère, créait tellement d'engouement qu'elle devait se rendre en Europe deux fois par mois. À Montréal, l'émission *Les Mini-Stars de Nathalie* roulait elle aussi plutôt bien...

Nathalie fit donc une offre de 280 000 dollars en précisant à l'agent immobilier, fière d'elle, qu'elle allait le payer «comptant»!

À peu près à la même époque, l'impresario décida de régulariser la situation de Nathalie et de rembourser toutes les sommes dues à Nathalie d'un coup. En 1989, ses revenus professionnels bruts, qui variaient normalement entre 60 000 et 120 000 dollars par année, bondirent à 542 125 dollars!

Le comptable – était-ce celui de Nathalie ou celui de l'impresario? À moins que ce ne fût celui de Jean Pilote? – prévint l'agent d'immeubles : dans le compte de Nathalie Simard se trouvait une provision de 180 000 dollars pour les impôts à payer. La moitié de la «dette» dont Nathalie Simard pensait être remboursée allait partir au fisc.

L'agent immobilier rappela alors son acheteuse : «Votre comptable me dit qu'il n'y a pas assez de liquidités dans votre compte...» «Liquidités»? Nathalie ne connaissait même pas la signification de ce mot!

Il ne lui restait plus assez de «liquidités», et elle dut contracter un prêt hypothécaire. Elle se trouvait alors au bord du trou où elle s'enfoncerait rapidement.

À vingt ans, Nathalie Simard fonctionnait de façon très simple : elle dépensait, recevait des factures et ordonnait à son comptable de les payer en totalité. L'argent roulait, et cela ne posait jamais de problème. Un budget? Elle ne savait tout simplement pas ce que c'était.

Et avec un chic appartement viennent les mensualités d'hypothèque, l'impôt foncier, les frais de copropriété...

– Jean [Pilote], je n'ai plus d'argent. Je n'y arrive plus, dit un jour Nathalie.

– Va sur ta Visa, répondit l'homme d'affaires, tu as 20 000 dollars de crédit là-dessus.

Et Nathalie Simard bouchait les trous de son budget avec une carte de crédit ! Personne ne lui avait dit que cette marge de crédit était virtuelle, que l'argent ne lui appartenait pas vraiment, et qu'il faudrait bien rembourser un jour ou l'autre.

Une autre fois, son comptable lui recommanda tout simplement de vider le modeste Régime enregistré d'épargne retraite où elle avait accumulé environ 20 000 dollars.

On eût dit qu'à ce moment-là, les grands qui s'étaient occupés de ses affaires depuis l'enfance prenaient un malin plaisir à la voir apprendre, par ses erreurs, l'indépendance financière.

D'ailleurs, quand elle s'était rendu compte que l'impresario n'avait pas respecté sa parole en lui remboursant sa dette en un seul versement plutôt que de l'étaler sur plusieurs années comme il l'avait promis, elle s'en plaignit amèrement...

« *Welcome in the business world, Babe !* » lui répondit le cynique. (« Bienvenue dans le monde des affaires, bébé ! »)

Jusqu'à l'âge de vingt-trois ou vingt-quatre ans, Nathalie Simard n'avait jamais appris les règles de fonctionnement d'une marge de crédit. Une carte de crédit ? Elle n'en voyait pas davantage les relevés mensuels. Se rendant compte que son comptable n'était peut-être pas le meilleur conseiller financier, elle fit appel à un professionnel de la firme Raymond Chabot Martin Paré. Il n'a pas fallu beaucoup de temps à Marc-André Morin pour se rendre compte que l'impresario devait encore beaucoup d'argent à Nathalie Simard : on ne peut pas bénéficier d'une marge de crédit de près de 400 000 dollars pendant des années sans payer, en même temps, de gros intérêts. Faut-il rappeler qu'au début des années quatre-vingt, quand l'impresario accumulait sa dette envers Nathalie, les taux d'intérêt frisaient les 20 % !

Le pauvre monsieur Morin connut rapidement les manières de l'impresario : « Comment ça, je dois de l'argent à Nathalie Simard, dit-il au comptable. Il n'en est pas question ! Je ne lui dois pas d'argent, avec tout ce que j'ai fait pour elle, *tabarnak*, ça coûte cher, sa carrière... »

Pour Nathalie, si l'impresario le disait, ce devait être vrai. Elle le dit timidement à son comptable :

– C'est vrai que ça coûte cher le *show-business*, il a sans doute raison…

Le comptable ne put s'empêcher d'esquisser un mouvement d'impatience :

– Madame, il vous manipule et il fait ce qu'il veut avec vous !

Bien sûr, que l'impresario manipulait sa chanteuse ! Certains diront qu'à vingt ou vingt-cinq ans, Nathalie Simard était bien naïve. Mais a-t-on oublié qu'elle a été littéralement « sortie » de l'école au beau milieu de sa deuxième année du secondaire. Que pendant dix ou quinze ans, l'homme a tout décidé à sa place, ne lui expliquant rien de ce qu'il faisait en son nom : pas plus les contrats qu'il signait que les chèques qu'il encaissait.

Nathalie Simard avait été élevée dans un tel état de dépendance que sur le plan financier – comme sur le plan sexuel, faut-il le rappeler ! –, l'impresario en faisait ce qu'il voulait.

Un jour, Donald Beaudry s'en rendra compte lui-même dans le cadre de la production de l'émission *Décibel* : « L'impresario a contrôlé Nathalie et l'a laissée dans l'ignorance si longtemps, qu'elle en est venue à le percevoir comme un homme tout-puissant qui pouvait, d'un claquement de doigts, décider de son avenir – de sa chute comme de son succès… »

À dix-huit ans, la carrière de Nathalie était loin d'être terminée. Le disque « Tourne la page » a reçu quatre Félix au gala de l'ADISQ : il devait être réussi tout de même ! Et se vendre…

Puis « Au maximum » plut tellement au public que la tournée qui suivit battit tous les records d'assistance. Mais on se souvient que Nathalie avait dû signaler – bien timidement d'ailleurs ! – qu'elle n'avait pas été payée pour qu'on lui envoie alors, en catastrophe, un chèque de 17 000 dollars. Tout cela montre à quel point la comptabilité n'était pas sérieuse dans cette entreprise.

Puis il y eut encore «Parole de femme», «Une femme un enfant», et un autre «René et Nathalie». Sans parler des comédies musicales et d'une autre émission de télévision, encore une fois suivie d'un disque.

Durant les dernières années, il n'était même plus question de contrat avec Nathalie. L'impresario, ou son frère qui prenait de plus en plus de place dans sa vie d'artiste, lui disait : «On va faire telle émission», «On va enregistrer tel disque». Et Nathalie obtempérait, sans même poser une question sur ce que cela rapportait. Les seules inquiétudes qu'elle exprimait concernaient la qualité du produit : elle était toujours aussi perfectionniste dans son métier...

C'est d'ailleurs pour cela qu'elle n'a pas posé de questions lorsqu'en 1992, après la tournée qui suivit le disque «Au maximum», on ne venait plus lui proposer de contrats. Ou lorsque l'impresario refusa de prolonger le succès de «Parole de femme» par une autre tournée. Ou encore qu'en 1999, malgré son opinion et celle de Donald Beaudry, il n'y eut pas de suite au projet *Décibel*. Ce ne fut donc pas seulement une partie de la fortune de Nathalie qui s'égara quelque part avant sa majorité. La chanteuse subit aussi un manque à gagner important lorsque son agent la délaissa pour d'autres artistes.

Les déclarations de revenus de Nathalie Simard datant de cette époque sont éloquentes à cet égard. Après son année d'un demi-million de dollars en 1989, mais pour les raisons que l'on sait, ses revenus semblaient se stabiliser autour de 60 000 dollars, alors qu'elle enregistrait le disque «Au maximum», qu'elle faisait une grande tournée de spectacles et qu'elle animait *Les Mini-Stars de Nathalie*. Puis pendant chacune des cinq années qui ont suivi – de 1993 à 1997 inclusivement –, le comptable de Nathalie Simard n'a déclaré aucun revenu professionnel à l'impôt – zéro dollar ! Elle a pourtant enregistré quatre disques dans la même période et joué dans deux comédies musicales.

Pendant toute sa carrière, Nathalie Simard a finalement été soumise à une sorte de « clan » composé de l'impresario lui-même, de Jean Pilote, de son frère René, des sœurs Bachand et, bien entendu, de leur comptable. C'était un groupe tricoté tellement serré que ses membres prenaient leurs vacances ensemble ou, comme René et son comptable, habitaient dans le même immeuble. Parfois, ils traînaient la petite Nathalie avec eux. Mais de moins en moins souvent après ses dix-huit ans.

Le clan semblait guidé par la conviction que « la p'tite Simard » n'était – tant dans son enfance qu'à l'âge adulte – qu'un sous-produit de son grand frère : on ne lui rendait donc pas de comptes.

*

Pendant que l'impresario se désintéressait de la carrière de sa protégée, il pensait à sa succession. En 1997, quand sortit le dernier disque en duo « René et Nathalie », une étoile montante de la télévision s'inscrivit au Registre des entreprises du Québec comme « animatrice » sous le matricule 2245852340 : c'était la fille de l'impresario. Un an après, elle enregistra une entreprise – Vérocom inc. – sous le numéro 1147472030. Sa principale activité : productions artistiques.

Quand, le 2 juillet 2004, Vérocom immatricula, à titre d'actionnaire majoritaire, la société Novem Communications sous le numéro 1142575433, la quasi-totalité de ses filiales étaient des entreprises qui, changeant de nom à l'occasion, venaient toutes d'une même et unique filière ouverte le 1ᵉʳ septembre 1971 par l'impresario.

Novem Communications inc., comme l'entreprise de l'impresario dont elle est issue, s'occupait de télévision, du disque, du spectacle, de la gérance d'artistes, de l'édition, et même – tiens, tiens... – de *Décibel, Les Étoiles de l'An 2000*.

Décibel ne méritait peut-être pas d'entreprendre une troisième saison mais, dès sa première année, l'impresario en protégeait le nom et peut-être même la gérance des talents les plus prometteurs qu'y découvrirait Nathalie. Se pourrait-il qu'avant le temps, l'impresario ait pensé à créer une sorte de *Star Académie*? Toujours est-il que cette entreprise-là, comme toutes les autres, était désormais dans le giron de Novem.

La question de la filiation directe entre les entreprises de l'impresario et celles de sa fille s'est posée en 2005, lorsque Nathalie Simard, enfin libérée de l'influence de son impresario, exigea qu'on lui rende des comptes. Elle voulait en particulier qu'on lui remette les documents qui lui permettraient de savoir combien de redevances son agent avait perçu en son nom. Avec les preuves que ces sommes avaient bien été versées à son compte. Si tel n'était pas le cas, comme elle le soupçonnait, qui devrait payer les sommes qui ne lui avaient pas été versées pendant tout le temps où elle avait été «employée» de l'impresario, c'est-à-dire jusqu'en février 2004?

Dans une poursuite en dommages présentée le 25 mai 2005 devant la Cour supérieure du Québec, Nathalie Simard affirmait : «Novem est l'ayant droit des compagnies par l'entremise desquelles [l'impresario] agissait à titre de gérant de Nathalie Simard…»

Certains se sont demandé pourquoi Nathalie tenait la fille de l'impresario – sans conteste l'animatrice la plus populaire de la télévision publique de la Société Radio-Canada – responsable des méfaits de son père. En fait, ce n'était pas la personne qui était en cause, mais la société dont elle avait fait l'acquisition, son passif aussi bien que son actif.

Il serait bien difficile de retrouver la moindre trace de l'impresario dans la publicité officielle de la nouvelle entreprise Novem Communications inc. Mais les deux registres de l'Inspecteur général des institutions financières – le Fichier central des entreprises (FCE) pour celles qui ont été créées avant 1994, et le Registre des entreprises du Québec (CIDREQ) pour les autres – ne trompent pas.

Et puis, le site Web de Novem ne cache pas ses origines lui non plus ! Sous l'onglet – « Qui sommes-nous ? », voici ce qu'on peut lire :

Novem... une compagnie en renaissance !

Forte de ses trente-cinq années d'expérience dans l'univers du divertissement – la propriétaire en a trente et un ! *– notre entreprise évolue et se transforme au gré de ses nouvelles envies et expertises. Parce que notre équipe a l'amour et la passion de ce qu'elle fait, elle ne cesse de se renouveler et de se lancer dans de nouveaux projets, au service de ses artistes et du public.*

L'aventure a commencé en 1969, avec la production de disques et de spectacles, ainsi que la gérance d'artistes de variété québécois. Quinze ans plus tard – le nom de Novem n'existe pas encore *–, la compagnie se lance dans la production télévisuelle, et poursuit son ascension en intégrant un nouveau secteur au début des années 90 –* «Novem» n'existe toujours pas ! *–, l'édition. Avec ses trois domaines d'activité, la maison se distingue par sa capacité d'adaptation et d'innovation, et par la forte synergie qu'elle a su créer entre divers secteurs du divertissement.*

Aujourd'hui, la compagnie renaît... sous le nom de Novem...

Nulle part n'est indiqué de quel père cette « renaissance » peut bien être issue !

On chercherait en vain le nom de l'impresario comme actionnaire, administrateur, consultant. Mais les lois sur la propriété intellectuelle sont terribles ! Le nom de l'impresario apparaît encore sur l'étiquette de certains disques comme « Don Juan », ou de ceux de plusieurs artistes comme Natasha St-Pier, Clodine Desrochers ou Lorie, produits et vendus par Novem.

*

On s'étonna malgré tout de cette poursuite d'au moins 1,2 million de dollars, alors que Nathalie Simard avait déjà reçu un million en avantages financiers depuis 1994. Cela mérite une explication...

Lorsque Nathalie quitta son mari, encouragée par l'impresario d'ailleurs, celui-ci lui offrit une rente de 350 dollars par semaine – 18 200 dollars par année – appartement payé et voiture fournie. Cette rente fut ensuite portée à 500 dollars par semaine ou 26 000 dollars par année. L'argent fut déclaré comme «cachet d'artiste».

Est-ce pour cela qu'il n'y eut jamais de contrat ni de reddition de comptes pour les quatre disques produits à cette époque? Toutefois, les paiements de sa rente étaient suspendus chaque fois qu'elle obtenait un contrat, comme pendant les deux années où elle anima la série de télévision *Décibel*, pour laquelle elle touchait un cachet de 1 200 dollars par émission.

Puis, en 2003, à la demande de René Simard, l'impresario porta le «cachet d'artiste» de Nathalie Simard à 5 000 dollars par mois. Il lui paya en outre une maison de 450 000 dollars.

Tout cela paraît beaucoup d'argent, d'autant qu'au cours du procès on apprit que l'impresario prétendait donner 121 000 dollars par année à Nathalie Simard. En fait, son entreprise payait tous les impôts et toutes les contributions que devait normalement payer Nathalie sur son salaire. Les 121 000 dollars étaient donc entrés au compte de l'entreprise plutôt que de l'impresario, bien que, sous la pression de son comptable, il acceptât de réduire son propre salaire de 25 000 dollars par année. Cela laissait à Nathalie Simard les 60 000 dollars par année exigés par son frère en son nom.

Au moment même où, le 17 mars 2004, l'impresario avouait ses fautes devant les caméras et les microphones de la Sûreté du Québec, son nouveau comptable, François Ferland, remplissait le bordereau de paye de Nathalie Simard pour la période allant du 8 au 19 mars 2004.

L'entreprise déclarait effectivement verser 4 200 dollars à son artiste, mais déduisait 1 509,99 dollars d'impôts fédéral et provincial, 201,24 dollars de contribution au Régime des rentes du Québec et… une contribution de 83,16 dollars à l'assurance-emploi.

Le dernier chèque que Nathalie Simard reçut de son impresario fut exactement de 2 405,61 dollars pour deux semaines.

Devant le juge Robert Sansfaçon, il a été entendu que « la somme reçue par Nathalie Simard de la part de [l'impresario] s'élève à plus de 1 000 000 dollars ».

Grosse somme en effet. Mais était-ce en compensation de la dette que son impresario avait contractée à l'égard de son artiste pendant toute sa carrière ? Cela porterait alors les fruits de vingt-cinq ans de travail d'artiste, des redevances sur vingt-six disques, des cachets de trois séries de télévision et des dizaines de spectacles à un million et demi de dollars plutôt que le demi-million qu'il lui remit à sa majorité.

Car Nathalie Simard a continué à travailler entre 1987 et 2004. Ce million de dollars correspond exactement à 40 000 dollars pour chaque année où elle fut l'artiste « la mieux payée du Canada » comme disait son impresario. C'est à peine le salaire d'un ouvrier qualifié et certainement pas celui d'une artiste qui connaissait le succès et collectionnait les trophées.

Ce n'était pas pour rien qu'au cours de l'été 2001, Nathalie Simard déprimait beaucoup. Elle se sentait rejetée et inutile. Elle n'aimait pas vivre ainsi au crochet de l'impresario. Elle s'inquiétait de ce que pensait sa fille de la voir toujours à la maison. Privée de la plupart de ses trophées personnels que l'impresario avait gardés pour lui, elle ne pouvait même pas les contempler ou les exhiber pour se remémorer sa gloire passée…

Nathalie Simard réfléchit alors à son avenir. Elle admit qu'elle n'avait peut-être plus le physique de l'emploi et qu'elle ne pouvait remonter sur les planches pour le moment, mais elle pouvait faire profiter les autres de son expérience. À cette époque-là, les entreprises de l'impresario employaient une quarantaine de personnes et elle se dit qu'il devrait bien y avoir une petite place pour elle...

Elle appela son impresario une dernière fois et lui demanda de passer la voir pour discuter de tout cela. L'homme arriva à son appartement de Sainte-Thérèse au milieu de la nuit, pas mal éméché. Il rentrait alors d'un tournoi de golf dans les Laurentides.

– Je veux travailler parce que j'ai besoin d'argent. J'ai besoin de m'accomplir aussi, dit-elle.

– J'sais, j'sais...

– J'ai pas fait d'études, et tu sais que je ne peux pas me revirer de bord comme ça.

– Ouin... C'est vrai que tu peux pas aller travailler comme caissière chez IGA, hein? T'es ben trop connue, tu te ferais achaler...

– Y a pas de sot métier, poursuivit Nathalie. Si ma fille venait à crever de faim, j'irais. Dans la vie, on fait ce qu'on peut avec ce qu'on a, pis il faut se débrouiller. Des fois, il faut oublier qui on est.

À cette époque, la carrière de la fille de l'impresario était à son sommet avec l'émission *La Fureur*.

– Ta fille est une bonne amie, on s'adore. Je pourrais travailler à ton bureau et m'occuper d'elle. Je sais que je serais bonne là-dedans, proposa Nathalie Simard.

– C'est vrai que tu pourrais t'occuper de ma fille, la suivre dans ses affaires, répondit l'impresario.

Il était très tard. L'homme était sur le point de partir. Mais, soudain, il s'approcha de la jeune femme et commença à lui tripoter les seins. La petite Ève dormait dans une chambre tout à côté, mais la proximité d'un proche dans la même maison n'avait jamais empêché l'impresario d'entreprendre ce qu'il avait envie de faire.

– Non! J'veux pas..., murmura-t-elle.

214

L'homme baissa malgré tout la fermeture éclair de sa braguette et se masturba.

– J'vas y penser…, dit-il ensuite en disparaissant dans la nuit.

Ainsi, la première et la dernière fois que l'impresario agressa Nathalie Simard, à vingt et un ans de distance, ce fut pour lui demander d'assister à son plaisir solitaire. De l'initiation au mépris, la femme aurait tout connu.

*

Alors, ce million de dollars que l'impresario a « généreusement » remis à Nathalie Simard entre 1994 et 2004, était-ce vraiment, en remerciement de sa contribution à sa propre fortune, une façon de la soutenir financièrement ?

Le juge Robert Sansfaçon a eu un doute là-dessus : « Il est clair que ces sommes servaient davantage à convaincre Nathalie Simard de conserver le secret et éviter le dévoilement et la dénonciation. » En d'autres termes, l'agresseur a acheté le silence de sa victime. Un silence de vingt-cinq ans. Cela faisait à peu près sept sous par minute de solitude et de silence…

Depuis plusieurs années, Nathalie était incapable de travailler. Son état mental se répercutait sur la qualité des soins qu'elle devait donner à sa petite fille. Pendant ce temps-là, l'impresario « pouvait continuer à vivre une vie *normale* », souligna encore le juge. Et à faire des millions de dollars.

Ses pairs l'honoraient, lui accordaient des trophées. Les magazines et les réseaux de télévision lui rendaient des hommages dithyrambiques. Son entreprise prospérait. Une entreprise qui s'appelait à présent Novem et qui était le plus important producteur privé d'émissions de variétés pour une entreprise publique, la Société Radio-Canada.

Pendant des années, et encore aujourd'hui par succession, la télévision publique canadienne aura payé le gros prix pour des spectacles conçus et produits par un pédophile avoué.

L'homme avait tellement meurtri Nathalie Simard qu'elle n'était même plus capable de dévoiler son terrible secret. Ses avocats affirmaient dans leur poursuite en dommages : «Compte tenu de sa condition psychologique résultant des sévices sexuels dont elle a été victime, Nathalie Simard n'a pas été en mesure de formuler une dénonciation publique des agissements de son impresario avant le début de 2004 [le 12 février].»

En fait, celui-ci croyait avoir payé le gros prix pour son silence. Il pensait avoir réussi, alors que la jeune femme vivait dans une maison d'un demi-million de dollars entièrement payée et qu'on lui garantissait une rente d'au moins 60 000 dollars par année, nette d'impôts.

On peut épiloguer longuement sur les avantages financiers dont Nathalie Simard a bénéficié. Mais il lui a fallu un extraordinaire courage pour renoncer à cette cage dorée où l'impresario croyait bien l'avoir enfermée...

CHAPITRE TREIZE

« Si tu savais... »

S'il m'arrive quelque chose, au moins
tu vas le savoir...

« Qu'est-ce qu'on attend pour être heureux ? » avait chanté Nathalie Simard au Théâtre d'été d'Eastman au cours de l'été 2001. La réponse ne tarderait pas ! Pour l'heure, elle ne savait pas encore que le bonheur ne se trouvait pas dans son silence. Ni dans le *show-business*. Ni dans les lumières des projecteurs.

À l'aube de cette année 2002, une jeune femme de trente-deux ans se cherchait, regardait sa fille grandir, s'inquiétait de son avenir. À ce moment-là, l'impresario ne se souciait pas beaucoup d'elle, il vivait ses plus fastes années.

Il était souvent à Paris où sa nouvelle protégée, Natasha St-Pier, triomphait à l'Olympia. Sa fille faisait *Fureur* à la télévision de Radio-Canada et au Centre Molson, où elle reçut Céline Dion. En même temps, il faisait face à une petite polémique lorsqu'un journaliste de *La Tribune* découvrit qu'il avait payé un maigre 500 dollars à Claire Jolicœur, elle-même sherbrookoise, pour un disque – « Cent ans de folklore chez nous » – qui s'était vendu à plus de 50 000 exemplaires... Tiens ! Tiens !

L'impresario se trouvait-il généreux de verser à Nathalie Simard son allocation de 500 dollars par semaine ? A-t-il tout simplement oublié tout ce qui s'est passé entre eux ?

La jeune femme n'avait encore jamais confié à personne son terrible secret, mais ce n'était pas parce que son agresseur continuait à la soutenir financièrement. Oui, Nathalie Simard avait peur ! Peur que son passé de victime d'agressions sexuelles à répétition soit révélé. Peur que ses parents l'apprennent. Peur que ses amies soient mises au courant – en particulier les filles de l'impresario. Peur par-dessus tout que son grand frère, René, le sache.

En fait, Nathalie Simard appréhendait que ce soit lui, l'impresario, qui parle le premier !

La révélation pourrait « détruire des vies », comme il le lui avait dit. La carrière de René serait compromise ; son amitié avec les filles de l'impresario brisée ; la santé de sa mère, gravement diabétique, dangereusement atteinte, de même que celle de son père, cardiaque. Et que penseraient tous ces gens ? Pourquoi ne s'était-elle pas plainte plus tôt ? Pourquoi n'avait-elle pas quitté l'impresario ?

Telles étaient les questions qui lui tournaient dans la tête alors qu'elle restait enfermée dans son appartement de Sainte-Thérèse avec ses 500 dollars par semaine. Désœuvrée, honteuse de ce qu'elle avait fait et gênée de ne plus travailler. Le regard de sa fille de sept ans la préoccupait. Les murmures des gens qui se retrouvaient avec elle à la caisse de l'épicerie la dérangeaient...

« Comment se fait-il qu'on ne la voie plus à la télévision ? » disaient ces regards.

Après le tournage de son petit rôle dans le film de Jean-Claude Lord et la revue musicale du Théâtre d'été d'Eastman, Nathalie Simard n'avait plus rien devant elle. Lentement, elle s'enfonçait dans sa dépendance, attendant l'allocation mensuelle de son impresario. Ce chèque qui portait le nom et la signature de l'impresario lui faisait mal. Elle en avait honte comme si, chaque mois, ce chèque constituait un certificat de complicité et de bonne conduite. C'était comme un rappel, mois après mois, qu'elle avait obéi à son ordre : elle n'avait rien dit !

Elle avait bien essayé de lui proposer quelque chose vers la fin de l'année 2001, un vrai travail qui aurait justifié ces revenus, mais on sait comment cela s'était terminé.

Était-ce ce dernier incident qui avait fait déborder le vase ? Elle voyait encore l'impresario comme un homme indispensable dans sa vie puisqu'elle lui avait demandé du travail, ce qu'il lui avait toujours fourni depuis plus de vingt ans. Mais son comportement odieux, cette nuit-là, avait été intolérable. Comme beaucoup de victimes d'abus sexuels, Nathalie Simard découvrit alors que « l'intolérable » est plus important que « l'indispensable ».

La parole dénonciatrice devenait plus acceptable que le silence complice…

*

En février 2002, alors qu'il revenait d'un séjour dans les Laurentides, René Simard appela sa sœur cadette. Serait-elle libre pour le déjeuner ?

– Je ne suis pas « arrangée », dit Nathalie.

De toute manière, elle ne sortait plus beaucoup. Elle ne se trouvait pas belle, n'avait plus les moyens de s'acheter des vêtements à la mode et avait peur de se montrer.

– Tu ne viens jamais quand je t'invite, protesta le frère.

– OK… OK, je vais y aller.

Ils se donnèrent rendez-vous au Ristorante Sorento, un restaurant italien de la rue Sicar, à Sainte-Thérèse, à cinq minutes de l'appartement de la jeune femme. Le restaurant venait d'être rénové, et il y avait un bar à sushis, le plat préféré de Nathalie. Ils prirent un verre de vin blanc avec leur repas… Grosse sortie pour Nathalie, ce jour-là !

René et sa sœur étaient pratiquement seuls dans la salle à manger, mais ils s'installèrent tout de même à l'écart, dans un coin tranquille : quand René et Nathalie Simard se présentaient quelque part, cela ne passait pas inaperçu tout de même, et ni l'un ni l'autre ne voulait être dérangé.

René Simard a lui-même raconté cet entretien aux policiers, le 25 mars 2004, quelques heures après l'arrestation de l'impresario : « Lors de cette rencontre, l'impresario est devenu notre sujet de conversation. Je la sentais malheureuse, instable au niveau des émotions, la larme facile, inquiète pour son avenir, tant personnel que professionnel. »

Ce jour-là, René voyait bien que quelque chose n'allait pas, et il insistait :

– Qu'est-ce qui ne va pas, Nathalie ?

La jeune femme baissa les yeux et se mit à pleurer.

– Si tu savais ce qu'il m'a fait…, dit-elle.

René se pencha vers sa sœur et chuchota, même s'il n'y avait vraiment personne pour les entendre :

– Qu'est-ce qu'il t'a fait ?

La réponse de Nathalie ne fut qu'un murmure. Le grand frère comprit tout de même. Ses jambes tremblaient sous la table. Il ne les sentait plus et se demandait s'il pourrait se lever…

– À quel âge ?

– Je devais avoir neuf ans, neuf ans et demi.

Selon elle, cela avait dû se passer au temps de la chanson de l'UNICEF.

Il devait bien s'en souvenir, de cette chanson ! Sa sœur était une enfant, et il la trouvait tellement adorable dans sa robe blanche à volants. Une période tellement merveilleuse de sa carrière !

Elle avait été souillée par cet homme en qui il avait mis toute sa confiance. Et il ne l'avait jamais su...

Nathalie suppliait son frère :

– Je ne veux pas que tu le lui dises, j'ai trop peur de lui...

Comme chaque fois qu'elle y pensait, elle imaginait les journalistes à ses trousses, les coups de téléphone de ses frères et sœurs, et surtout les reproches de l'impresario : « Pourquoi t'as fait ça, *tabarnak*? »

Quand, après deux heures de confidences, ils retournèrent vers leur auto, René Simard réagit en grand frère :

– Je ne peux pas laisser ça comme ça, il faut que je lui en parle. Il va payer pour ce qu'il a fait, Nathalie. Pis il ne faut jamais que ça sorte !

Un premier malentendu venait de s'installer entre René et Nathalie Simard : ce n'était pas la vengeance, ni des compensations financières que cherchait la jeune sœur, mais une bonne occasion de sortir de son silence. C'était pour cela que « ça avait sorti » ce midi-là. C'était justement pour cela qu'il fallait que « ça sorte ». Mais son frère lui proposait encore plus d'argent pour prolonger davantage son silence.

Nathalie commençait à comprendre qu'une fois « sortie » de son mutisme, la vérité ne lui appartiendrait plus. Les autres s'en accapareraient pour en faire ce qu'ils voudraient.

De fait, dès le lendemain, René Simard téléphona à l'impresario et demanda à le rencontrer immédiatement. Ils continuaient de faire des affaires ensemble, et l'impresario était toujours disponible pour le jeune homme qui avait tant contribué à sa fortune...

Là encore, René a raconté aux policiers comment cela s'était passé. Selon ce qu'en a retenu le juge Robert Sansfaçon :

– Es-tu fier de ta vie? Es-tu fier de toi? demanda-t-il d'emblée à l'impresario.

– Pourquoi tu me poses cette question ? lança l'autre, surtout surpris du ton sur lequel elle avait été posée.

– J'ai juste un mot à te dire : « Nathalie » !

Et René Simard se vida le cœur.

L'impresario fit alors une remarque qui en disait long sur ses sentiments. Des regrets ? Certainement pas. Des remords ? Encore moins. Il supplia plutôt son accusateur, pensant à lui et aux conséquences que tout cela pourrait avoir sur sa vie :

– René, envoie-moi pas en prison !

Il se mit à parler de cette affaire d'un ton presque badin :

– Je ne sais pas ce qui est arrivé, je suis tellement possessif ! Je pensais que vous étiez au courant, que vous en parliez entre vous, que c'était un jeu, que c'était drôle…

Il fallait posséder une bonne dose de cynisme pour imaginer, en effet, qu'un frère, de huit ans plus vieux que sa sœur, pût rire avec elle du viol dont elle avait été victime à neuf ou dix ans !

Mais l'homme était ainsi : vantard, fanfaron. Profondément amoral aussi. Il s'imaginait que René et Nathalie parlaient de ces agressions violentes – on ne parlait pas d'une tape sur les fesses, tout de même ! – « comme d'un jeu ». Avec qui d'autre, lui-même, avait-il pu en parler ? Il en avait bien parlé avec son avocat personnel, comme voyant venir le coup, et en minimisant l'affaire, disant que Nathalie avait seize ans. L'autre lui avait répondu : « Ça se plaide bien… » Pour un avocat, c'était prendre le Code criminel un peu à la légère. [Il est vrai que le Code fait une distinction entre un enfant et un adolescent, mais cela ne s'applique pas lorsque l'agresseur est en situation d'autorité sur sa victime.] Cela se plaide, certes. Mais difficilement devant un juge comme Robert Sansfaçon, ou avec un substitut du procureur général comme Josée Grandchamp en face de soi.

De toute manière, René Simard ne fut pas impressionné par les excuses de l'impresario et il laissa brutalement tomber : « Cela va te coûter 5 000 dollars par mois et je ne veux pas qu'elle paie de l'impôt là-dessus. Tu t'en occupes personnellement... »

Puisqu'il en était au règlement de comptes, René Simard parla du testament de son impresario. Lui que les « p'tits Simard » considéraient comme un père, lui qui avait pris la place du père, et qui leur disait volontiers qu'il les considérait comme ses enfants, au même titre que ses deux filles, il devrait prouver que René et Nathalie étaient bien inscrits sur son testament... Ce qu'il fit dans les cinq jours !

Sur l'original du document notarié que René fit parvenir à sa sœur, les deux enfants Simard faisaient bien partie de la liste des héritiers, qui comprenait aussi sa conjointe actuelle et ses deux filles. Il était prévu qu'en cas de décès de Nathalie, son héritage serait transmis à Ève et à tout autre enfant qu'elle pourrait avoir. René Simard était désigné comme le liquidateur de la succession de l'impresario. [En 2004, les deux enfants Simard ont été retirés du testament.]

Dire que Nathalie Simard était heureuse de ce règlement serait fort exagéré. La dépendance lui faisait honte, mais son grand frère, qui avait également été son tuteur, la rassurait : « Il t'en doit de l'argent, je le sais moi ! »

En 2002, René et Nathalie se sont beaucoup rapprochés. Puis, en 2003, ils se sont considérablement éloignés. Au point de ne plus se parler : peu de familles résistent aux tensions que créent les dénonciations de victimes d'agressions venant d'un proche.

Nathalie Simard avait-elle raison de se méfier à ce point de son frère ? Elle seule le sait. Toujours est-il qu'avec le temps, elle se mit à craindre pour sa vie et celle de sa fille. Elle finit par croire que son frère était complice de l'impresario. Avec autant d'insistance que l'autre, René lui disait que tout cela devait rester secret, qu'il ne fallait en parler à personne, et surtout qu'elle ne devait pas aller voir un psychologue.

– Un psychologue, disait René, t'as pas besoin de ça, t'es pas une folle !

Plus tard, quand il fut question d'acheter une maison pour elle, Nathalie Simard se rendit compte que l'impresario et son frère se parlaient comme de véritables associés, des complices, jusqu'à un certain point. «La maison de Nathalie, ça va être bon pour nous autres», disait René à l'impresario en présence de Nathalie. «Le monde vont dire que l'argent de Nathalie a été bien géré», expliquait encore le frère. Mais l'impresario foudroya René Simard du regard, comme s'il voulait dire : «Ferme ta gueule !»

Finalement, la jeune femme se dit que d'avoir partagé son secret avec René n'avait guère été mieux que de l'avoir partagé si longtemps avec l'impresario. Maintenant au bord de la paranoïa, elle voulait s'assurer que, s'il devait lui arriver un malheur, d'autres puissent témoigner de sa triste histoire. C'est pour cela qu'elle en parla à son plus jeune frère, Jean-Roger.

Toutefois, elle ne lui en raconta pas trop, craignant que le jeune réserve un mauvais sort à l'impresario et lui donne une bonne raclée. Elle lui parla tout de même d'une agression, survenue lorsqu'elle était encore jeune. Elle lui avoua qui était l'agresseur. Lui, au moins, l'encouragea à consulter un psychologue.

– Vas-y ! Va voir un psychologue. Comme ça, s'il t'arrive quelque chose, il va pouvoir dire que tu n'es pas une folle, dit Jean-Roger.

Pour la première fois, Nathalie rencontrait quelqu'un qui l'écoutait, accueillait sa détresse et l'encourageait à continuer la démarche qu'elle venait d'entreprendre. Jean-Roger Simard ne soupçonna pas le rôle important qu'il venait de jouer ce jour-là.

Pierre Hardy, le psychologue de Granby qui accompagne à présent Nathalie Simard dans sa libération, le souligne : « Une des raisons qui encouragent certaines victimes à parler des agressions qu'elles ont subies est le fait qu'elles sentent, pour la première fois, que quelqu'un peut les écouter sans qu'elles se sentent rejetées… » Ou invitées à se taire !

Cependant, la vie était toujours aussi insoutenable pour Nathalie Simard. Elle qui avait été adulée des foules, elle que des services de sécurité devaient parfois évacuer de la scène tant il y avait d'admirateurs qui voulaient la toucher, elle qui, plusieurs années après avoir quitté la télévision, était encore reconnue dans la rue et dans les centres commerciaux, voilà maintenant qu'elle n'osait même plus sortir de son appartement de Sainte-Thérèse.

Elle avait sous les yeux, quotidiennement, le matin, le soir, la nuit, le corps de sa fille, Ève, un corps qui ressemblait de plus en plus au sien à l'époque où cela s'était passé…

« Cela se peut-il qu'un homme ait pu faire ça à une petite fille comme elle ? » se disait-elle. Ne rien dire, ce serait encore une fois se laisser faire. Pire encore, risquer que la même horreur atteigne sa fille Ève.

Les relations avec l'impresario devenaient de plus en plus ambiguës. Elle ne sut pas pourquoi sur le coup et en apprit les raisons quelque temps plus tard. Son frère René avait vraiment fichu la trouille à l'impresario ! Il lui avait raconté que sa sœur avait parlé de ces agressions à beaucoup de monde, qu'un professeur de psychologie de l'Université du Québec à Montréal était en train de l'aider à écrire un livre. Le manuscrit était même terminé, selon René.

De son côté, Nathalie n'avait pas renoncé à son idée de récupérer les intérêts que l'impresario lui devait sur l'emprunt de près de 400 000 dollars qu'il avait pris dans son compte. Il regimbait, comme s'il se sentait objet de chantage : « *Tabarnak !* J'ai les couilles serrées, j'ai pas une *câlisse* de cenne, ma marge de crédit de 60 000 dollars est pleine. Tu penses que je roule, mais je roule pas *pantoute*...»

Alors Nathalie s'excusait, renonçant encore une fois à réclamer son dû, lui promettant qu'elle ne l'embêterait plus avec ça.

D'autres fois, l'impresario se faisait charmeur et encore une fois macho! Quand ils se retrouvaient tous les deux au restaurant, cela ne passait pas inaperçu! Mais lui essayait encore de flirter avec elle, de lui caresser les seins ou de l'embrasser. Elle avait beau protester, il insistait : «Juste un petit bec, c'est pas grave...» Ou il tentait carrément d'évoquer de vieilles complicités : «Es-tu toujours aussi cochonne que t'étais?»

Bref, les affaires de Nathalie Simard ne s'arrangeaient pas. Elle voulait «se mettre propre dans sa tête», mais elle se trouvait sans moyens. Son médecin, lui, saurait peut-être comment l'aider...

Le docteur Yvon Bricault, de Fabreville, était le médecin de famille de Nathalie depuis des années. Elle lui avait demandé un rendez-vous d'urgence, sans préciser la raison, mais il la connaissait si bien qu'il l'invita à se présenter le jour même. Quand la femme entra dans son bureau, et comme si elle voulait être certaine de ne plus reculer, elle dit rapidement et sans s'arrêter : «J'ai besoin d'un psychologue, parce que j'ai été agressée quand j'avais dix ans.» Et elle nomma son agresseur.

Le médecin se plongea la tête dans les mains. Il connaissait bien sûr sa patiente et l'impresario. Il savait qu'il était en face d'une affaire hautement délicate, et il lui recommanda Mario Daigle, un psychologue qui pratiquait lui aussi dans le quartier Fabreville.

Toujours obsédée par sa sécurité et celle de sa fille, Nathalie multipliait ainsi les témoins. Et plus grand serait le nombre de personnes qui sauraient ce qui s'était passé entre elle et son impresario, se disait-elle, plus les chances deviendraient réelles qu'on n'oserait rien entreprendre contre elle.

226

Le plus curieux cependant, c'est que personne ne crut bon d'alerter les policiers ou le ministère de la Justice...

Nathalie Simard avait toujours rêvé de posséder une maison à la campagne. Un désir refoulé en quelque sorte, car un jour qu'elle en avait parlé avec son impresario, il lui avait répondu : « Toi, si tu t'achètes une maison, *tabarnak*, je m'occupe plus jamais de toi... »

Mais le rêve était toujours là. La jeune femme voulait se retirer du *show-business* et espérait se lancer en affaires, ouvrir un Bed & Breakfast, par exemple, et faire du sirop d'érable. Elle essayait de se faire un nid, loin de Montréal et de l'impresario. René Simard, à qui elle en avait d'abord parlé, l'avait encouragée en termes non équivoques : « Envoye ! Achète-toi une belle maison, il te doit bien ça... »

Nathalie n'était pas trop à l'aise avec cette idée. Elle avait déjà l'impression d'avoir passé toute sa vie à quêter de l'argent, même s'il s'agissait de son propre argent. Mais cette maison, après tout, ce serait un moyen de commencer à régler quelques comptes, de récupérer ce que l'impresario lui devait, comme les intérêts sur l'argent dont il se servait autrefois pour faire fonctionner ses entreprises.

Elle se dit qu'en réclamant l'achat d'une maison à l'impresario, et en l'obtenant, il serait prouvé que l'homme n'avait pas seulement abusé d'elle sexuellement, mais qu'il l'avait privée d'une partie de ses biens aussi, qu'il avait pressé le citron autant qu'il avait pu.

René organisa une autre rencontre avec l'impresario. Les trois devaient se retrouver dans un restaurant italien du boulevard Saint-Laurent à Montréal, mais, au moment de partir, Nathalie Simard découvrit sa voiture complètement vandalisée, le devant arraché, une porte forcée et ses effets personnels, comme ses disques, éparpillés sur le plancher. Elle crut voir là de l'intimidation. Elle appela aussitôt son psychologue, Mario Daigle : « J'ai eu du vandalisme sur mon auto et j'ai peur. S'il m'arrive quelque chose, au moins tu vas le savoir... »

– J'ai peur de lui, avoua Nathalie en parlant de l'impresario à son frère qui était venu la chercher en voiture.

– Pauvre Nathalie ! soupira René, sans demander davantage d'explications.

Quant à l'impresario, il fit des blagues sur l'acte de vandalisme dont elle venait d'être victime. « Ça m'est arrivé aussi », disait-il. Mais elle pensait à autre chose : elle avait déjà été condamnée pour tentative de fraude aux dépens d'une compagnie d'assurances et elle craignait qu'on ne la croie pas, qu'on pense qu'elle avait encore une fois organisé tout cela pour obtenir de l'argent. Après tout, bien des gens étaient au courant de ses déboires financiers.

Peu après, elle fit venir un agent d'immeubles et chargea Jean-Roger de la négociation. La première maison qu'on lui proposa était celle de ses rêves, une vieille maison de ferme à l'ombre de grands arbres, très retirée du chemin, au bout d'un grand champ. Dans l'écurie, elle pourrait mettre la jument et son poulain qu'elle ferait dresser pour Ève. La petite fille et ses cousines pourraient se baigner dans le grand étang creusé par les anciens propriétaires. Et des chemins avaient été tracés dans la terre à bois pour les promenades à cheval.

Elle appellerait son nouveau domaine : *Hawwah*, un mot hébreux qui veut dire Ève, et « terre vivante ».

La propriété de Roxton Pond n'était pas encore officiellement à vendre, car les rénovations n'étaient pas achevées. On en demandait 490 000 dollars, plus que ce qu'elle avait envisagé, mais dans son cas l'impresario ne discutait jamais de prix. « Tu vas être bien », lui répétait-il. Finalement, on s'entendit sur un prix de 450 000 dollars.

Nathalie Simard allait pouvoir commencer sa nouvelle vie. Avec le produit de la vente de son appartement de

Sainte-Thérèse, elle pensait lancer ses affaires sur des bases financières plus solides et rétablir son crédit. Mais les tractations durèrent quatre mois. Les rendez-vous chez le notaire étaient toujours annulés pour une raison ou une autre, et les vendeurs commençaient à douter du sérieux de leur acheteuse.

La jeune femme s'imaginait toutes sortes de choses. Était-ce un coup monté de l'impresario? Était-il de mèche avec les anciens propriétaires? Avait-il fait installer des caméras dans la maison pour la surveiller? S'arrangerait-il pour la faire disparaître dès qu'elle serait installée dans la propriété, très isolée de ses voisins et loin de la route?

Elle était dans un tel état de panique qu'elle avait demandé à l'agent d'immeuble de vérifier soigneusement s'il ne voyait rien d'anormal dans la maison ou autour. «Dites-le-moi si vous avez des doutes sur quoi que ce soit», insistait-elle. Le jour de la transaction, elle avait demandé à Jean-Roger de se cacher et de surveiller sa voiture.

Nathalie Simard dégageait tellement de tension qu'en sortant de chez le notaire, tout le monde – son agent d'immeuble, les anciens propriétaires – se mit à pleurer avec elle. C'était le 28 février 2003, jour du quarante-deuxième anniversaire de son frère, René.

Mais le déménagement ne régla encore rien. La jeune femme n'avait toujours pas de travail. Elle avait tellement peur qu'elle n'osait pas sortir, ni aller se promener dans le bois. Elle se fit installer des systèmes de sécurité et portait toujours sur elle – même dans son bain! – les «boutons-panique» qui la reliaient à la centrale de la compagnie de sécurité.

Parfois, Nathalie Simard craquait, tombait en proie au découragement, faisait de violentes crises de colère. Elle jetait des chaises dans le jardin et se mettait à crier. Ses visites chez le psychologue de Fabreville n'arrangeaient rien : Mario Daigle lui avait recommandé de s'éloigner de sa famille, de faire le ménage, pour mieux retrouver en elle-même une force nouvelle. Le psychologue la « reconstruisait », mais tout cela était douloureux, pénible, décourageant aussi, car elle craignait de ne jamais y arriver.

À un moment de la thérapie, lorsque la confiance s'installa, certains propos du psychologue furent plus dérangeants pour la jeune femme. Il lui expliqua que son but était d'abord de l'aider et non de se faire aimer. Il ajouta qu'il était important de ne pas brusquer les choses, car cela pourrait être perçu comme un autre viol. Cependant, trop la materner ne l'aiderait pas non plus à évoluer vers la guérison.

Au début de 2003, l'impresario déclencha un événement qui allait finalement précipiter sa perte. Cela faisait longtemps que René Simard n'avait pas enregistré un disque, onze ans en fait, depuis l'échec de son album « E=MC2 » en 1993. Le chanteur s'était lancé dans l'animation et la mise en scène, mais au début de 2003, l'impresario lui avait dit : « Ça va faire, René ! Là, c'est le temps... »

René Simard accepta de faire un autre disque, son quarante-huitième, avec le producteur qui avait agressé sa jeune sœur. Il le savait maintenant. Nathalie Simard le prit très mal lorsqu'il le lui annonça.

– Ah oui, un disque avec lui ? avait-elle répondu fraîchement. C'est ta vie, tu fais ce que tu veux...

Elle ne comprenait pas que son frère puisse encore travailler avec cet homme qui avait ruiné sa propre vie.

« Hier... encore » allait être un beau disque : René Simard y reprenait, avec un orchestre de quarante musiciens, quelques chansons connues de Charles Aznavour, de Robert Charlebois, de Gilbert Bécaud, de Charles Trenet. Deux de ses chansons étaient en duo, une avec Céline Dion et une avec Jean-Pierre Ferland. Son lancement, le mardi 28 octobre 2003, fut un grand événement.

Personne ne nota l'absence de Nathalie Simard...

René l'avait appelée pour l'inviter personnellement, ce qui avait donné lieu à une bien triste conversation entre le frère et la sœur…

— Je t'ai dit que je n'étais pas d'accord avec ce projet-là. C'est presque immoral. Je ne comprends pas…, reprochait Nathalie.

— Il faut que je vive, j'ai des enfants à faire vivre, plaidait René.

— T'as pas besoin de cet impresario-là pour faire une carrière, répliqua la jeune sœur. Tu as tellement fait de grandes choses depuis quelques années, et sans lui. T'as pas besoin de lui pour ça…

Ce disque avec l'impresario l'avait renforcée dans sa conviction que son frère était plus proche de son agresseur que d'elle-même. Elle en était dégoûtée. C'était elle la victime, après tout !

Ce coup de téléphone de René marqua la dernière dispute entre le frère et la sœur. Nathalie avait mis fin à la conversation en disant qu'elle n'irait pas à ce lancement. Elle fit davantage encore…

Son frère Martin, dont elle était restée très proche, avait lui aussi été invité, comme tous les membres de la famille.

— On ne peut pas laisser Martin aller là ! dit Nathalie à Louise Bélanger, la femme de son frère.

Celle-ci fut surprise de la froide colère qui semblait animer sa belle-sœur, alors Nathalie lui raconta tout, à elle aussi.

Pour les fêtes de Noël qui suivirent, elle invita son frère à *Hawwah*. Le matin du 23 décembre, elle n'allait vraiment pas bien et sortit de sa chambre en pleurant. Martin se demanda ce qui arrivait à sa petite sœur.

— Regarde, la neige tombe dehors, et c'est Noël…, lui disait-il pour l'encourager.

— Un jour, je t'expliquerai, répondit Nathalie.

Quelques jours plus tard, effectivement, entre Noël et le jour de l'An, elle raconta encore une fois son histoire. Cela faisait maintenant six personnes dans le secret...

Sans se rendre compte de la signification de ses actes en 2003, Nathalie Simard partageait son secret avec de plus en plus de monde. Elle passait par toutes les phases que connaissent bien les victimes d'abus sexuels.

Elle avait d'abord hésité longuement entre continuer à vivre avec son lourd silence ou s'en libérer. Mais elle avait trouvé en Jean-Roger d'abord, puis avec le docteur Bricault et Mario Daigle, en Louise et Martin finalement, de plus en plus de gens prêts à recevoir ses confidences et à l'aimer.

Parler devenait donc avantageux pour Nathalie Simard!

Elle se rendait enfin compte qu'aux yeux de tous ces gens, ce n'était pas elle la coupable mais lui, l'agresseur...

*

Toutefois, Nathalie ne parlait plus à son frère René. Encore moins à l'impresario. Coupé de toute nouvelle, ce dernier commençait à paniquer. Tout ce qu'il avait su, par son comptable, c'est que Nathalie était furieuse parce que la fameuse «taxe de bienvenue» sur sa nouvelle maison n'avait pas été payée. Ces droits de mutation représentaient quand même une somme de 5 250 dollars qu'elle n'avait pas prévu dans son budget. Était-ce pour cela que Nathalie «boudait» et qu'elle ne le rappelait pas?

En désespoir de cause, l'impresario appela Gabrielle L'Abbé, qu'il avait brièvement entrevue lors du lancement du dernier disque de son fils René, mais à qui il n'avait pas parlé depuis plusieurs années. Inquiète, la mère téléphona immédiatement à sa fille: «Qu'est-ce qui se passe? L'impresario te cherche, il veut te parler. Est-ce qu'il veut te chicaner? Il n'avait pas l'air naturel au téléphone, et ça m'inquiète...»

Les coups de téléphone de l'impresario avaient toujours suscité des craintes chez les Simard, et cela n'avait pas changé, même après vingt-cinq ans.

Nathalie tenta tant bien que mal de rassurer sa mère et promit de le rappeler. Quand elle le fit enfin, l'homme avait l'air effectivement en état de panique : « Il faut que je te voie, Nathalie, je suis pas bien, il faut que je te parle, je veux te donner un coup de main. » Elle ne voyait vraiment pas l'intérêt d'une rencontre et le lui dit sans ménagement. Mais l'homme se fit suppliant : « S'il te plaît, dis-moi où tu veux… »

De guerre lasse, la femme lui fixa rendez-vous au restaurant Le Saké – toujours les sushis ! – à Granby, le 22 janvier 2004. Nathalie Simard se méfiait tellement de lui qu'elle inventa un code pour communiquer avec sa belle-sœur. Celle-ci devait l'appeler régulièrement sur son téléphone cellulaire. Si Nathalie répondait : « Je suis à l'école avec la petite, on se rappelle tantôt », cela signifiait que tout allait bien. Si elle répondait : « Je suis au restaurant », cela voulait dire d'appeler immédiatement la police. Chaque fois que le téléphone sonnait, l'impresario sursautait. Pour une fois, c'est lui qui était nerveux !

– Nathalie, commença l'homme, faut pas que tu écrives un livre.

René lui avait vraiment fait peur avec cette histoire qu'il avait inventée !

– Ça ne te regarde pas, c'est pas de tes affaires, répondit la jeune femme, le laissant dans ses illusions.

Il avança doucement la main et voulut lui prendre le bras…

– Touche-moi pas ! cria presque Nathalie, les nerfs à fleur de peau.

– Voyons donc, Nathalie, insista-t-il.

– Touche-moi pas, je t'ai dit !

– Tu sais, c'est difficile en ce moment, reprit l'impresario. Je vis des affaires difficiles, ça va pas bien avec Natasha St-Pier…

Nathalie était de plus en plus agacée :

– Écoute bien : si tu es venu ici pour me parler de Natasha ou de René Simard, moi je me lève, pis je m'en vais!

La conversation tournait en rond. Le déjeuner s'étirait, et Nathalie Simard en avait assez. Elle ne comprenait pas pourquoi il avait tant insisté pour la voir, puisqu'il semblait ne rien avoir à lui dire.

– Et toi, t'as rien à me dire? demanda-t-il.

– Ça, c'est un comble! lança Nathalie. Je te rappelle que c'est toi qui voulais me voir, et si t'as rien d'autre à me dire, je *crisse* mon camp!

Le ton de Nathalie révélait à quel point l'impresario avait maintenant perdu toute autorité sur elle. Jamais elle ne lui aurait parlé ainsi quelques années plus tôt. Cela aurait dû éveiller quelque chose en cet homme si, pour une fois, il l'avait observée attentivement plutôt que de ne penser qu'à lui et à ce qu'il recherchait… pour lui.

L'homme la retint une dernière fois pour lui parler de cette «taxe de bienvenue» impayée…

– Je ne ferai pas d'histoires pour 5 000 dollars, l'interrompit encore Nathalie, de plus en plus cinglante. Les avocats avaient dit que tout serait payé, et je voulais seulement vérifier si c'était normal que je la paie moi-même. C'est tout de même une somme, et je ne l'avais pas prévue dans mon budget.

L'impresario sortit une liasse de billets et les glissa sur la table. Nathalie les repoussa, mais il les mit cette fois dans son sac à main.

Plus tard, l'impresario prétendrait que Nathalie avait réclamé deux millions de dollars pour le prix de son silence. René Simard avait presque confirmé aux policiers cette histoire : «L'impresario m'a appelé il y a quelques semaines. Il m'a dit que Nathalie était pas toute là et qu'elle lui avait demandé deux millions…»

Nathalie Simard nia catégoriquement ce qui aurait pu alors passer pour une tentative de chantage. Elle n'avait même pas encore réglé la question des intérêts sur la somme qu'il lui avait «empruntée» à son insu lorsqu'elle était mineure… Elle était seulement préoccupée par cette histoire de taxe de bienvenue qui, pour elle, représentait une grosse somme. Voilà qu'elle aurait lancé cette demande de deux millions comme cela, au beau milieu d'une conversation que lui-même avait engagée, et dans un restaurant à la mode rempli de clients?

Pour la première fois, Nathalie Simard se rendit compte que, dans ce genre d'affaires, ce serait «sa parole contre la mienne».

À la fin du déjeuner du 22 janvier, l'impresario eut encore une requête, qu'il présenta d'un ton presque suppliant, et sans trop se faire d'illusions:

– J'aimerais ça, voir ta maison, mais tu veux pas, hein? dit-il.

– Non, pas vraiment!

Décidément, Nathalie n'était pas de bonne humeur, ce jour-là!

Mais elle se disait qu'après tout, il l'avait payée, cette maison. À même un emprunt personnel! Cette curiosité était bien légitime… La jeune femme accepta et lui demanda de la suivre en voiture. La visite ne dura que quelques minutes et fut interrompue par l'arrivée d'Ève, qui rentrait de l'école.

Au moins, l'impresario connaîtrait-il le chemin pour se rendre chez Nathalie quand celle-ci l'inviterait à la rencontrer, un certain 17 mars 2004…

CHAPITRE QUATORZE

Les Anges

L'impresario, grand amateur de télé-réalité,
joua le rôle le plus important de sa vie
devant les caméras de la police !
Nathalie Simard assura la mise en scène...

Le 12 février 2004, Nathalie Simard déclencha une chaîne d'événements dont chacun des acteurs serait important. Peu à peu, son « secret » allait lui échapper. Vers un ami, un policier et son équipe d'enquêteurs, une avocate enfin... La chaîne serait longue jusqu'à la salle des comparutions du palais de justice de Montréal et à cette prison appelée « Établissement de la Montée-Saint-François », à Laval.

Chacune des confidences de la jeune femme serait pénible. Chacune des décisions de ses interlocuteurs, risquée.

En quarante-deux jours, l'enfant prodige, l'adolescente célèbre et la jeune femme allaient reconstituer leur passé de « victime », un mot tabou pourtant parmi toutes les personnes impliquées, mais qu'elles utilisaient souvent, tant Nathalie avait effectivement les traits d'une « victime ».

Car Nathalie Simard devait encore franchir cette ultime étape – retrouver ses émotions de femme meurtrie et les crier – pour arracher de sa bouche cette main invisible qui, depuis vingt-cinq ans, l'empêchait de parler.

*

Il devait être midi, ce jeudi 12 février 2004. Comme elle le faisait régulièrement depuis un peu plus d'un an, la jeune femme s'était rendue à Fabreville, chez Mario Daigle, son psychologue. Cela devait être une consultation comme les autres. Une journée comme les autres. Le matin, elle avait déposé Ève à l'école, et elle prévoyait être rentrée pour son retour à la maison.

Pourquoi ce jour-là en particulier ?

– Mario, je ne peux plus vivre comme ça. Je n'en peux plus, dit Nathalie.

– Si tu fais quoi que ce soit, préviens-moi, répondit le psychologue.

Mario Daigle pensait à l'ampleur que prendrait cette affaire, à la folie qui s'emparerait des médias. Il se préoccupait de l'impact que tout cela aurait sur sa patiente. Il la savait encore fragile...

C'était un de ces froids matins de février. Il devait faire 20 degrés sous zéro. Nathalie Simard composa le numéro du téléphone cellulaire de Donald Beaudry.

– Tu te souviens ? Je t'ai dit un jour que j'allais te parler...

– Ça tombe bien ! répondit Archy, son ancien collègue du plateau de *Décibel*, devenu pour elle un fidèle confident.

Il était midi, et l'artiste avait un spectacle en soirée. Il avait donc tout l'après-midi devant lui : plus qu'il n'en fallait pour une autre conversation avec sa « petite Nathalie ».

Quelques semaines plus tôt, la jeune femme avait commencé à lui parler. À mots couverts... Elle lui avait demandé de l'aider à trouver un bon avocat.

Quand l'animateur de foules travaillait à Montréal, il habitait toujours à l'hôtel Le Clarion, boulevard de Maisonneuve. La femme le rejoignit une demi-heure plus tard, suite 2103. Le hasard fait parfois bizarrement les choses : du coin sud-ouest de cette suite, on voyait l'Île-des-Sœurs.

— Son appartement se trouve dans cet immeuble-là, dit-elle en pointant son doigt dans la bonne direction.

Nul n'était besoin pour eux de dire de qui ils parlaient. Depuis plusieurs mois, c'était toujours de l'impresario.

— Il faut que je parle à un avocat, commença Nathalie Simard. Je veux récupérer mon argent...

Tout le monde, du moins tous ceux qui avaient travaillé avec Nathalie et connaissaient bien les pratiques de l'impresario, savait qu'entre l'artiste et son agent existait un lourd contentieux.

— Mais quel objectif veux-tu atteindre ? interrogea tout de même Donald Beaudry.

Elle voulait assurer l'avenir de sa fille et arrêter d'avoir peur...

— Je veux qu'il me laisse tranquille ! lança-t-elle.

La jeune femme tournait manifestement autour du pot. Chacune des explications qu'elle avançait semblait cacher quelque chose de beaucoup plus grave. Si son intention avait simplement été d'intenter une poursuite contre l'impresario, Donald Beaudry lui aurait tout de suite recommandé un bon avocat. Mais, de toute évidence, cela paraissait beaucoup plus sérieux...

Donald Beaudry était encore à mille lieues de deviner ce qu'il allait entendre...

— Assieds-toi, dit la jeune femme.

Puis elle laissa tomber :

— J'ai été abusée sexuellement.

Elle recommença alors à déballer une fois encore sa triste histoire : l'agresseur était cet impresario que Donald connaissait si bien. Il avait même travaillé dans certaines de ses productions.

Cela avait débuté quand elle était une enfant. Et avait duré des années. Elle n'avait jamais rien dit à personne...

– Cela ne me surprend pas, mais ça m'aide à comprendre bien des choses, dit Donald Beaudry.

Il se rappelait à présent les inexplicables sautes d'humeur, les insupportables crises de larmes...

Tout ce que voulait Nathalie Simard, c'était entamer une procédure judiciaire, mais elle ne savait trop comment s'y prendre. Elle mesurait mal les conséquences de ce premier geste. Pour elle, une poursuite en dommages pourrait être discrète. Elle ne serait pas obligée de raconter son histoire à des inconnus. Seuls quelques initiés comme Donald, deux avocats et un juge connaîtraient son secret. Les journalistes n'en sauraient rien. Sa famille n'apprendrait rien. Ève ignorerait tout...

– Nathalie, il faut que tu le dénonces. C'est la seule chose à faire...

– J'ai peur de la police, tout va se retrouver dans les journaux demain matin, tout le monde va savoir que j'ai été agressée sexuellement. C'est comme si tu me demandais de baisser mes petites culottes devant tout le Québec !

La jeune femme se sentait mal. Son sentiment de culpabilité lui revenait... « Il faut jamais que personne sache ce que *tu* as fait... », avait ordonné l'impresario... Elle se souvenait de ce que l'homme lui répétait depuis des années : « Tu vas briser des vies. La carrière de René sera finie. Pense à mes filles... » Elle était écrasée par la soudaine responsabilité qui s'abattait sur elle. Seule. Elle qui avait toujours laissé les autres décider de tout...

Patiemment, Donald Beaudry expliqua à Nathalie la différence entre une poursuite civile et une dénonciation devant une Cour criminelle. « Je veux qu'il paie ! » résuma Nathalie Simard, sans trop se soucier de la façon dont cela se passerait.

Donald Beaudry voyait devant lui une petite fille qui tremblait, pleurait, se cachait la tête dans les mains, assise sur le divan du salon de sa suite. Il posa son cellulaire sur la petite table basse qui le séparait de Nathalie Simard. Il avait programmé la fonction « mains libres » afin qu'elle entendît toutes les conversations.

En marge de son métier d'humoriste et d'animateur de foules, Archy organisait à l'occasion des programmes d'animation dans la région de Québec, y compris pour des groupes de hauts fonctionnaires réunis en colloque. Il savait donc comment joindre la Direction générale des poursuites publiques, là où travaillent tous les substituts du procureur général, au ministère de la Justice.

– J'ai une amie, devant moi, qui entend notre conversation. Elle a été victime d'abus sexuels dans son enfance et elle veut connaître les démarches à suivre pour porter plainte contre son agresseur, qu'elle connaît...

Le substitut du procureur général expliqua alors qu'il fallait d'abord déposer une plainte devant des policiers. Il donna le numéro de téléphone du Bureau des enquêtes spéciales de la Sûreté du Québec, à Québec... Donald composa ce numéro et reprit une autre fois...

– J'ai une amie, devant moi, qui...

L'homme voulait des détails, en particulier connaître le nom de la ville où cela s'était produit. « Saint-Lambert, Île-des-Sœurs, Sainte-Adèle, Sherbrooke, Québec, Montréal... ». Donald énuméra patiemment toutes les villes, et le policier, à l'autre bout, commença à expliquer qu'il fallait porter plainte dans chacune des villes où les agressions étaient survenues...

– Écoutez, interrompit Donald Beaudry. Mon amie est une personnalité très connue. Et l'agresseur aussi. Nous sommes actuellement à Montréal. Elle veut que tout cela soit tenu secret...

Comprenant enfin la complexité de cette affaire, le policier fournit le numéro de téléphone du bureau du Service des enquêtes sur le crime contre la personne, situé à Montréal. Et Donald recommença toute histoire...

– J'ai une amie, devant moi, qui...

Il eut tout juste le temps de terminer sa phrase que le policier insista encore une fois :

– Vous devez porter plainte dans la ville où a eu lieu l'agression, dit le policier.

– Impossible, dit Donald. Mon amie est une personnalité très connue du *show-business*...

– C'est qui, ton amie ? demanda le policier, qui savait que la victime l'entendait.

Donald fixa alors Nathalie. Un long silence s'installa dans la pièce. Nathalie Simard était terrorisée. « Est-ce que j'en suis rendue là ? » se demanda-t-elle encore une fois. Comme s'il devinait son angoisse, Donald lui fit un petit signe d'encouragement. Elle agita la main, comme pour dire : « Vas-y donc ! »

– Mon amie s'appelle Nathalie Simard...

Cette fois, le silence s'installa à l'autre bout de la ligne.

– La sœur de René ? interrogea enfin le policier.

– Oui...

– La femme d'Alain ?

Tous les enquêteurs de la Sûreté du Québec connaissaient l'ancien mari de Nathalie Simard !

– Oui...

– Et le nom de l'agresseur ? demanda encore le policier.

On avait l'impression qu'il rédigeait un rapport. Quand Donald Beaudry regarda Nathalie, il s'aperçut qu'elle tremblait encore plus. Il n'attendit même pas cette fois qu'elle réponde à son regard interrogateur... Il prononça le nom de l'impresario...

Si la situation n'avait pas été aussi grave, l'humoriste aurait sans doute souri, imaginant la tête du policier à l'autre bout de la ligne.

– C'est-tu sérieux cette affaire-là ? C'est pas une attrape au moins ?

Le policier vérifia que le numéro de téléphone qui apparaissait sur son écran était bien celui de Donald et il mit fin rapidement à la conversation en promettant de rappeler.

Le temps passait, et Nathalie devait s'assurer que quelqu'un serait chez elle pour accueillir sa fille à son retour de l'école. Il était déjà 15 heures, et ce fut probablement le pire moment que vécut Nathalie Simard ce jour-là. Elle s'imaginait qu'un policier allait peut-être appeler l'impresario. Que celui-ci enverrait alors des tueurs pour les supprimer, elle et Donald. Heureusement, un des responsables du Service des enquêtes sur le crime contre la personne rappela au bout de dix minutes – l'affaire était grave, en effet !

L'officier se fit d'abord rassurant :

– Nous prenons cette affaire très au sérieux, dit-il. On valide certaines informations et on rappellera votre amie plus tard…

– Elle a besoin de vous rencontrer immédiatement, l'interrompit Donald Beaudry.

D'autres longues minutes d'attente se transformèrent rapidement en quarts d'heure, puis en demi-heures. Les policiers prirent beaucoup de précautions, firent des vérifications, informèrent leurs patrons, lesquels prévinrent le sous-ministre de la Justice. Cela se rendit jusqu'au ministre de la Justice lui-même. À l'époque, la capitale était secouée par « l'affaire Gillet », du nom de l'animateur de radio accusé de relations sexuelles avec une jeune prostituée. Les dérapages de l'enquête policière – opération Scorpion – et la mise sur pied d'un mouvement populaire appelant à la vengeance – avaient considérablement compliqué l'administration de la justice. Bref, tout le monde marchait déjà sur des œufs, et voilà qu'une affaire encore plus grosse s'annonçait…

– Deux personnes sont en direction de votre hôtel, dit enfin l'officier, pour faire patienter Nathalie Simard.

Mais cela traînait encore beaucoup trop au goût de la jeune femme.

– Si dans quinze minutes ils ne sont pas arrivés, je m'en vais. J'ai un mauvais pressentiment, dit-elle à son ami Archy.

Pour la calmer autant que pour la faire patienter, Donald Beaudry lui proposa de descendre dans le hall de réception de l'hôtel. Il lui montra un endroit retiré où se trouvaient des téléphones publics, deux fauteuils et une table. De là, on pouvait apercevoir les ascenseurs sans être vu soi-même.

Les deux policiers en civil arrivèrent enfin dans une voiture noire. Ils avaient tellement l'air de policiers que Nathalie Simard sut qu'il s'agissait des hommes qu'elle attendait. Elle partit se cacher. Donald Beaudry parla avec eux dans le hall de l'hôtel et, en arrivant à l'ascenseur, fit un petit signe rassurant à Nathalie. La jeune femme les rejoignit, et les deux hommes, de grands gaillards qui la dépassaient au moins d'une tête, se placèrent immédiatement derrière elle, comme pour faire un écran. «On va te montrer ce que tu veux voir quand on va être rendus là-haut», lui dit l'un des deux d'un ton sans réplique.

Dans l'ascenseur, Nathalie Simard tenait la main de Donald Beaudry. Elle serrait si fort que ses articulations devenaient de plus en plus douloureuses. Arrivés dans la suite 2103, les deux policiers montrèrent enfin leur plaque d'identification.

– Qu'est-ce qui fait qu'on est ici aujourd'hui, madame Simard? commença le sergent-détective Daniel Lapointe.

Nathalie lâcha enfin la main de son ami. Ils s'assirent tous les deux sur le divan. Chacun des policiers tira un fauteuil et s'installa devant eux. La conversation allait durer près de six heures…

La première rencontre entre un policier et une victime d'agression sexuelle est critique. C'est à ce moment-là qu'une confiance absolue doit s'établir. Daniel Lapointe le sait : à quarante-sept ans, cela fait bientôt vingt ans qu'il enquête sur des cas semblables. Quand il a commencé dans la police, à Saint-Jérôme, «sur la patrouille» comme on dit, sa première intervention concernait un cas de violence conjugale. Et il en a vu, par la suite, des cas d'agression et de viol. Parfois sur des enfants de deux ou trois ans.

Avec le temps, c'est devenu sa spécialité, comme d'autres collègues du Service des enquêtes sur le crime contre la personne s'occupent plutôt d'attentats ou de meurtres violents. L'École nationale de police du Québec, à Nicolet, organise des sessions spéciales de trois semaines destinées à ceux qui traitent habituellement les agressions sexuelles. Puis Daniel Lapointe a suivi un autre cours, cette fois sur les agressions contre les enfants. Des acteurs professionnels jouent le rôle des victimes, et les policiers s'entraînent à poser les bonnes questions, à rassurer les enfants, à les mettre en confiance.

Sa rencontre avec Nathalie Simard était l'effet du hasard. Il y a une trentaine d'enquêteurs spécialisés du Service des enquêtes sur le crime contre la personne. Entre deux enquêtes, ceux qui n'ont pas de dossier en cours assurent une sorte de permanence au quartier général de la SQ, rue Parthenais, à Montréal. Ils savent que toutes les affaires qui leur sont confiées sont de grosses affaires...

Mais à ce point? Il connaissait Nathalie Simard, bien entendu, d'autant plus qu'il est marié et qu'il a deux ados à la maison. Il connaissait René Simard aussi. Et leur impresario, bien sûr...

Toutefois, pour lui, Nathalie Simard n'était pas une vedette. L'impresario n'était pas une personnalité du *show-business*. Il avait devant lui une victime qui avait demandé de l'aide, c'est tout...

Daniel Lapointe expliqua tout cela à la jeune femme. À partir de cet instant, il devint son compagnon de route, et d'infortune, son « ange gardien » aussi. Dans des affaires semblables, un policier est toujours désigné comme l'enquêteur principal. Certes, Nathalie rencontrera d'autres enquêteurs dans les semaines suivantes, mais le policier qui fera toujours affaire avec elle, qui lui donnera ses numéros de téléphone et de téléavertisseur, qu'elle pourra joindre directement, à toute heure du jour et de la nuit, ce serait Daniel Lapointe.

C'était pour cela, lui expliqua-t-il encore, qu'un de ses collègues, Luc Boutin, prenait des notes à sa place. L'enquêteur est là pour faire parler et écouter. Il ne peut être distrait par quoi que ce soit. Il n'a pas le temps de griffonner des notes lui-même. Il se concentre sur la victime qui est en face de lui, la jauge du regard, analyse tout ce qu'elle dit.

L'exercice est assez pénible pour qu'on s'assure que la victime ne soit pas obligée de raconter son histoire à plusieurs personnes différentes.

Au bout d'une heure, Nathalie Simard resta seule avec les deux policiers : Donald Beaudry avait dû partir pour donner son spectacle. Déjà, il avait prévenu qu'il ne serait pas là pour la répétition générale, qui devait avoir lieu vers la fin de l'après-midi…

Le sergent-détective expliqua patiemment à Nathalie Simard tout ce qui allait se passer dans les semaines suivantes. Il ne lui cacha rien, ne lui mentit surtout pas sur son besoin de tout savoir, qui pourrait parfois aller jusqu'à la torture : « On va gratter le petit tiroir qu'il y a dans ta tête. On l'ouvrira et on le nettoiera… », l'avait-il prévenue.

Et ils ont gratté !

Pour cette première rencontre – qui constitue aussi la première « confession » complète de Nathalie –, les informations se bousculaient, en vrac. Luc Boutin griffonnait rapidement des notes en style télégraphique. Daniel Lapointe observait, interrompait, demandait des précisions : il voulait savoir jusqu'où elle était prête à aller, et lui faire comprendre aussi dans quelle incroyable aventure elle s'embarquait…

– Es-tu prête à aller en Cour ? À expliquer tout cela devant un juge ? Es-tu prête à fournir ce détail-là devant un jury de douze personnes, hommes et femmes ?

Comme si elle avait déjà trop longtemps attendu, Nathalie Simard était manifestement prête à tout. Les détails fusaient, précis. Les larmes l'interrompaient aussi. Satisfait, Daniel Lapointe mit fin à ce premier entretien.

– On se rencontre demain matin et on va s'attaquer aux détails, dit le sergent-détective.

Mais il était déjà près de minuit, et les policiers ne voulaient pas que la jeune femme reprenne son automobile et rentre seule à Granby. En aurait-elle seulement été capable? Ils décidèrent donc de la raccompagner chez elle et firent surveiller sa maison pour le restant de la nuit...

Le sergent-détective était de retour, comme promis, tôt le lendemain matin. Ces rencontres se font généralement dans un endroit que choisit la victime. Les policiers fouillent tellement de détails intimes et indiscrets qu'il est important que la personne se sente à l'aise. Un poste de police est beaucoup trop froid. Très fréquenté, elle peut y être reconnue. Des oreilles indiscrètes peuvent entendre les conversations...

«Je te rencontre aujourd'hui à ton domicile, à la suite d'un appel que tu as fait concernant des agressions sexuelles dont tu as été victime depuis ton jeune âge de la part de [ton impresario]...»

Le policier écrivait en script sur des feuilles lignées format légal. Le titre «DÉCLARATION» lui donnait un caractère solennel qui rassura Nathalie Simard. En haut, à gauche, était inscrit le sigle de la Sûreté du Québec et la devise : «Service, Intégrité, Justice». À droite, le policier avait marqué le «numéro de l'événement» : 068|04|02|12|003. Et en dessous : SIMARD|Nathalie|1969-07-07...

Suivaient trente et une lignes imprimées à l'avance sur toute la largeur de la page et trois cases, pour les signatures de Nathalie, de Daniel Lapointe et de Luc Boutin...

– Ce ne sera pas facile, mais prends le temps qu'il faut. On prendra deux jours s'il le faut, avait rassuré Daniel Lapointe en commençant.

Il en fallut trois!

Le policier écrivit :

Q – Est-ce que tu te souviens dans quelle circonstance tu as connu [ton impresario]?

Nathalie Simard collaborait merveilleusement bien. Une seule question pouvait entraîner des réponses de trois ou quatre pages. Toutes patiemment manuscrites. Lorsqu'elle corrigeait sa réponse, le policer faisait une rature, et la jeune femme inscrivait ses initiales en marge.

– Je ne savais pas ce qui venait de se passer, j'avais neuf ans, neuf ans et demi, sûr! dit la jeune femme.

Q – Suite à cela, est-ce qu'il y a eu d'autres agressions? écrivit encore le policier.

R – Oui à plusieurs reprises, toujours vers le même âge à Saint-Lambert, à son appartement, à son condo, au cinquième étage…

Q – Peux-tu me faire un schéma de ce que tu te rappelles?

Nathalie écrivit en haut à gauche d'une grande feuille blanche : « Schéma de l'appartement à Saint-Lambert. » Et à droite, quelques détails dont elle se souvenait : « *Den* : tapisserie brune à motifs. Chambre : tapisserie teinte jaune et crème ainsi que la peinture… » Puis elle dessina la cuisine avec sa table ronde et quatre chaises, le poêle avec ses ronds, le salon, la salle de bain près de la porte d'entrée, la chambre à coucher de l'impresario et de sa femme et, à côté, le fameux *den* avec son écran géant. Enfin le sofa sur lequel elle barbouilla un gros rond noir et marqua en lettres capitales, juste en dessous : « AGRESSION »…

Ils lui demandèrent aussi de dessiner l'appartement au Jardin de l'Archipel, dans l'Île-des-Sœurs, et les trois étages du chalet de Sainte-Adèle. Partout, il y avait, soigneusement dessiné, un lit, généralement d'une place, avec un oreiller. « C'était là que ça se passait… »

Ces détails, aussi futiles pouvaient-ils paraître, étaient importants pour les policiers. Daniel Lapointe le lui avait expliqué : « Ce n'est pas grave que tu te trompes un peu. Nous, on va tout vérifier… »

Discrètement, car il ne fallait surtout pas éveiller les soupçons de l'agresseur, les policiers ont tout vérifié : la disposition des lieux, la couleur des tapisseries, le mobilier. Si l'appartement avait été vendu, il était possible de retrouver tous ces détails par l'agent d'immeubles, ou les nouveaux propriétaires. Lorsqu'il n'était pas possible de visiter les lieux, comme à Sainte-Adèle, où l'impresario habitait encore, ils attendirent son arrestation pour vérifier.

Il fallait arracher à Nathalie Simard tout ce qu'elle savait, même un élément qui pouvait lui paraître insignifiant. Les policiers se chargeraient de corroborer le détail par des informations qu'ils iraient chercher ailleurs. Même s'ils avaient tenu l'affaire aussi secrète que possible, jusqu'à une quinzaine d'enquêteurs avaient travaillé sur cette enquête, à un moment ou à un autre, parfois pour vérifier un infime détail.

Daniel Lapointe avait bien prévenu Nathalie : « À partir de maintenant, tu ne parles plus à personne. Tu gardes ça pour toi… »

– Vous ai-je donc tous bien écoutés ! leur dira-t-elle plus tard, fière d'elle, lorsque tout sera fini.

Dans son cas à elle, comme dans tous les cas où les victimes connaissent leur agresseur, il était normal qu'elle se souvienne de la disposition des lieux ou de la couleur de la tapisserie, ou du genre de voiture que son agresseur conduisait. Il fallait donc aller plus loin pour réunir une preuve solide…

– On sait ce que ça va prendre en Cour, lui disaient-ils pour l'encourager à donner encore plus d'informations. Ça va être l'un contre l'autre, ta parole contre la sienne, avait encore insisté Daniel Lapointe.

Mais parfois, c'était trop : « Non, je ne peux pas dire ça, ils ne vont pas me croire », se disait-elle. C'était arrivé au sujet d'un détail particulièrement « dégueulasse ». Les policiers voyaient bien qu'elle était au bord de craquer.

– Elle a un regard perçant, raconta Daniel Lapointe en rentrant au bureau. Il est évident qu'elle est tout le temps dans le doute.

Même s'il lui avait répété cent fois qu'il la croyait, cela n'aurait plus suffi. Alors, vers 15 h 30, le vendredi, après qu'elle eut dessiné le chalet de Sainte-Adèle, Daniel Lapointe lui annonça que, le lendemain, ils iraient « se promener » – ils iraient visiter tous les lieux où les agressions étaient survenues.

Il faisait un froid terrible le samedi 14 février. Et il neigeait dans les Laurentides. Partis très tôt de Granby, ils commencèrent par Sainte-Adèle, l'Île-des-Sœurs, Saint-Lambert, Sherbrooke. Et retour à Granby... Une interminable virée. Une tournée infernale.

Daniel Lapointe conduisait pendant que son collègue prenait quelques notes. Nathalie parlait beaucoup de l'impresario et du personnel de son bureau – de « ceux qui se sont peut-être rendu compte de quelque chose » en particulier. Elle parla aussi de l'avocat de l'impresario, à qui il avait confié avoir eu des relations sexuelles avec Nathalie « lorsqu'elle avait seize ans ». Lequel avait répondu : « Ça se plaide bien ! »

Il avait aussi été question du « sosie de Nathalie Simard » – le policier l'avait noté sur sa feuille. Elle avait raconté qu'un jour son impresario lui avait présenté « son » sosie – cette femme avait vraiment l'air d'une sœur jumelle – et elle se demandait si on ne lui faisait pas faire des tournées à elle aussi, en même temps que la vraie Nathalie, pour gagner deux fois plus d'argent. « C'est possible, avait-elle insisté : elle me ressemblait tellement et je faisais du *lip-sync*. »

En fait, dans la voiture, Nathalie racontait tout ce qui lui passait par la tête.

Elle avait aussi longuement interrogé les policiers sur la façon dont cela se passerait au tribunal. Plus la journée avançait, plus Daniel Lapointe se sentait rassuré. À l'Île-des-Sœurs, par exemple, où elle n'était pas retournée depuis des années, elle avait trouvé sans la moindre hésitation l'endroit où il fallait stationner la voiture pour accéder à l'appartement de l'impresario. Cela redonna confiance à Nathalie, et les policiers voyaient bien qu'ils avaient affaire à quelqu'un de sérieux.

Le lendemain de cette bien curieuse Saint-Valentin, ils lui donnèrent congé. Et tout recommença le surlendemain...

« Aujourd'hui, le 16 février 2004, nous sommes à ton domicile pour continuer ta déclaration du 13 février », écrivit le policier. Et cela se poursuivit pendant dix autres pages écrites bien serré... Elle raconta des choses qu'elle n'avait dites à personne, même pas à son médecin ou à son psychologue.

Il était 15 h 50 lorsqu'ils se sont quittés. Les enquêteurs du Service des enquêtes sur le crime contre la personne avaient demandé à leurs collègues du détachement de Granby de la Sûreté du Québec d'exercer une surveillance discrète. Elle-même s'était fait installer un système d'alarme avec des manettes qui la suivaient partout, jusque dans son bain. Elle avait peur. Elle aura peur longtemps.

Presque tous les jours, parfois plusieurs fois et même la nuit, Nathalie Simard laissait un message à Daniel Lapointe, son contact, sur son téléavertisseur. Le policier n'était pas surpris de ces appels. Il lui avait fait signer une autorisation qui lui permettait de parler à son psychologue.

– Elle est très fragile, l'avait-on prévenu.

Le premier soir où elle avait communiqué avec lui, elle était en pleurs. « C'est normal, lui dit-il. Tu suis exactement toutes les étapes à travers lesquelles passent les autres victimes. » D'ailleurs, à la fin de l'enquête, le sergent-détective raconta à ses supérieurs : « J'aurais pu reprendre un de mes livres du cours de formation : c'est exactement tout ce qu'elle a fait. Les peurs, les craintes, les crises, même les appréhensions face à la Cour, l'inquiétude d'être jugée elle-même par ses pairs, Nathalie Simard n'était pas différente des autres... »

Daniel Lapointe n'avait pas une chanteuse, ni une vedette du *show-business* devant lui. La seule différence avec d'autres victimes, c'est que cette femme vivait dans un milieu très médiatisé. En ont-ils pris des précautions pour éviter qu'une fuite ne vienne «polluer» l'enquête, comme on dit dans le jargon policier...

Cela conduisit certains observateurs à suggérer que Nathalie Simard avait joui d'un traitement particulier. C'est justement ce que l'on fait avec toutes les victimes : rassurer ! Car sa «confession» était tellement pénible que la moindre fuite dans les journaux l'eût conduite à se refermer immédiatement sur elle-même. Cela arrive souvent dans des procès pour agressions sexuelles.

Nathalie devait faire face à cet agresseur qui l'avait dominée pendant vingt-cinq ans, réussissant à lui imposer le silence. Certains membres de sa famille ne comprenaient pas qu'elle puisse le dénoncer sur la place publique. Eux avaient une vie, des collègues de travail à fréquenter. Puis ils portaient un nom – celui des Simard – qui serait bientôt mêlé à une sordide affaire.

Pour cette raison, dès le premier jour, les policiers avaient averti Nathalie Simard qu'il n'était absolument pas question de poursuite civile en dommages. Et aussi que leur enquête sur les événements resterait très discrète. L'impresario était inquiet, il savait que Nathalie consultait un psychologue, qu'elle lui avait probablement parlé de lui. Ses nombreuses tentatives pour la joindre démontraient l'état de panique dans lequel il se trouvait. Si l'homme avait eu le moindre soupçon, l'écoute électronique qui allait être effectuée n'aurait jamais pu avoir lieu.

Et Nathalie Simard aurait fait tout cela pour rien !

Les jours passaient. Une, deux et même trois semaines s'écoulèrent. La jeune femme était de plus en plus inquiète. Pour la faire patienter et la rassurer, Daniel Lapointe lui fit rencontrer de temps en temps un de ses supérieurs. Elle avait ainsi une idée de tout ce que le «Bureau» faisait pour elle. Elle se rendait bien compte qu'une équipe travaillait avec son «ange», Daniel Lapointe. Le policier lui-même rendait compte régulièrement à un comité de l'avancement de son enquête.

Nathalie Simard avait beau se dire : «J'ai plongé, maintenant je n'ai plus le choix, il faut que je les suive. Ce sont eux, les policiers, qui tracent le chemin...», le doute ne la quittait pas. Elle leur dit un jour : «Si je pouvais m'ouvrir et que vous alliez vous-même regarder tout ce qu'il y a dedans!»

Malheureusement, cela ne se passa pas ainsi. Elle ne savait pas à quel point une preuve est difficile à soutenir devant un bon avocat. Les policiers, eux, avaient de l'expérience, et ils n'étaient pas les seuls à s'inquiéter...

Le ministre de la Justice et le procureur général du Québec – son sous-ministre en fait et les substituts du procureur – se préoccupaient beaucoup de l'ampleur de ce cas. Le suspect avait beaucoup d'amis, parfois très influents. Il avait les moyens d'engager les meilleurs avocats. Et jusqu'à ce que les détails de l'enquête soient révélés, on pouvait dire qu'il jouissait d'une bonne réputation. La bataille, s'il devait y en avoir une, serait corsée.

Les cas d'abus sexuels sont traités de façon un peu particulière par le Bureau du procureur général du Québec. Des équipes spécialisées s'occupent exclusivement de ces cas. Maître Josée Grandchamp avait longtemps fait partie de telles équipes. Mais, à quarante-sept ans, sa longue expérience et la gravité des cas qu'elle avait eus à traiter la destinaient désormais à des «dossiers particuliers». Et s'il en était un de particulier, c'était bien celui de Nathalie Simard!

Les substituts du procureur sont en général informés très tôt d'une enquête policière sur un cas d'abus sexuel. En effet, il y a des règles strictes à suivre pour éviter les fuites, protéger l'identité et la vie des victimes, et les droits des suspects à une bonne défense. Autrement dit, ce sont toujours des affaires délicates.

Ces avocats de formation – maître Grandchamp possède en plus une formation en psychologie – représentent la société. Ils prennent donc fait et cause pour les victimes. Pour eux, l'important est que «justice soit rendue», c'est-à-dire que le suspect soit jugé coupable et qu'il reçoive une sentence appropriée.

Ce fut un autre hasard dans tout cet épisode de la vie de Nathalie Simard : Josée Grandchamp avait beaucoup d'attention pour elle – comme pour toute victime protesterait-elle ! –, mais il ne fait guère de doute que la femme a dû être touchée par l'énorme pression qui pesait sur Nathalie Simard. Ce ne sont pas toutes les victimes qui sont célèbres, ont un frère célèbre, un agresseur célèbre, et qui sont poursuivies, dès le premier instant des procédures judiciaires, par une meute de journalistes.

Une des premières choses que le substitut du procureur doit faire est justement de mettre les victimes en garde contre la tentation, bien naturelle, de se reposer entièrement sur les policiers et l'appareil judiciaire.

– Nous, on ne fera que passer dans votre vie, dit Josée Grandchamp à Nathalie Simard.

La sentence rendue, celle-ci allait se retrouver seule face à son destin et à elle-même. C'est pour cela que tout le monde l'encourageait, déjà à ce moment-là, à se constituer un réseau de parents, d'amis et surtout d'intervenants spécialisés, qui l'aideraient à rebâtir sa vie.

De par sa fonction, maître Josée Grandchamp avait une autre responsabilité. Lourde celle-là : s'assurer de ce qu'on appelle «la suffisance de la preuve». En termes plus directs, le bureau du procureur général se demanderait si la preuve réunie par les policiers «tiendrait la route» devant un tribunal, surtout si l'accusé a choisi un procès devant jury.

Comme il n'existe jamais de «preuve en béton», les policiers et le procureur n'avaient cessé de préparer Nathalie Simard à toute éventualité, à ne «rien tenir pour acquis». Personne ne savait encore qui assurerait la défense de l'impresario. Il n'y pensait même pas lui-même, puisqu'il ne se doutait encore de rien ! Mais policiers et procureurs connaissent tous les avocats de réputation et savent que certains sont terribles.

Durant le week-end où Nathalie Simard avait témoigné pour la première fois, elle avait été littéralement démolie. Parfois, elle avait dû s'allonger sur le divan de son salon et récupérer pendant de longues minutes avant de reprendre la conversation. «Les policiers m'ont vue maganée rare !» se souvient-elle encore.

Après sa «déclaration», Nathalie Simard n'était tout simplement pas prête à aller plus loin. Tout compte fait, la longue attente fut bénéfique… «On va te fabriquer une carapace», n'arrêtait pas de lui répéter Daniel Lapointe. Car, une fois l'établissement de la preuve achevé, les choses se dérouleraient très vite. Et tout, même le pire, pouvait arriver…

L'écoute électronique était-elle nécessaire ? Était-elle même possible, en premier lieu ? L'impresario désirait cette rencontre : elle serait d'autant plus facile à organiser. Toutefois, Nathalie Simard serait-elle capable de faire face, pendant deux heures, à son agresseur ? «Il m'a fait trembler toute ma vie, disait-elle aux policiers pour les rassurer. Si je tremble devant lui, il n'y trouvera rien d'anormal.»

Peut-être même en éprouverait-il un certain plaisir ! Car il avait une idée en tête en voulant revoir son artiste…

Nathalie Simard avait une autre raison de désirer cette confrontation : elle allait enfin pouvoir prouver aux policiers que tout ce qu'elle avait dit était vrai, qu'elle n'était pas folle. «Vous voyez ? Je n'ai pas menti ! Tout était vrai…» C'était pour elle un moyen de se libérer de la pire angoisse des victimes d'abus sexuels : la crainte de ne pas être crue.

À défaut d'une rencontre «filmée», une conversation téléphonique, voire un enregistrement obtenu grâce à un micro caché sur Nathalie aurait pu suffire. Cependant, maître Josée Grandchamp tenait beaucoup à la composante visuelle de l'écoute.

Elle a étudié la psychologie, elle est femme, et elle sait que le langage corporel d'un homme face à une victime qu'il a dominée pendant vingt-cinq ans peut en dire beaucoup. Et celui-là allait parler fort!

La vidéocassette n'était peut-être pas une «preuve en béton», mais certains ont cru remarquer le sourire du juge Robert Sansfaçon lorsque maître Josée Grandchamp a déclaré, lors du procès de l'impresario: «La défense a manifesté son désir de rencontrer la Couronne pour un éventuel règlement du dossier [...]. Pour mieux comprendre le contexte de ces discussions, il importe de savoir que le 17 mars 2004, des policiers étaient présents au domicile de Nathalie Simard, et ce, à l'insu de l'impresario. La conversation a alors été enregistrée sur support audio-vidéo...»

Le juge avait compris: l'enregistrement vidéo «parlait fort»! Les quelques courts extraits cités au procès ont eu un impact extraordinaire sur tous les observateurs. S'il avait fallu que tout le monde voie les deux heures d'enregistrement!

Probablement que si maître Grandchamp avait pu utiliser le terme «vidéocassette» en s'adressant au juge, elle l'aurait fait avec délectation. Il y avait là quelque chose de symbolique, tout de même. Le producteur – grand amateur de télé-réalité! – et sa vedette, jouant les rôles – des rôles inversés! – les plus importants de leur vie. Le premier pour être confondu. La seconde pour se libérer enfin de lui.

Cet impresario et producteur qui avouait chacun de ses crimes, en direct, devant les caméras de la police. Elle, Nathalie Simard, celle à qui on disait quoi faire devant les caméras de TVA, dont on réglait le moindre mouvement, qui assurait enfin la mise en scène: c'était tout un renversement de situation. Une revanche, à vrai dire...

L'impresario s'était-il dit, en apprenant plus tard l'existence de cette vidéocassette, que cela aurait fait une belle émission de télé-réalité ? S'était-il au moins demandé pourquoi il n'avait pas eu l'idée d'écrire un tel scénario lui-même ?

Devant la masse de faits accablants déjà réunis, il ne fut pas difficile d'obtenir d'un juge la permission d'organiser cette « écoute électronique ». Certains ont parlé de « piège ». Mais contrairement à la technique de l'*entrapment* – un « traquenard » – où la police amène volontairement un suspect à commettre un crime, il s'agissait dans ce cas-là de conduire l'impresario à avouer des crimes qu'il avait déjà commis.

Il n'empêche qu'avec l'intervention, nécessaire, du juge, c'était la troisième instance, après la Sûreté du Québec et le ministère de la Justice, qui se mêlait du dossier. Et il n'y avait toujours pas de fuite... Même un chroniqueur chevronné comme Claude Poirier en resta bouche bée !

Mais on ne joue pas impunément avec le feu. Et le temps pressait, maintenant. Il fallut plusieurs jours pour installer l'ensemble de l'équipement technique dont les policiers avaient besoin. Certains sont d'ailleurs restés secrets, et même Nathalie Simard n'en eut jamais connaissance. Quant au rendez-vous, il avait été facilement pris pour le 17 mars, à 11 h 30. Il n'avait pas été difficile de convaincre l'impresario que ce serait le meilleur moment de la journée, puisque la petite Ève serait à l'école.

Les policiers se défendent bien de suggérer des questions aux victimes dans de telles circonstances : celles-ci ne sont tout de même pas en mission pour la Sûreté du Québec ! Mais la collaboration entre Nathalie Simard et les enquêteurs, qui fonctionnait merveilleusement bien depuis le début de cette affaire, agit une fois de plus. Les policiers lui avaient simplement rappelé tout ce qu'elle leur avait raconté : « Ce serait bien qu'il confirme ceci et cela... »

L'impresario a bien sûr confirmé tous ses méfaits. Le jeu de son ancienne artiste pour l'amener à se commettre fut superbe. Elle s'était remémorée ses vieux trucs d'actrice et de chanteuse : pour dominer le trac, elle imaginait un mur entre son public et elle, s'isolait en quelque sorte pour mieux rentrer dans son personnage. C'est ce qu'elle fit pendant deux heures : malgré la promiscuité des lieux – une table ancienne de salle à manger les séparait –, Nathalie Simard ne voyait pas son agresseur. Elle était entièrement concentrée sur ce qu'elle devait «dire pour lui faire dire».

Et cela fonctionna à merveille...

– À Saint-Lambert, dans ton char, tu t'en souviens ?

– Ouan...

– T'avais sorti ton pénis là...

– Ouan...

Mais il y eut mieux ! L'impresario commit un autre délit, comme dans un «direct» de cette télé-réalité qu'il aimait tant. Maître Josée Grandchamp ne se priva pas de citer longuement ce passage de l'enregistrement où l'impresario supplia Nathalie Simard de ne pas l'envoyer en prison, puis lui offrit de l'argent pour acheter son silence...

«Ces éléments sont importants afin de bien saisir l'état d'esprit dans lequel se trouvent les deux interlocuteurs...», expliqua-t-elle au juge.

L'impresario avait minaudé un peu, cajolé la jeune femme, fait appel à sa pitié...

– Nathalie... j'te d'mande une chose... je l'sais, c'pas facile pour toi... mais ch'te... ch't'en supplie... je... Fais moé pas arrêter, je te le demande.

– C'est pas ça, r'garde...

– Non mais c'pas grave... j'te dois ça... Mais j'te dois ben plus que ça, j'te dois une vie, tu comprends ? Nathalie... Qu'ess-tu veux qu'ch'te donne de plus... j'te dois une vie... ch'te fais des cadeaux... ch'te fais toute sorte d'affaires... j'veux toute ma vie m'occuper d'toé...

– Me tenir comme ça...

– Non, je veux pas te tenir comme ça, au contraire, j'veux que toi pis moi, on s'dise une fois pour toutes... t'sais comme ch't'ai dit, j'essayais de penser à quequ'chose, ch'te l'dis... euh... reconnaissance de dette... Tu vas m'dire «C't'encore rien qu'd'l'argent», mais quess-tu veux qu'j'te donne de plus... J'peux pas te r'donner c'que j't'ai enlevé...

C'est presque un marché que l'impresario propose là. Un autre secret à partager. Et il en fixe le prix...

– J'te paye 300 000 piastres, au moins *estie* [...] Tu prends un papier, pis ch'te l'signe [...]. Tu choisis ça ou la prison, y a deux côtés, là...

Ce fut peut-être à ce moment de la conversation que les caméras se révélèrent les plus utiles, en particulier celle qui était braquée sur l'impresario. L'homme avait retrouvé la maîtrise de soi, semblant presque convaincu qu'il allait réussir une fois de plus à faire obéir Nathalie. Il ne souriait pas, mais ses yeux s'éclairaient : «Là, tu comprends ? Trois cent mille piastres !»

Mais ça ne marcha pas. Rien ne marchait pour lui ce jour-là. C'était Nathalie Simard qui assurait la mise en scène, écrivait les dialogues, comme à cet instant où il exprima des remords...

– Ch'pourrai jamais t'pardonner. Chu désolée...

– Ton idée est faite, là, tu pardonneras jamais ?

– Pardonnerais-tu à quelqu'un qui a abusé de ta fille ?

– C'est pas une bonne question. Parce que, euh... mettons que ça m'est pas arrivé. J'sais pas c'que ch'f'rais [...] peut-être pas...

– Peut-être pas ?

– Non. Peut-être j'y pardonnerais pas [...] Si ça m'arrivait, ch'peux dire, ch's'rais en *ostie*, là...

Quelques heures après l'enregistrement, maître Grandchamp glissa la cassette encore toute chaude dans son magnétoscope. Quand elle vit le visage de l'homme, elle sut qu'elle avait eu raison de réclamer un enregistrement vidéo. Quiconque verrait cela admettrait la culpabilité de l'homme, c'était entendu. Mais il comprendrait surtout que, dans la balance du juge Robert Sansfaçon, les « facteurs aggravants » pèseraient beaucoup plus lourd que les « facteurs atténuants ».

Le juge Robert Sansfaçon le confirmera dans son jugement : « Il est clair que les sommes [versées] servaient davantage à convaincre [Nathalie Simard] de conserver le secret et éviter le dévoilement et la dénonciation [...]. C'est toujours [l'impresario] qui offre 300 000 dollars par une reconnaissance de dette, alors que [Nathalie Simard] lui indique qu'il n'est plus question d'argent mais du rétablissement de son équilibre intérieur qui nécessite le dévoilement de son secret. L'ampleur des sommes versées ou offertes ajoute à notre conviction que le non-dévoilement était priorisé... »

Des spécialistes diront plus tard, en apprenant l'existence de la vidéocassette, que « la Couronne était en Cadillac ».

Les policiers aussi étaient satisfaits. Ils savaient que dans l'immense casse-tête de la preuve qu'ils tentaient de reconstituer, un gros morceau venait de se mettre en place. L'image du coupable devenait de plus en plus claire.

Mais une « écoute avec autorisation judiciaire », comme on dit, repose sur une déclaration assermentée du policier, donc sur un récit subjectif des éléments justifiant cette écoute. On a déjà vu ces affidavits de policiers contestés, et la vidéocassette être refusée. Daniel Lapointe était sûr de lui, mais il savait que ce sont des choses qui peuvent arriver. Il était content du résultat obtenu le 17 mars, mais surtout pour Nathalie Simard. Il venait de lui fournir un autre morceau de l'armure de confiance en elle-même qu'il essayait de bâtir depuis plus d'un mois maintenant.

Cependant, il restait encore beaucoup de travail à effectuer avant de se présenter devant un juge…

Par exemple, retrouver des documents sans éveiller les soupçons. Donc, pas question que les policiers aillent eux-mêmes dans des succursales de banque ou à l'Union des Artistes pour obtenir des copies de relevés. Nathalie Simard s'en chargerait elle-même.

Puis il était temps pour elle de rencontrer maître Josée Grandchamp… «Un petit bout de femme, se dit Nathalie au premier coup d'œil. Mais une grande dame, tellement passionnée par son métier», découvrit-elle bien vite.

Elle aurait normalement dû se rendre à son bureau du rez-de-chaussée du palais de justice de Longueuil. «Il y a toujours des journalistes dans un palais de justice», dit-elle aux policiers. La rencontre eut donc lieu au Comfort Inn de Boucherville, sur la Rive-Sud de Montréal. C'est un véritable cours de droit que le substitut du procureur doit donner aux victimes. Il doit leur décrire les différentes étapes, ce qui va se passer le jour de l'arrestation. Il faut leur démontrer les raisons de l'ordonnance de non-publication. Elle y avait droit, puisque les agressions s'étaient produites alors qu'elle était mineure. Ce serait donc à Nathalie d'en faire la demande.

Cette demande était importante pour elle. Dès le 12 février, après sa première rencontre avec les policiers, elle s'était imaginé que toute son histoire allait être étalée dans les journaux. Rien de cela ne s'était encore produit, mais elle savait bien que les audiences d'un palais de justice sont toujours ouvertes aux journalistes. Et au public!

Cette rencontre avec maître Grandchamp fit un bien énorme à Nathalie. Après les policiers qui l'avaient mise en confiance, voilà qu'elle rencontrait une professionnelle animée de beaucoup de gentillesse, très humaine et compréhensive. Décidément, le «système» prenait grand soin des victimes. Cela la rassura pour la suite des choses.

Pour maître Grandchamp, cette rencontre avait un autre objectif. Elle sait qu'une «bonne preuve» ne suffit pas pour gagner un procès. Elle voulait voir si Nathalie Simard aurait la force de traverser ce qu'on croyait encore à ce moment-là devoir être un long et pénible procès. Elle aussi fut rassurée pour la suite des choses...

Toutefois, les policiers exigeaient encore davantage de précisions. «Aujourd'hui, le 23 mars 2004, je te rencontre au Comfort Inn de Boucherville pour éclaircir certains faits des déclarations du 13 et du 16 février 2004...», écrivit le policier sur sa grande feuille de papier ligné.

Il s'agissait seulement de vérifier si, cinq semaines après, leur témoin était en mesure de soutenir la même version des faits. En somme, une dernière vérification...

Nathalie Simard se fit plus précise que jamais : «La première agression qui a eu lieu dans le véhicule, à Saint-Lambert, c'était durant l'année 1978. Je me rappelle de cela à cause de la sortie de mon premier disque – "Tous les enfants du monde".» [En fait, le fameux disque sortit en mai 1979.]

Elle donna aussi d'autres détails dont elle n'avait pas encore parlé... «Toujours avant mes treize ans, dans le véhicule, c'est arrivé une fois qu'il a utilisé sa brosse à cheveux pour me pénétrer. Elle avait un manche noir, lisse, avec des poils raides...»

Les policiers voulurent qu'elle leur parle de la tentative de fraude pour laquelle elle avait été condamnée. «Faute avouée, faute à moitié pardonnée», lui avait dit l'impresario. C'est pour cela qu'elle avait plaidé coupable... S'inquiétaient-ils alors de l'impact que pourrait avoir son «dossier criminel» sur son témoignage en Cour?

Cet autre interrogatoire – pour une victime aussi traumatisée que Nathalie, cela pouvait bien en avoir l'air! – se termina à 22 h 30. Sa «torture» était enfin terminée...

On était à moins de trente-deux heures de l'arrestation de l'impresario, mais Nathalie ne le savait pas. «On te préviendra quand ce sera fait», avait seulement dit Daniel Lapointe…

Dans la journée du 24 mars, la majorité des membres du Service des enquêtes sur le crime contre la personne fut mobilisée. Une bonne vingtaine de policiers furent réunis, dans le plus grand secret, au quartier général de la Sûreté du Québec à Montréal. Par groupes de deux, ils se présenteraient à la première heure du jour au domicile du père de Nathalie, de ses frères et sœurs, et des filles de l'impresario. Ces gens-là seraient informés que leur père ou leur ami venait d'être arrêté, et ils subiraient un premier interrogatoire. Leurs réponses seraient prises sous serment. Quand deux individus résidaient dans la même maison, ils seraient immédiatement isolés dans des pièces différentes et interrogés séparément…

Seule Gabrielle L'Abbé serait épargnée. Gravement diabétique, elle était très vulnérable aux émotions fortes. Nathalie avait obtenu que ce soit elle-même qui la prévienne.

À 7 h 20, le 25 mars 2004, le téléphone sonna enfin chez Nathalie Simard. «C'est fait, dit son correspondant. Il a été arrêté à son appartement de l'Île-des-Sœurs…»

La jeune femme n'eut malheureusement pas de mal à imaginer l'homme en robe de chambre, dans le vestibule de cet appartement qu'elle connaissait trop bien.

«Le producteur québécois et gérant d'artistes bien connu a été arrêté à son domicile de l'Île-des-Sœurs, dans le sud-ouest de Montréal. On le soupçonne d'agression sexuelle», disait le premier bulletin de *La Presse canadienne*.

Pendant que l'impresario était interrogé au quartier général de la Sûreté du Québec – et encore une fois filmé sur vidéocassette! –, la nouvelle se répandit rapidement dans les stations de radio. Elles la répétèrent à chaque bulletin, tant et si bien qu'au moment de la comparution de l'impresario, la salle du palais de justice de Montréal était bondée. Il y avait même encore plus de journalistes que d'habitude, car, ce jour-là aussi, le verdict de Robert Gillet tombait.

« L'impresario, teint basané et tiré à quatre épingles, regardait droit devant lui, sans expression particulière sur le visage, prêt à faire face à la musique... », raconta une journaliste. Les caméras de télévision firent un gros plan des poignets de l'homme, menottés !

Puis, dans l'après-midi, à 15 h 37, un autre bulletin confirma l'affaire : « Le producteur et gérant d'artistes québécois a comparu jeudi après-midi au palais de justice sous huit chefs d'accusation. Il a plaidé non coupable et reviendra en Cour le 4 mai. Il a choisi un procès devant juge et jury... » Le premier chef d'accusation précise bien que la plus ancienne agression s'est produite entre juillet 1978 – Nathalie avait neuf ans ! – et janvier 1983 : ce jour-là, c'était encore la version de la victime qui prévalait.

Ce « non coupable » n'a pas surpris Nathalie Simard. Les policiers lui avaient expliqué que c'est pratique courante : avant d'avoir vu la preuve, les avocats d'un accusé lui recommandent de nier les faits. Il aura toujours le temps de se reprendre...

Mais un autre heureux hasard survint pour Nathalie Simard en ce début d'après-midi du 25 mars. L'avocate qui a accepté de défendre l'impresario s'appelle Sophie Bourque. Elle est connue dans les prétoires pour son franc-parler et un talent redoutable. Mais les initiés savaient autre chose : à l'université, Sophie Bourque disait à toutes ses amies qu'elle ne défendrait jamais quelqu'un qui aurait agressé des enfants. On en conclut immédiatement que l'impresario plaiderait coupable.

En fin d'après-midi, l'impresario fut libéré sous de sévères conditions. Il était confiné à sa résidence de l'Île-des-Sœurs, on lui avait retiré son passeport, et il ne pouvait rester seul en compagnie d'une mineure. Il ne pouvait même plus garder sa petite fille d'un an. Et un journaliste – fait-il alors le facétieux ? – précisa que l'impresario ne pourrait plus entrer en contact avec sa nouvelle « découverte » – la chanteuse Marilou – âgée de quatorze ans...

Les réactions furent diverses, de l'incrédulité à la compassion pour... le suspect ! Les spéculations allaient évidemment bon train, et le nom de Nathalie Simard circulait déjà. Mais les amis de l'impresario serreraient les rangs. Son vieux compère René Angélil déclara à la télévision : « Je le connais depuis plus de quarante ans. C'est une bonne personne, qui sème la joie autour de lui. Je ne crois absolument pas à toute cette histoire... » Lui-même ayant fait l'objet de poursuites non fondées, il invita tout le monde à la prudence.

Le producteur Gilbert Rozon affirma que ce genre de situation fait mal aux gens. Il parlait de l'impresario bien entendu, et non de la victime, dont il ne connaissait pas le nom.

Aldo Giampalo, président du Groupe Spectacle Gillett – le Centre Bell –, producteur avec l'impresario du spectacle musical *Don Juan*, déclara : « Il doit être considéré comme innocent jusqu'à preuve du contraire. »

Ce soir-là, les filles de l'impresario dormiraient bien mal, et Nathalie Simard se soucia d'elles aussi. L'impresario lui en avait d'ailleurs parlé, le 17 mars, lorsqu'il l'avait suppliée de ne pas le dénoncer : « Ma fille va me renier, c'est sûr, je suis fini ! » lui avait-il dit.

Dans la journée du 25 mars, la maison de Nathalie Simard à Roxton Pond se remplit rapidement. Sa maman était là, de même que Martin et sa femme Louise, qui étaient accourus aussitôt. Les réactions allaient de l'incrédulité à la compassion. « Comment as-tu fait pour garder cela aussi longtemps ? » était la réaction la plus fréquente. Certains se sentaient coupables de n'avoir rien soupçonné.

D'autres disaient : « Ça ne me surprend pas. » Mais ils n'avaient rien vu, eux non plus...

Au cours des journées précédentes, Nathalie Simard avait commencé à préparer sa fille à l'événement. Elle lui avait dit que des policiers étaient venus, qu'elle avait commencé à dénoncer l'impresario. Le matin du 25 mars, elle avait laissé la télévision fermée, autant pour la tranquillité de sa mère que celle de sa fille.

Signe des temps, la petite Ève avait été l'une des premières, dans la maison, à apprendre l'arrestation de l'impresario. Par Internet! Elle s'était précipitée vers sa mère :

– Maman! Il vient d'être arrêté…

– Oui, il a été arrêté ce matin, avait confirmé Nathalie.

– Tu l'as fait? dit la petite Ève. Je suis fière de toi, maman!

CHAPITRE QUINZE

« Un nouveau jour... »

Car les enfants
Défient les grands
Quand vient le temps.

Le jeudi 26 mars 2004, le Québec baignait dans les scandales : celui des commandites à Ottawa, celui du réseau de prostitution juvénile à Québec. Et bien sûr, la révélation que huit accusations d'agressions sexuelles étaient portées contre l'impresario le plus célèbre du Québec.

Les médias étaient prudents : il n'y avait encore qu'un « accusé ». Même pas de coupable, puisque l'homme plaidait « non coupable ». Et surtout pas de victime, sinon une curiosité un peu malsaine qui se résumait à une question sur beaucoup de lèvres : « C'est qui, la fille ? »

Nathalie Simard vivait encore dans son secret. Même le procès resterait son secret, puisque le juge avait interdit de révéler son identité. Anonyme, la victime pouvait être l'objet de sarcasmes, de spéculations et, plus grave encore, de doutes. L'incrédulité des amis de l'impresario est telle qu'on la fait passer pour une manipulatrice. Était-ce une folle? Une menteuse? Est-elle l'instigatrice d'un coup monté? Veut-elle de l'argent? On évoqua l'affaire Michael Jackson, l'affaire René Angélil, toutes sortes d'affaires, en fait, impliquant des gens célèbres.

Nathalie savait très bien ce qu'elle avait vécu, et cette certitude la réconfortait. Le sergent-détective Daniel Lapointe, maître Josée Grandchamp et le juge Robert Sansfaçon l'avaient crue puisqu'ils feraient asseoir l'impresario sur un banc de la salle des comparutions du palais de justice de Montréal. Ils avaient vérifié «la suffisance de la preuve», comme ils disent. Les affirmations de Nathalie Simard et l'enregistrement des aveux de son impresario les avaient satisfaits.

Cependant, pendant huit mois, le doute bénéficiera encore à l'accusé, l'impresario. Et la parole de la victime, Nathalie Simard, ne suffira toujours pas…

À présent, la famille Simard aussi savait tout, puisque les parents, de même que les frères et les sœurs, avaient été interrogés une semaine plus tôt. Cela n'arrangeait pas forcément les choses d'ailleurs. Certains pensaient, ou disaient carrément : «Ferme ta gueule! Parle pas de ça…» D'autres voulaient prendre les choses en main : «Je vais m'en occuper de ce salaud!»

On avait prévenu Nathalie Simard que, dans la plupart des cas, ce genre de situation finit toujours par briser les familles. Leurs membres sont souvent les personnes les plus mal placées pour soutenir des victimes d'agressions sexuelles, surtout quand l'agresseur est une connaissance. Et l'impresario représentait plus que cela, presque le chef du clan Simard. Des parents se sentent coupables de n'avoir rien vu. D'autres ont honte que cela ait pu survenir parmi eux.

La peur, qui a tenaillé les victimes pendant toute leur vie, finit par contaminer leur entourage. Nathalie souffrait de voir sa famille souffrir. Plus tard, elle se dira qu'elle aurait pourtant eu bien besoin du soutien de ses proches. La dénonciation aurait dû amener le clan Simard à se serrer les coudes mais, pour cela, il eût fallu en rejeter le chef, l'impresario lui-même. Il avait encore un tel ascendant qu'à la place les Simard s'entre-déchiraient.

Le nom des Simard lui-même, ceux de René et de Nathalie en particulier, qui avaient été sur tant d'affiches et de génériques d'émissions de télévision, celui de Régis et de Martin aussi qui, bien qu'à un degré moindre, s'étaient bâti leur propre notoriété en chantant dans des bars, ce nom des Simard serait désormais associé à un gros scandale.

– On sait bien, disaient certains, toi t'es bien, t'as ta clôture en avant, t'as le contrôle sur ta barrière, mais nous autres on va continuer à aller travailler.

D'autres s'inquiétaient pour elle : «Pourquoi as-tu fait ça? T'avais eu de l'argent : comment vas-tu faire pour vivre maintenant?»

Nathalie Simard répondait aux uns et aux autres : «N'oublions jamais une chose, nous, les Simard, notre nom, c'est pas l'impresario qui nous l'a donné, mais c'est bien notre père. On n'a pas à avoir honte d'être des Simard. Ce que je viens de faire là, ce n'est pas honteux, au contraire…»

Il était donc mieux de se protéger et de couper le contact, ce que Nathalie fit avec tout le monde, à l'exception de son frère Martin et de sa conjointe, Louise, et de la fille de celle-ci, Marie-France. Ce n'était pas pour échapper à leurs reproches, mais pour mieux se retrouver et découvrir ce qu'elle voulait être…

– Je suis en reconstruction de ma vie, de mon corps, de mon cerveau, expliquait-elle.

Elle n'avait plus de temps pour sa famille, concentrée qu'elle était sur tout ce qui allait suivre.

L'attente allait durer huit mois! Ce n'est pourtant pas long dans une poursuite de ce genre, mais cela parut une éternité à Nathalie Simard.

Une chose la soutenait : sa détermination d'en finir avec cette histoire afin que sa fille ait devant elle une mère comme les autres. «Ma fille ne mérite pas d'avoir une mère angoissée, tordue, *fuckée* dans sa tête», se répétait Nathalie. Elle n'avait pas mis cet enfant au monde pour lui faire partager ses souffrances, mais pour lui donner le meilleur d'elle-même. Ce «meilleur», elle devait le retrouver, le reconstituer même, s'il le fallait. «Je veux vivre avec elle une vie saine et convenable pour en faire une adulte remarquable», disait Nathalie. Elle voulait tant que, comme Ève le lui avait dit le jour de l'arrestation de l'impresario, que la petite fille soit fière de sa mère !

Depuis que Nathalie avait dénoncé son ancien agent, Ève dormait dans la chambre de sa mère, sur un petit lit, juste à côté d'elle. Elle l'avait préparée, sans trop de détails cependant, à tout ce qui allait se passer. L'enfant la soutenait du mieux qu'elle pouvait.

Mais Nathalie Simard avait toujours peur qu'un journaliste ne respecte pas l'interdiction de rendre son nom public. Elle ne sortait plus de chez elle, demandant à Louise de faire les commissions pour elle. Elle ne quittait même pas son intérieur, au cas où des paparazzis se seraient cachés quelque part dans le bois ou derrière la grange pour prendre des photos. La mise en accusation avait eu lieu au début du printemps, et ce fut seulement un soir d'été qu'elle osa sortir pour allumer un grand feu de joie près de sa maison.

C'était elle la victime, et c'était elle qui se cachait ! Il faudra se souvenir de cela lorsque l'avocate de l'impresario parlera de l'abondante couverture médiatique de l'affaire, faisant de l'accusé un véritable «prisonnier social» pendant près de huit mois, le forçant à cesser toute activité… Et Nathalie Simard, qu'était-elle donc, sinon prisonnière du plaidoyer de non-culpabilité de son agresseur ?

Pourtant, les avocats de l'impresario n'avaient pas attendu un mois avant de commencer à négocier l'acte d'accusation et la sentence avec le bureau du procureur général du Québec. Toutefois, Nathalie Simard ne le savait pas. Elle ne le saurait que beaucoup plus tard. Il était déjà arrivé que des accusés ayant accepté de plaider coupable s'étaient dédits à la dernière minute devant le juge. Les victimes reculaient alors devant la pénible perspective de raconter encore une fois leur triste histoire, devant l'agresseur, devant les journalistes, devant des curieux.

Par souci de lui épargner une terrible déception, les « Anges » ne dirent donc jamais à Nathalie que tout allait bien, que les preuves étaient en béton et que l'impresario n'aurait d'autre choix que de plaider coupable, lui épargnant ainsi de pénibles confrontations au cours de l'enquête préliminaire et du procès qui suivrait.

Comme son père et sa mère, Nathalie Simard est demeurée très religieuse : dans les moments de découragement, elle levait les yeux au ciel et criait : « Hey ! Là-haut… S'il y a quelqu'un qui existe, aidez-moi, s'il vous plaît, parce que moi, je n'en peux plus ! »

Et que fait une chanteuse lorsqu'elle n'en peut plus ? Elle chante ou elle écoute des chansons, celles que Stéphane Venne venait d'écrire pour Marie-Élaine Thibert et, bien sûr, celles de Jacques Michel.

Nathalie était bien trop jeune pour avoir connu la fièvre nationaliste que soulevaient les chansonniers québécois dans les années soixante-dix. Cela ne l'empêchait pas de chanter plusieurs chansons de Jacques Michel, en particulier celle, quasi révolutionnaire, que le compositeur avait écrite en 1970. Il parlait d'un pays naissant, mais le poème allait si bien à une enfant en révolte…

Car les enfants
Défient les grands
Quand vient le temps…

Nathalie avait les mêmes accents passionnés que Jacques Michel en 1970, lorsque, seule dans sa grande maison, elle chantait, criait presque :

Le temps de l'esclavage
Le temps du long dressage

271

Le temps de subir est passé
C'est assez
Le temps des sacrifices
Se vend à bénéfice
Le temps de prendre est arrivé

Le temps des révérences
Le temps du long silence
Le temps de se taire est passé
C'est assez
Le temps des muselières
Se meurt dans la fourrière
Le temps de mordre est arrivé.

(J. Michel)

Que ces mots faisaient du bien à Nathalie ! « Le temps de mordre est arrivé... » Comme cette détermination lui allait bien !

Nathalie s'inventait des thérapies qui la libéraient de son stress : elle en a consommé, des chandelles, de l'encens et des huiles pour le bain pendant l'été et l'automne 2004 ! Elle faisait une grande consommation de tout ce qui pouvait la calmer.

Elle appelait encore souvent Daniel Lapointe, même si le travail d'enquête du policier était fini. Elle craignait toujours de le déranger, mais lui la rassurait, lui demandant au contraire, avant de raccrocher :

– T'es sûre que ça va ? C'est important...

En effet, Nathalie était aussi, pour les policiers de la Sûreté du Québec, un témoin crucial, LE témoin ! Elle ne devait pas flancher. Ils auraient bientôt besoin d'une femme solide, le jour de l'enquête préliminaire, si celle-ci devait avoir lieu.

Un jour qu'elle revenait de chez Pierre Hardy, son nouveau psychologue, Nathalie Simard entendit à la radio que l'impresario mettait sa résidence secondaire de Sainte-Adèle en vente, pour un million de dollars. Nathalie se demanda si cela signifiait qu'il s'apprêtait à plaider coupable : on lui avait laissé entendre que cela pouvait arriver à tout moment. Elle allait encore attendre de longs mois…

L'agent immobilier qui proposait le chalet avait ajouté, au bas de la description technique de la propriété, un commentaire qui devait attirer les acheteurs : «Cette résidence a été conçue pour le plus grand plaisir des épicuriens à la recherche d'une joie de vivre sans compromis…» Si le vendeur avait su… Sans compromis en effet!

En fait, cette semaine-là, on eut l'impression que l'impresario liquidait ses affaires. Il avait été annoncé que toutes ses entreprises avaient été vendues au *holding* de sa fille, Vérocom inc. Le prix de la transaction n'avait pas été divulgué mais, dans les milieux artistiques, on parlait d'une somme, plutôt symbolique d'ailleurs, d'un million de dollars. Le nom de la nouvelle entreprise – Novem – était présenté comme un clin d'œil de la fille à son père, puisque le mot latin *novem* signifie «neuf», le chiffre chanceux de l'impresario.

Le porte-parole de la firme Enigma, engagé pour la circonstance, précisa que «les accusations dont fait l'objet l'homme d'affaires ont précipité cette transaction-là, mais ce n'est pas la raison fondamentale». Et il ajoutait, comme pour aménager une distance entre le passé et l'avenir : «L'impresario n'a plus aucune fonction dans cette entreprise-là.»

Drôle de hasard, c'est ce jour-là exactement que Nathalie Simard signa sa fameuse «Déclaration de la victime sur les conséquences du crime», une formalité exigée par le ministère de la Justice du Québec. Le premier et le dernier paragraphe, aux deux extrémités de vingt-quatre années de silence, témoignent du chemin parcouru par Nathalie Simard. Même son écriture, avec ses fautes d'écolière de deuxième année du secondaire – là où son éducation a été brutalement interrompue –, témoigne de l'état dans lequel l'impresario, le «père Noël» des petits Simard, le père de famille imposé, a laissé Nathalie…

« *Je me souviens qu'au moment même de la première agression que [l'impresario] a posé sur moi, il a automatiquement mit la faute sur moi, que si je racontais ce qu'il venais de ce passé que j'allais briser des vies autour de moi, j'avais très peur je me sentais coupable et tellement mal à l'aise, j'étais terroriser. Tout ces sentiment m'on suivie pendant une très longue parti de ma vie [...]*

« *Depuis maintenant 2 ans que je consulte un psychologue a raison de 1 à 2 fois semaine qui n'est pas couvert par mes assurances; je consulte dans le but de m'en sortir, de reprendre le contrôle de ma vie, de retrouver l'estime de moi, de mon corp, et aussi de reprendre confiance en moi, et ça me fais un énorme bien, mais en même temps c'est très difficile, j'ai souffert beaucoup, chaque rendez-vous me prend toute mon énergie, il es très dur pour moi de réaliser et d'accepter tout le déga que [l'impresario] a fait sur ma vie, et je dois vous dire que d'écrire c'et déclaration de la Victime n'est pas facile. A chaque fois que je m'installe pour parler, vous parler de mon vécu, le cœur me serre et je pleure beaucoup, mais en même temps ça me fait tellement de bien d'avoir la chance de pouvoir m'exprimer, de sortir tout le négatif de ma vie, c'est vraiment pour moi une autre thérapie, car j'ai un désir profond qu'un jour je pourrai dire que je suis heureuse !* »

*

La date de l'enquête préliminaire, qui avait été fixée aux 17 et 18 novembre 2004, approchait. Le substitut du procureur général, maître Josée Grandchamp, avait préparé Nathalie à l'événement du mieux qu'elle avait pu. Elle lui avait expliqué comment répondre aux questions du juge, et surtout à celles de l'avocate de l'impresario. « Elle n'est pas ton ennemie », lui avait-elle dit, même si certaines questions promettaient d'être terribles. Il fallait aussi la préparer à la guerre, qui ne manquerait pas de se dérouler sous ses yeux, entre la poursuite et la défense.

Par-dessus tout, Josée Grandchamp l'adjura de ne pas avoir honte… Ce n'était tout de même pas son procès !

Tout cela amenait souvent Nathalie Simard au palais de justice de Longueuil où le substitut du procureur général avait son bureau. Chaque fois, elle payait son stationnement et, plus tard, son comptable lui réclamerait les reçus. Elle ne voulut pas s'en séparer : « C'est ma victoire ! » dit-elle en rangeant précieusement les reçus dans son sac. Ce serait toujours autant de gagné pour les finances du Québec…

Le sergent-détective Daniel Lapointe, de la Sûreté du Québec, qui, ayant mené l'enquête, devait l'accompagner pendant toute la durée du procès, témoin lui-même au besoin, la prépara lui aussi. Il la prévint en particulier contre le cirque médiatique que ne manquerait pas de produire ce grand procès. Il avait décrit les lieux, de quel côté se trouvait la salle par rapport à l'ascenseur, où se situerait la longue haie de caméras de télévision qui suivraient chacun de ses pas. Il lui avait même spécifié combien de pas séparaient la sortie de l'ascenseur de la salle d'audience où ils allaient entrer.

Le matin du mercredi 17 novembre, Nathalie se réveilla à 5 heures. Elle voulait prendre son temps. Son frère Martin était déjà là, de même que le mari de Marie-France, Claude, qui avait amené ses deux jumelles pour qu'elles jouent avec Ève. Même si l'identité de sa mère ne devait toujours pas être révélée, celle-ci ne voulait pas prendre le risque de l'envoyer à l'école. Il y avait aussi son amie, Annie Delisle, qui lui préparerait une belle surprise pour son retour.

Les détectives Daniel Lapointe et Michel Comeau sont venus la chercher vers 7 heures dans une camionnette blanche aux vitres teintées. Le ciel était clair, et il faisait quatre degrés dehors. À son arrivée au palais de justice, Nathalie était littéralement encadrée par les deux policiers plus grands qu'elle. Les journalistes, tenus à distance, ne voyaient qu'une tête blonde entre les épaules des deux hommes. Ceux-ci la conduisirent dans une salle dont la porte vitrée avait été tapissée de papier pour que personne ne la voie.

Mais les journalistes et quelques dizaines de curieux étaient déjà installés dans le couloir. « Regarde, c'est elle ! C'est elle ! » entendait-elle murmurer dans son dos. Elle avait l'impression de défiler devant un groupe de voyeurs. D'une certaine manière, elle se sentait violée.

Pourtant, elle en avait fait des apparitions devant les photographes et les cameramen dans sa vie d'artiste ! Mais ce mercredi 17 novembre 2004, elle n'était pas là pour se faire photographier – ce qu'ils n'avaient pas le droit de faire d'ailleurs ! –, ni pour jouer à la vedette. Mais elle ne voulait pas non plus avoir l'air de se cacher. Nathalie Simard voulait se montrer forte, sans crâner toutefois. Elle serrait très fort le bras du policier. Si elle avait osé, elle aurait appuyé la tête contre son épaule.

Mais elle commençait sa nouvelle vie de femme libérée, ayant osé dénoncer l'homme qui avait construit toute sa carrière. Et détruit sa vie.

Dieu qu'il fut difficile, ce rôle-là !

Nathalie voulait être installée dans la salle 3.05 du palais de justice de Montréal avant que l'impresario n'y entre lui-même. C'est la plus grande salle disponible du palais : avec la meute de journalistes présents, il ne restait de place que pour une vingtaine de curieux, alors que trois fois plus de gens attendaient en ligne depuis 7 h 30.

Quand il est sorti de l'ascenseur, l'impresario non plus n'en menait pas large. La présence du public le dérangeait. Il n'avait pas le beau rôle, ce jour-là. Finis les triomphes devant ses pairs de l'industrie du disque !

L'homme s'assit au premier rang, sur le « banc des accusés », sans même regarder Nathalie, qui se trouvait à quelques chaises de lui seulement. Quand il était entré, un lourd silence s'était installé dans la salle. Nathalie Simard ne le regarda pas non plus. Le juge Robert Sansfaçon prit place et maître Grandchamp annonça l'existence d'une seconde victime, et donc un autre chef d'accusation :

« Pendant une période de 6 ans, à Montréal, et ailleurs au Québec, étant une personne de sexe masculin, a attenté à la pudeur d'une autre personne, commettant ainsi un acte criminel […] »

La substitut du procureur général du Québec révisa chacun des chefs d'accusation, les regroupant, en réduisant leur nombre de huit à cinq. Cela ne changeait pas grand-chose de toute manière. Puis elle expliqua que l'accusé plaidait coupable aux chefs d'accusation qui demeuraient.

« Coupable » ? Cela lui avait pris du temps, tout de même ! Huit mois exactement. Huit mois pendant lesquels l'impresario avait mis de l'ordre dans ses affaires, s'était assuré que les entreprises qu'il avait bâties – dans une large mesure avec Nathalie Simard d'ailleurs – seraient protégées d'une faillite certaine. Il avait même engagé une firme spécialisée dans les relations publiques et la gestion de crise !

Pendant tout ce temps-là, Nathalie Simard avait dû attendre. Huit mois d'attente en plus de ses vingt-quatre ans de silence…

Dès la lecture du premier chef d'accusation, on comprit que la poursuite et la défense, plutôt que de « se faire la guerre » comme maître Josée Grandchamp l'appréhendait, s'étaient mises d'accord sur l'acte d'accusation. Ainsi, la première « accusation d'avoir commis un acte de grossière indécence » ne portait plus sur un incident survenu « entre le 7 juillet 1978 [Nathalie avait neuf ans] et le 31 décembre 1987 [l'année de ses dix-huit ans] », mais après le 7 juillet 1980.

On avait raccourci le calvaire de la victime et le temps de son silence de deux ans. Mais vingt-quatre ou vingt-six ans de silence, cela changeait-il vraiment quelque chose ?

Nathalie Simard écoutait maître Grandchamp raconter sa vie, donner les détails de toutes ses infortunes. Lorsqu'on en vint à la lecture de la transcription de l'enregistrement du 17 mars, et puisqu'il s'agissait d'une présentation conjointe de la poursuite et de la défense, leurs avocats reconstituèrent les dialogues, l'un interprétant l'agresseur et l'autre la victime. Cette reconstitution était tellement loin de l'enregistrement original avec ses soupirs, ses larmes à l'occasion, les supplications de l'impresario et la froide indifférence de Nathalie Simard !

Elle était malgré tout très satisfaite du résumé que maître Grandchamp faisait de son histoire. Rien n'y manquait en effet, et l'avocate n'escamotait aucune anecdote, même les plus ignobles, qui déclenchaient des chuchotements dans la salle d'audience, mais que les journalistes n'oseraient pas rapporter le lendemain dans leurs journaux ou à la radio.

– Merci d'avoir si bien saisi ma vie, dira Nathalie Simard en serrant le substitut du procureur général dans ses bras à la fin de la journée.

Elle venait d'avoir une autre confirmation qu'on l'avait crue.

L'exposé de la preuve dura toute la matinée. Nathalie restait assise, bien droite, sur sa chaise. C'était plutôt inconfortable d'ailleurs, mais elle était tellement fascinée par le déroulement solennel de l'événement qu'elle ne sentait pas la fatigue : c'était à la fois angoissant et sécurisant pour elle. On parlait d'elle ce matin-là ! Cela lui paraissait même un peu bizarre qu'on évoque ainsi sa vie à la troisième personne. Depuis le temps qu'elle se racontait à ses parents, ses amis, aux policiers et aux avocats ! On eût dit qu'en parlant de Nathalie Simard à la troisième personne, maître Josée Grandchamp la libérait un peu du poids de son passé.

Et puis, on reconnaissait son courage d'avoir osé dénoncer son agresseur alors qu'il la supportait financièrement et qu'il lui offrait même d'augmenter la mise. C'est ce qui inspira à maître Grandchamp ses propos les plus cinglants : «[L'impresario] a certes exprimé des regrets, dit-elle, mais il a acheté le silence de sa victime à gros prix. Il était même prêt à en rajouter alors que Nathalie Simard tentait de lui expliquer qu'elle avait besoin de parler pour se libérer de son passé. »

Alors, des regrets ? Sûrement, ne serait-ce qu'à cause des conséquences très lourdes que ces révélations auraient sur la vie de l'impresario, et sur ses affaires ! Des remords ? Peut-être… bien que l'agression de 2001, alors que Nathalie le suppliait de lui fournir du travail, ne fût guère édifiante. Et surtout, l'impresario n'éprouvait ni empathie ni compassion pour Nathalie. « La principale préoccupation de l'impresario, c'est "je, me, moi" », insista Josée Grandchamp.

En fin de matinée, lorsque l'audience fut ajournée, Nathalie dit aux policiers : « Il faut que je sorte d'ici, j'ai besoin de respirer ! » On la comprend ! Nathalie Simard n'en pouvait plus d'écouter en silence d'autres personnes parler d'elle, ergoter, discuter, tergiverser. Tout cela lui semblait si froid et si distant, alors qu'elle aurait voulu crier elle-même sa détresse, parler au juge dans ses propres mots, du fond de son cœur. On dit souvent que le plaidoyer de culpabilité est une « faveur » de l'accusé à sa victime. On en fait même un facteur atténuant lorsqu'il s'agit de prononcer la sentence.

Mais le plaidoyer de culpabilité de l'accusé empêche aussi sa victime de faire état de toutes ses émotions devant le juge et devant le public. La vraie vie de Nathalie Simard n'avait vraiment rien à voir avec le ton savant d'un rapport de psychiatre.

À l'heure du déjeuner, les policiers accompagnèrent Nathalie dans un restaurant, à quelques coins de rue de là, qui offrait des petits salons privés. Pendant le repas, Daniel Lapointe la prévint encore une fois : « Ça va être plus difficile cet après-midi : ils vont sortir toutes sortes d'arguments qui ne te plairont pas, mais ne t'en fais pas, c'est normal, c'est le rôle de la défense. La justice est comme ça… » Et le policier lui promit de lui donner un petit coup de coude lorsque cela serait trop dur à supporter.

Ce fut effectivement très difficile !

L'avocate de l'impresario, Sophie Bourque, n'était certainement pas à l'aise avec les faits qui étaient reprochés à son client. Après tout, il avait préféré, pendant des années, bénéficier des faveurs sexuelles d'une enfant comme moyen d'excitation et d'obtention de sa satisfaction sexuelle.

– C'était une enfant, pas une jeune adolescente. Une enfant ! avait martelé sa collègue maître Josée Grandchamp.

Toutefois, maître Bourque – elle fut nommée juge à la Cour supérieure du Québec quelques mois plus tard – avait une tâche à accomplir : réduire autant qu'elle le pourrait la portée du crime et obtenir la clémence du juge. Même si c'était un peu une cause perdue, certains des arguments soulevés par Sophie Bourque ce jour-là firent très mal à Nathalie Simard.

Quand l'avocate révéla que l'accusé avait l'intention «d'organiser des spectacles pour venir en aide aux victimes d'agressions sexuelles», Nathalie ne put s'empêcher de penser : «Ben oui ! Tant qu'à ça, il va me demander d'y participer comme invitée spéciale !» Devinant ses pensées, le policier lui donna un coup de coude…

Nathalie Simard ne comprenait pas qu'au nom du droit de l'accusé à une défense pleine et entière, on cherche à le faire passer pour une victime, lui aussi. Ainsi, cela la révoltait qu'on prétende que l'impresario avait beaucoup souffert du battage médiatique qui l'avait obligé à se cacher pendant huit mois et à vendre son entreprise. Nathalie Simard s'était cachée pendant vingt-quatre ans, elle, et ce n'était même pas encore fini ! Et elle n'avait certainement pas des millions de dollars à mettre à l'abri…

D'ailleurs, le juge Sansfaçon prit le temps de réfuter cet argument de façon cinglante : «Cette réputation, écrit-il dans son jugement, n'aurait pas été la même si avaient été connus les abus sexuels auxquels il s'est livré sur une si longue période […] [Nathalie Simard] a contribué à sa réputation, il l'a exploitée sexuellement et a camouflé aux yeux de tous sa vraie personnalité. Que cette personnalité soit révélée, l'accusé est bien mal placé pour s'en plaindre...»

Nathalie n'admettait pas non plus que l'avocate de la défense parlât, presque de façon anodine, d'une relation affective qui s'était progressivement sexualisée... L'impresario avait-il jamais éprouvé de l'affection pour la jeune artiste? Gérant, il était terriblement exigeant pour cette fillette, lui en demandant autant qu'à un vrai professionnel de la chanson, la félicitant à peine et l'assommant de reproches quand elle commettait la moindre erreur.

– Vous avez devant vous un homme qui a des remords, conclut Sophie Bourque, qui est conscient des torts qu'il a causés et qui essaie de les réparer...

Ce mot, «remords», agressa littéralement Nathalie Simard. Elle n'y croyait tout simplement pas. Les abus avaient duré trop longtemps, et certains avaient été trop douloureux, son exploitation financière avait été trop complète, les insultes et les mesquineries avaient été trop méchantes, pour qu'elle pût croire à des remords aussi tardifs.

– L'accusé a souffert, il s'est empêché d'aller au dépanneur, lui qui aimait tellement faire ses propres courses, affirma la défense...

«Et moi? avait envie de crier Nathalie. J'ai vécu ça toute ma vie!»

La défense avait beau préfacer tous ses arguments de la phrase «Je ne veux pas minimiser ses gestes», Nathalie Simard dut se faire violence pour ne pas laisser libre cours à ses sentiments de vengeance. Car il n'y avait pas de réparation possible...

Josée Grandchamp l'avait prévenue le matin même qu'elle réclamerait une peine de cinq ans de prison. «Ça ne m'appartient pas», avait expliqué l'avocate, citant des précédents et la jurisprudence.

« Moi, j'ai été en prison toute ma vie et il aurait vingt-cinq ans que cela ne me redonnerait pas ma vie de petite fille ni ma joie de vivre », raisonnait Nathalie Simard. N'empêche que lorsqu'elle avait entendu Sophie Bourque suggérer d'imposer plutôt à l'impresario une peine de moins de deux ans à purger dans la communauté, elle trouva qu'elle allait trop loin. Alors qu'il était grand temps que le coupable « paie sa dette à la société », comme on dit, voilà qu'il essayait encore de la négocier.

Il faudra longtemps à Nathalie Simard pour comprendre tout cela. Deux ans, cinq ans, vingt-cinq ans : cette sorte d'arithmétique n'a aucune mesure avec la peine des victimes. Et surtout, la prison de l'autre ne la libérera pas de la sienne, où elle est enfermée depuis l'enfance et dont elle n'est même pas encore tout à fait libérée.

Pendant que Nathalie Simard s'éclipsait discrètement du palais de justice avec ses deux « anges gardiens », l'impresario subit une dernière humiliation qui lui avait peut-être été suggérée par son avocate, à moins que la compagnie de relations publiques qu'il avait engagée n'eût conçu cette stratégie. Toujours est-il que l'homme se présenta devant les caméras de télévision et, d'une voix un peu cassée par l'émotion, il fit une courte déclaration...

« Je regrette profondément tout le mal que j'ai fait. Je reconnais mes torts. J'ai plaidé coupable. Et puis, comme vous savez, maintenant mon sort est entre les mains du juge. Je regrette de tout mon cœur... »

Le même jour, il avait écrit une lettre à ses proches, une lettre « personnelle » qu'on pouvait lire dans les journaux et qu'il avait trouvé particulièrement difficile à écrire. À quelques mois de distance, et comme Nathalie Simard, lui aussi devait écrire une « déclaration ». Et plutôt bien écrite, d'ailleurs, puisque lui avait été à l'école plus longtemps que la petite Simard et qu'il avait les moyens de se payer une agence de relations publiques, ce que la femme n'avait pas lorsqu'elle écrivit sa «Déclaration de la victime».

«L'alcool, la faiblesse, des pulsions que je n'ai su contrôler et tout un concours de circonstances m'ont poussé à abuser des gens qui avaient confiance en moi... Ma sentence sera d'apprendre à vivre avec la honte de la douleur que j'ai causée, la peine de ma famille et de mes enfants qui ne savaient rien et qui n'ont rien su jusqu'à aujourd'hui. »

Au moins l'homme pourrait-il se dire que sa «sentence» et son «apprentissage» commençaient à soixante-quatre ans. Avant cela, il avait tout de même vécu soixante-quatre belles années de succès, d'argent et de bombance. Son agent immobilier de Sainte-Adèle n'avait-il pas dit qu'il était un épicurien – un bon vivant?

Nathalie Simard, elle, n'aura eu que dix ans d'innocence.

Le soir du procès, on célébra à *Hawwah*, la grande maison de Roxton Pond. Quelques proches étaient là, et son amie d'enfance, Annie Delisle, avait préparé une surprise. Elle avait acheté des huîtres, fait cuire des steaks dans la cheminée et débouché un magnum de champagne. On fêta la fierté retrouvée de Nathalie Simard.

Le lendemain, dans les journaux du Québec, les lecteurs se déchaînaient. Presque toutes les lettres portaient sur la sentence : le peuple criait vengeance et réclamait une peine sévère. Personne n'excusait l'impresario. «Qu'on fasse un exemple!» devint une sorte de cri de ralliement.

Dans la communauté artistique, personne n'osa se prononcer, à l'exception de Danielle Ouimet, dont les bonnes intentions furent ridiculisées. Pas un seul des artistes sous contrat avec l'impresario – avec Novem – n'osa dire quoi que ce soit. Même coupable d'agression sexuelle – et contre une jeune femme membre de la communauté artistique en plus ! –, cet impresario qui faisait la pluie et le beau temps dans les réseaux de télévision était encore craint. Ses artistes le ménagèrent, en tout cas...

Cette nuit-là, l'impresario et sa vedette dormirent bien mal. Libres tous les deux, ce qui, dans le cas de l'agresseur, révoltait les citoyens. Mais l'un était seul avec sa honte. L'autre, entourée de gens lui disant qu'ils étaient fiers d'elle.

L'impresario avait déjà un pied dans sa prison. Et elle, un pied dehors...

Le juge voulait rendre sa sentence dès le début de décembre, mais certains avocats n'étaient pas disponibles le jour qu'il avait proposé. La décision fut donc reportée, mais lorsqu'il annonça la date du 20 décembre, on comprit que sa sentence serait sévère. Souvent, les juges laissent passer le temps des fêtes avant d'envoyer quelqu'un en prison. L'impresario n'aurait pas cette faveur...

Nathalie Simard aurait pu encore une fois se rendre au palais de justice ce jour-là, mais elle préféra rester près des siens. Elle connut la sentence – quarante-deux mois de prison – presque instantanément, puisque tous les réseaux de télévision l'attendaient en direct. Elle ne comprit pas, sur le coup, que la punition pour tous les sévices qu'elle avait subis ne serait, en fait, que de vingt-six mois de prison, deux ans et deux mois, puisque les seize autres mois concernaient l'autre victime. Décidément, elle ne se fera jamais à cette arithmétique !

Pour l'heure, elle avait gagné, et elle s'effondra dans les bras de sa belle-sœur Louise. Elle pleurait comme la petite fille qu'elle n'avait jamais vraiment été.

– C'est fini, ma chouette. Tu as gagné et tu es libre aujourd'hui..., dit Louise.

L'autre était sorti du palais de justice de Montréal avec des menottes aux poignets. Il passerait sa première nuit en prison.

Mais l'affaire n'était pas terminée pour autant, puisque Nathalie n'avait pas encore dit un mot, sauf dans le secret de ses dénonciations à la police et au juge... Elle était toujours « X », la victime de l'impresario.

Il restait donc une autre étape à franchir. Lors du procès, et dans la décision du juge qui avait suivi, la poursuite et la défense avaient délicatement glissé sous le tapis toute considération financière. Or, elle avait aussi cela en tête quand elle avait appelé son ami Donald Beaudry, le 12 février 2004.

Nathalie Simard ne voulait pas se venger de l'impresario. Ni en abuser à son tour. Elle voulait s'affranchir de la tutelle financière dans laquelle il l'avait enfermée, la rendant financièrement dépendante. Pauvre, pour tout dire…

– Qu'est-ce que tu ferais à ma place? demanda Nathalie Simard à Jacques Michel.

– Moi, ce qui m'a sauvé dans la vie, c'est que j'ai toujours été en action, répondit le compositeur. Tant qu'on reste en attente, on dépend des autres. Passe à l'action, Nathalie, sinon tu vas toujours demeurer la victime de ce gars-là…

De l'action, il allait y en avoir!

CHAPITRE SEIZE

L'effet Nathalie

*Tout le monde savait que c'était moi,
et je n'avais plus envie de faire semblant.*

Après la condamnation de l'impresario, Nathalie Simard se retrouvait quelque peu piégée. L'ordonnance de la Cour du Québec « interdisant la publication de renseignements susceptibles d'identifier les victimes », faisait d'elle une victime sans recours. Certes, cela la protégeait du harcèlement des médias, mais il ne lui restait plus qu'à savourer sa victoire toute seule et en silence. Elle voulait cependant passer à autre chose, aller plus loin…

En un mot, après avoir mis son agresseur à l'ombre, elle voulait partager sa triste expérience avec d'autres victimes.

Mais elle aussi était liée par l'ordonnance. Elle ne pouvait s'en libérer qu'en retournant encore une fois devant un juge. Et, comble de l'ignominie, son agresseur aurait le droit de dire ce qu'il en pensait !

L'incognito de Nathalie Simard créait une situation ridicule, puisque tout le monde en parlait ouvertement, en particulier dans le cyberespace de groupes de discussion totalement incontrôlables.

Un sondage Léger Marketing révéla d'ailleurs que 63 % des Québécois « étaient au courant » que la victime du célèbre impresario était Nathalie Simard, et que 25 % « s'en doutaient ». Cela ne laissait que 12 % d'ignorants !

L'existence d'une « deuxième victime » banalisait un peu la vraie histoire, celle de Nathalie Simard. Le juge Sansfaçon souligna d'ailleurs que les deux situations n'étaient pas semblables. L'autre victime « a pardonné à l'accusé ». Pas Nathalie Simard !

Ce qui était un droit pour Nathalie – celui de protéger son anonymat – devenait une contrainte, maintenant que le procès criminel était terminé. On se souvient que Donald Beaudry, et les représentants de la Sûreté du Québec eux-mêmes, lui avaient demandé de ne pas mêler une réclamation de dommages financiers à la dénonciation de l'agresseur. Le substitut du procureur général du Québec était du même avis.

Maître Josée Grandchamp avait aussi prévenu Nathalie Simard que ses alliés – « ses Anges », comme elle disait – « ne faisaient que passer dans sa vie ». Le procès terminé, la sentence rendue, ces gens-là ne pouvaient plus rien pour elle... Sinon, lorsqu'ils en avaient l'occasion, pour lui demander de ses nouvelles et l'encourager à continuer sa bataille, ce qu'ils faisaient généreusement d'ailleurs !

Lorsque des affaires aussi percutantes surviennent, des propriétaires de magazines et des éditeurs de livres veulent aller plus loin. Beaucoup – sinon tous ! – contactèrent rapidement Nathalie Simard, avant même que son identité ne fût rendue publique. De vieilles amitiés du temps du *show-business* allaient ressurgir et influencer le cours des événements.

La nouvelle présidente de TVA Publications, Claire Syril, connaissait bien Nathalie Simard. Originaire d'Italie, élevée en France, elle avait elle-même chanté depuis son arrivée au Québec en 1967. Son enregistrement le plus célèbre – *C'est le temps de partir* – n'était pas passé inaperçu chez les Simard.

Puis, journaliste à *Échos Vedettes*, Claire Syril avait écrit des reportages sur les Simard. Il était tout naturel que ce fût elle qui établisse le premier contact avec Nathalie Simard. C'était en novembre 2004, avant même que l'impresario ne connût sa sentence.

Un autre collègue du *show-business*, Jacques Michel, avait repris contact avec Nathalie dès que l'arrestation de l'impresario avait été annoncée. Pour lui, il ne faisait aucun doute que la victime était la jeune fille pour laquelle il avait composé plus d'une centaine de chansons. Il travaillait d'ailleurs à ce moment-là avec une employée de l'impresario, et celle-ci l'avait rencontré en larmes le jour même :

– Mon boss vient de se faire arrêter, dit-elle.

– Ton boss avait besoin d'une bonne leçon et il va l'avoir, répondit Jacques Michel.

Il connaissait bien Nathalie et savait qu'elle n'était pas du genre à s'écraser. «Elle a du chien, cette fille!» disait-il souvent. Quand il entendit parler de l'arrestation de l'impresario, il se dit aussitôt : «Avec le tempérament que je connais à Nathalie, le gars va y goûter!»

De fait, Nathalie Simard le consulta beaucoup pendant cette période, de même que Donald Beaudry, son collègue de *Décibel*, faisant d'eux ses principaux conseillers. Les comparses du temps du *show-business* connaissaient bien TVA pour y avoir travaillé longtemps, et le compositeur en particulier encouragea la jeune femme à poursuivre ses discussions avec le groupe Quebecor. «C'est un gros machin!» répétait Jacques Michel.

C'est dans la fameuse chambre 2103 de l'hôtel Le Clarion, à Montréal, où les trois se réunissaient, que naquit l'idée d'une fondation pour aider les enfants victimes de pédophiles.

Cette idée plaisait bien à Nathalie Simard. Maintenant qu'elle était sortie de son silence, elle voulait parler ouvertement de ses malheurs et mettre en garde les enfants, et surtout leurs parents, contre les ravages de la pédophilie. Son psychologue, Pierre Hardy, l'encourageait également dans cette voie, car Nathalie avait la conviction qu'en aidant d'autres victimes, elle n'aurait plus le sentiment de cautionner son agresseur.

Nathalie Simard justicière ! Pourquoi pas ? Elle avait chèrement gagné le droit de mener une campagne contre les agresseurs.

Michel, qui en avait vu d'autres dans sa vie de compositeur-interprète, n'était pas mécontent de ces délais qui jouaient en faveur de Nathalie Simard. Les enchères montaient en quelque sorte !

Finalement, en mars 2005, le vice-président exécutif Affaires corporatives de Quebecor, Luc Lavoie, rencontra Jacques Michel pour lui présenter un ensemble cohérent d'actions à entreprendre : levée de l'interdiction de nommer la première victime, grande entrevue télévisée avec l'animateur Paul Arcand qui servirait aussi au lancement de la «Fondation Nathalie-Simard», publication d'une biographie dont une partie des profits seraient eux aussi versés à la Fondation, et tournée de conférences, également sous l'égide de la Fondation…

Et comme elle voulait le faire dès la fin de l'année 2003, Nathalie Simard entreprit une poursuite en dommages pécuniaires et moraux de 1 205 578,56 dollars contre l'impresario et ses anciennes entreprises désormais regroupées sous le nom de Novem Communications inc.

– Qu'est-ce que tu ferais, Jacques ? demanda Nathalie Simard après que Luc Lavoie leur eut présenté le plan de Quebecor.

– Nathalie, tu passes à l'action, répondit l'artiste.

Pendant ce temps-là, l'impresario fut installé dans sa prison de Laval. Des journalistes prétendirent qu'il devait être isolé des autres détenus, pour sa sécurité. En fait, séducteur et beau parleur comme toujours, il eut tôt fait de devenir la vedette du centre de détention…

Dans la véritable course à obstacles que poursuit Nathalie Simard depuis sa première conversation avec son frère, au début de 2002, l'étape de la levée de l'ordonnance judiciaire interdisant l'identification de la victime fut certainement l'une des plus pénibles. La jeune femme croyait qu'il s'agirait d'une simple formalité puisqu'il s'agissait d'elle et de sa propre vie privée. L'ordonnance de non-publication avait aidé Nathalie Simard à passer à travers l'épreuve du procès criminel, mais elle l'empêchait maintenant d'aller plus loin.

Du fond de sa cellule, à l'Établissement de la Montée-Saint-François, à Laval, l'impresario donna l'ordre à son avocat, Claude F. Archambault, d'intervenir. Nathalie Simard en fut révoltée : « Je veux aller en Cour, dit-elle à ses propres avocats. Je veux expliquer ce que je veux faire, pour qu'on voie que je ne veux pas faire de la *marde*. C'est pour m'aider que je fais ça et pour aider les autres victimes : je me sens comme une missionnaire ! »

La jeune femme crânait, mais elle passa un bien triste week-end, juste avant l'audience du mardi 24 mai 2005. L'avocat de l'impresario voulait l'interroger sur la « pertinence » de ce qu'elle voulait faire. « J'ai trouvé ça raide ! dit-elle après coup. Il tentait encore d'avoir le contrôle sur ma vie, de m'empêcher de m'exprimer… »

Évidemment, l'impresario craignait le battage médiatique qui ne manquerait pas de s'ensuivre. Son avocat le dit, d'ailleurs : « Elle a sûrement un but en demandant que son identité ne soit plus dans l'anonymat, dit maître Archambault. Son but, c'est peut-être de raconter les détails de l'affaire dans un livre ou d'autres façons. Lui [l'impresario], il a voulu éviter ça… »

Dans le fond, l'agresseur avait passé vingt-cinq ans à lui dire : « Tu ne parleras pas ! » Et à la première occasion, après avoir reconnu sa culpabilité et avoir été condamné, il a encore le droit de revenir devant le juge et de dire à Nathalie : « Tu ne parleras pas… »

– Je trouve ça injuste ! lança Nathalie Simard au juge Maurice Laramée de la Cour supérieure du Québec, qui entendait sa requête.

Le juge en question comprit très bien ce qu'elle voulait dire : «Dans un cas où la victime demande elle-même de parler, écrit-il dans sa décision, la Cour ne voit aucun motif de nier à la presse les éléments qui constituent sa raison d'être, informer. Il serait pour le moins incongru d'imposer à une personne en possession de tous ses moyens une protection dont elle ne veut pas…»

Selon un sondage de Léger Marketing, 83 % des Québécois approuvaient la démarche de Nathalie Simard ! L'impresario n'avait vraiment plus la cote !

Les réserves de l'impresario jetaient un autre regard sur sa «générosité» d'avoir plaidé coupable. Il voulait, avait-on dit, «éviter à la victime de témoigner, d'être traumatisée par le contre-interrogatoire des avocats, de raconter les détails devant la Cour, d'être humiliée, d'être gênée».

Mais était-ce bien cela ? L'impresario ne pensait-il pas plutôt à lui-même, ainsi qu'à sa famille sur qui rejaillirait l'opprobre ?

Son avocat révéla, sans le vouloir, ses intentions réelles : «Il voulait, après sa réhabilitation, après sa thérapie, passer à autre chose.» En somme, après quarante-deux mois de prison – quatorze en fait si tout se passait bien pour l'impresario – «on efface tout et on recommence»…

«Je, me, moi», avait dit à son propos maître Josée Grandchamp.

Du fond de sa prison, l'impresario pensait encore à lui : il voulait éviter «un deuxième procès». Mais ce n'était pas du tout de cela qu'il s'agissait.

Deux jours plus tard, Nathalie Simard expliqua à l'animateur Paul Arcand ses intentions… L'entrevue faisait partie du plan d'action que lui avait présenté Luc Lavoie, mais c'est Nathalie qui avait choisi Paul Arcand. Dans ses émissions de radio, la question de la maltraitance des enfants revenait souvent. Trop souvent, selon lui ! Il avait fini par en faire une cause personnelle, travaillant même sur un long film documentaire qui sortirait à l'automne de 2005.

Nathalie Simard connaissait son intérêt pour la cause des enfants maltraités, et elle tenait aussi à une entrevue musclée, avec quelqu'un qui poserait les vraies questions, celles que les gens voulaient entendre. « Je veux quelqu'un de solide », dit-elle aux producteurs de TVA.

Le plus ironique, se dit la jeune femme, c'est que son impresario n'aurait jamais voulu qu'elle rencontre un tel animateur ! « Trop dur, ce gars-là ! » aurait-il décidé. Ou si elle l'avait fait, elle lui aurait « raconté un tas de menteries ».

L'entretien, enregistré dans la soirée du mercredi 25 mai, fut diffusé le lendemain soir. Ce qui surprit les rares personnes qui avaient assisté à l'enregistrement, ce fut la détermination de la jeune femme, malgré des questions parfois très directes. Et son professionnalisme aussi : elle parlait à la caméra avec un aplomb surprenant pour quelqu'un qui n'avait pas fait de télévision depuis tant d'années. Et jamais dans des circonstances aussi difficiles !

Au-delà de sa triste histoire, cette femme avait un message à faire passer !

– Je veux que ça cesse ! dit Nathalie Simard, regardant soudain la caméra. Je veux qu'on brise le silence parce que le silence… – et là je m'adresse aux victimes en ce moment ! – le silence qui est là donne une protection extraordinaire à ces délinquants, à ces pédophiles qui entourent nos enfants ou qui vous entourent en ce moment. Je veux vous dire : « Ayez confiance en la justice. » […] Il faut se réveiller face à cet énorme problème qui existe dans notre société. On parle de gens qui sont proches de nos familles, qui profitent de nos enfants. Ça n'a pas de bon sens ! On les laisse briser la vie de nos enfants…

293

« Moi, je dis aux victimes : Croyez en la justice. C'est ça que je veux faire avec ma Fondation, aider les victimes d'agressions sexuelles. Et c'est pas pendant un mois, là, que je veux faire ça. Je veux en faire ma cause personnelle. Moi, je l'ai vécu, je sais de quoi je parle, je veux faire des conférences, aller voir les enfants dans les écoles, parler aux parents, sensibiliser les gens à cet énorme problème qui détruit nos enfants. Ce que j'ai envie de faire, c'est d'informer les victimes qu'il y a de l'aide qui existe quand on dénonce. Ayez confiance, il y a de l'aide qui existe…

« Dénoncez ! Moi, c'est mon message, et j'entends porter ce message pendant très, très longtemps. »

Deux millions et demi de téléspectateurs ont vu cela. L'impact fut celui d'une tornade balayant soudain tous les foyers du Québec. Les Centres d'aide et de lutte aux agressions à caractère sexuel – les CALACS – reçurent une moyenne de 260 appels téléphoniques ou lettres par jour pendant les deux semaines qui suivirent. Deux ou trois fois plus qu'habituellement.

À la Direction de la protection de la jeunesse aussi, on a senti la vague passer. Quand les victimes ont vu que même un homme aussi célèbre et populaire que l'impresario pouvait être reconnu coupable, elles se sont dit que leur agresseur pourrait bien l'être aussi. Ainsi en témoigne cet appel reçu au regroupement des CALACS le 7 juin suivant…

« Moi, j'ai été violée par mon frère il y a vingt-cinq ans… Des histoires comme la mienne, il en arrive constamment. C'est l'histoire de Nathalie Simard qui m'a toute chambardée. Je l'écoute et la réécoute. Je me dis : "C'est moi ça, oui, c'est comme ça pour moi aussi." Je me suis cachée. J'ai eu honte. J'ai de la peine pour moi et j'ai décidé cette fois de m'en occuper. Va-t-on m'aider ? Faut-il attendre, payer pour de l'aide ? Me croirez-vous ? Puis-je me sortir de là ? En guérir ? »

Les témoignages se multipliaient. Quelques dénonciations aussi. L'impresario avait bien tort de s'inquiéter seulement de sa propre personne. Ce n'est pas un deuxième procès qu'on allait lui imposer, mais le procès de toute une société qui fermait les yeux sur « un énorme problème », comme disait Nathalie Simard.

Après cette entrevue télévisée, Nathalie Simard devint une sorte d'intouchable. Les commentateurs, à quelques exceptions près, n'osaient plus critiquer son entreprise. Même la fille de l'impresario qui, tout en poursuivant ses activités d'animatrice, avait repris ses affaires sous le nom de Novem et avait refusé jusque-là de commenter l'affaire, crut nécessaire de faire une déclaration publique…

« J'éprouve énormément de peine et d'empathie pour les deux victimes et j'appuie la démarche de Nathalie Simard : celle de vouloir une vie normale comme la vôtre et la mienne. Je lui souhaite sincèrement tout le bonheur qu'elle mérite. » La présidente de Novem s'associa même au message lancé par son amie d'enfance : « En tant que mère de famille, je suis touchée par toute cette histoire et considère ces agressions comme inacceptables. »

Elle prononça aussi ce verdict, terrible pour une fille, mais qui lui valut à elle aussi beaucoup de sympathie : « Je condamne évidemment les gestes posés par mon père… »

Il fallait s'attendre à de telles réactions. Comme tous les psychologues qui ont eu à supporter des victimes d'agressions sexuelles, Pierre Hardy les avait prévues. « Certaines personnes se disent qu'en dévoilant publiquement son cas, Nathalie a l'air de s'en sortir. Cela peut en inciter d'autres à se dévoiler aussi. »

Déjà, en mars 2005, un sondage CROP réalisé pour la Fondation Marie-Vincent révélait que 97 % des Québécois francophones avaient suivi le procès de l'impresario. La moitié en avaient ressenti de la colère et 33 %, de l'indignation. Seulement 3 % restaient indifférents à cette affaire.

Cependant, le sondage révéla un détail alarmant : 18 % des personnes interrogées par le sondeur – 23 % des femmes et 13 % des hommes – confiaient avoir subi des attouchements sexuels non désirés avant l'âge de dix-huit ans. Près d'une femme sur quatre avait donc été confrontée avec ce genre de situation... «Énorme problème» en effet !

Le 27 mai 2005 à 20 h 30, le site Internet de la Fondation Nathalie-Simard fut créé, provisoirement hébergé par le réseau Canoë. Ce fut une avalanche de courriers pendant les jours qui suivirent : 1127 messages le lendemain, 1610 le lundi suivant, 1302 le mardi...

Nathalie reçut aussi toutes sortes de messages par l'intermédiaire de Paul Arcand lui-même, de TVA, et d'autres mystérieux canaux. À croire qu'une chaîne de bonne volonté s'était soudain créée pour l'inonder de messages.

Il y avait de véritables appels au secours, des messages d'encouragement, des offres de service bénévoles. Et d'anciennes connaissances qui reprenaient le contact. Il y avait aussi des participantes ou des membres du fan-club du *Village de Nathalie*. Des gens qui, dans la trentaine aujourd'hui, se souvenaient de l'époque où ils voulaient avoir les yeux, les cheveux, les robes de Nathalie.

Les mots qui revenaient le plus souvent étaient «bravo», «félicitations», «courage», «bonne chance». Il y avait de petits mots griffonnés sur une feuille de papier ligné, sur une carte postale, sur du papier fantaisie. Des dessins, des photos, des gravures.

Nathalie Simard lisait tout cela avidement, les rangeant soigneusement dans un cartable. C'étaient ses nouveaux trophées. Mais, surtout, beaucoup de messages commençaient par ces mots : «Moi aussi...»

En voici quelques-uns, dont les auteurs se reconnaîtront sans doute...

« Chère Nathalie,

« J'aimerais d'abord sincèrement m'excuser pour toutes les fois que j'ai ri de toi en ridiculisant ton nom et ta personne. Je t'en demande pardon.

« Sans le savoir, j'allais moi aussi subir un abus sexuel, rire à l'extérieur et avoir honte à l'intérieur. Tous les soirs, mon beau-père venait dans ma chambre. Il me demandait de lui sucer son pénis et d'avaler son "miel". Il me disait qu'il m'aimait. Un amour si fort qu'il le faisait sous les yeux de ma mère, ses mains en dessous de la table, agrippant et palpant mon sexe. C'était devenu comme jouer au plus malin, comme un *thrill* dans les places les plus dangereuses.

« Cela a duré deux ans. À douze ans et demi, je l'ai dénoncé à un ami de ma mère qui est immédiatement venu l'en informer. Elle m'a attendu, m'a demandé si c'était vrai et m'a forcé à rester dans ma chambre en punition en attendant le retour de mon beau-père.

« Je crois que j'ai eu peur. Je suis sorti par la fenêtre. En cachette, j'ai sorti mon vélo et je suis allé rapidement au poste de police.

« En réalité, ce n'est pas l'abus, ni la honte de me voir dire à ce policier que mon beau-père m'abusait qui m'a fait le plus mal, mais le rejet de ma mère. Je me vois encore dans la voiture de police, incapable d'en sortir alors que ma mère me rejetait une fois de plus devant les policiers, préférant ne rien croire.

« Aujourd'hui, j'ai 25 ans. De 12 ans à 18 ans, j'ai fait sept familles d'accueil, deux foyers d'accueil, un centre d'accueil et un séjour en prison. Après mes dix-huit ans, j'ai dû vivre dans la rue, connaître la prostitution et apprendre à m'en sortir par moi-même dans les refuges pour jeunes adultes.

« C'est moi qui ai été puni pour avoir dénoncé un pédophile. Financièrement dépendante de lui, ma mère a préféré tout sacrifier pour l'avenir de mon plus jeune frère.

« Après mes 18 ans, j'ai tout fait pour essayer de revenir chez moi. J'ai fini par comprendre que, pour mon beau-père, je représentais un trop grand risque. Une menace.

« Et il a raison. Il n'a jamais suivi de traitement comme il ne m'a jamais demandé pardon. Récemment, j'ai voulu consulter un avocat. Je ne vis plus. Je me sais dépressif. J'en ai mal. Je voudrais tant qu'il meure. Je déteste ma mère. J'ai mal et j'ai vraiment le désir de mourir. Il n'y a plus rien entre moi et eux. Je ne connais presque plus rien de leur vie. Maintenant, c'est moi le problème. J'ai menacé ma mère de poursuite tellement je n'en peux plus, tellement je ne sais plus quoi faire. Lui, pour des raisons financières, a purgé moins d'un an, seulement les fins de semaine en prison. Oui, c'est honteux la prison ! Mais c'est encore plus grave que moi j'aie encore à payer, alors que lui, il travaille, gagne des sous, et semble à l'aise avec ce qu'il m'a fait vivre maintenant que tout cela est "du passé".

« Je te demande de m'aider Nathalie, s.v.p. Je m'excuse d'avoir ri de toi si longtemps, parce que, maintenant, c'est moi qui pleure sur ma chaise. »

Ce n'est qu'un spécimen des lettres que la Fondation classait dans la catégorie des « appels 911 », ceux qui requéraient une réponse immédiate. L'homme racontait la triste histoire que Paul Arcand entend si souvent sur les ondes de son poste de radio. Les jeunes victimes, lorsqu'elles ont le courage de dénoncer un agresseur, ne sont tout simplement pas crues. L'État ne sait trop qu'en faire, et à dix-huit ans, il leur dit : « *Bye Bye !* Débrouille-toi… »

Il y avait aussi des messages moins « urgents » mais tout aussi pathétiques…

« Bonjour,

« Si je vous écris aujourd'hui, c'est surtout pour vous féliciter de votre immense courage.

« Je veux vous dire aussi que, comme sûrement d'autres qui vous ont écrit, ma cousine a vécu, étant jeune, l'inceste de la part de son cousin. Suite à votre entrevue, elle veut le dénoncer, mais elle hésite, car tous les deux étaient mineurs. Elle avait entre sept et neuf ans, et lui, entre quatorze et seize ans. Depuis votre passage à la télévision, elle ne cesse de pleurer sur son histoire et aussi sur la vôtre, car elle est passée à votre émission du *Village de Nathalie*. Dans sa tête, elle ne cesse de se dire que, lorsqu'elle vous a rencontrée, tout ça vous arrivait et personne n'a vu quoi que ce soit. Elle a de la peine pour vous.

« Ce que je veux vous demander est bien spécial. Je sais que votre message est "Dénoncez !" Mais que faire quand la seule personne qui la croit, à part moi, est sa mère, qui la décourage de dénoncer ? Elle ne sait pas à qui en parler et moi, je n'ai pas connu cela et je ne sais quoi lui dire…

« Je voulais aussi vous dire qu'un jour vous trouverez quelqu'un pour vous. Même après ce qui vous est arrivé, votre bonté, votre courage et votre sourire sont toujours là. Vous êtes une très belle femme et, croyez-moi, quelqu'un vous le dira un jour, chaque soir ! »

Voilà une référence à un autre passage de l'entrevue de Nathalie à la télévision qui a frappé l'imagination, celui où elle exprime sa crainte, celle de toutes les femmes victimes d'abus, de ne pas être capable d'établir une relation saine avec un homme. « À ce sujet-là, j'ai encore du travail à faire », se disait Nathalie en lisant ces confidences.

Il y avait aussi des messages d'encouragement, de gens qui avaient vécu les mêmes agressions que Nathalie, mais qui s'en étaient sortis…

« Comme bien d'autres, je tiens à vous féliciter pour votre courage. J'ai 25 ans et j'ai vécu deux viols pendant mon adolescence, pas par des pédophiles mais par des gens en qui j'avais confiance. J'étais naïve ! Je comprends donc une partie de votre souffrance.

« Mais je vis maintenant une vie normale, et ma vie intime l'est aussi.

« Les femmes, enfants ou adultes, doivent savoir et comprendre que la vie continue et qu'elle peut être très belle malgré la douleur.

« P.S. Vers la moitié des années 80, votre frère René et vous aviez donné un spectacle au Nouveau-Brunswick, là où j'ai grandi. Ma mère m'y avait emmenée. Encore maintenant, de temps en temps, j'y repense en me rappelant à quel point je vous admirais déjà il y a vingt ans ! »

Une autre femme, elle aussi victime d'inceste, n'avait pas eu les moyens de consulter un psychologue. Le témoignage de Nathalie réveilla de vieux démons chez elle :

« Maintenant âgée de 33 ans, j'ai deux belles grandes filles et j'ai surmonté tout ceci mais sans avoir accès à l'aide nécessaire pour m'en sortir car je n'en avais pas les moyens. Aujourd'hui, cela commence à me troubler davantage. Ma vie de couple en prend un coup. Les attouchements ne me semblent plus du tout les mêmes. Je me sens prise et, en plus, je dois surveiller mes filles, car j'ai peur pour elles…

« Surtout Nathalie, n'aie pas peur que personne ne t'aime, car tu es une très bonne personne. Comment pourrait-on ne pas t'aimer, toi ? Moi, cela m'a pris quatre ans, mais j'ai un bon gars dans les mains : il est au courant et il comprend. »

Enfin, les offres de service sont nombreuses : des psychologues, des médecins, des avocats se disent prêts à prendre du service pour la Fondation Nathalie-Simard. Bénévolement. Ces lettres permettaient aussi de renouer des liens personnels…

« Bonjour ma belle chouette,

« Je suis la fille du docteur X, écrit une avocate. Cela fait longtemps qu'on ne s'est pas vues. Je sais que tu as téléphoné à ma mère pour lui souhaiter bon courage lors de notre épreuve, alors je fais de même pour toi.

« Je voulais t'informer que je crois pouvoir te donner un coup de main pour la Fondation, puisque je suis avocate, et mon bureau est spécialisé dans la représentation de victimes d'actes criminels. Alors, si tu as le temps, donne-moi un coup de fil. Bravo ! »

Il y avait beaucoup de lettres de gens dans la trentaine, des femmes surtout, qui avaient suivi la carrière de Nathalie de très près. Ils avaient connu l'enfant ou la jeune fille et ne s'attendaient pas à la revoir à la télévision dans des circonstances aussi dramatiques.

« Tu étais mon idole et j'enviais cette vie de rêve que tu menais. Toutes les petites filles de mon âge en rêvaient. Ce soir, je me suis sentie bafouée, j'ai l'impression d'en avoir manqué une ! Remarque bien que la petite fille que j'étais n'aurait pas compris si elle avait su. Mais aujourd'hui je pense que [l'impresario] a volé ton enfance et sali mes souvenirs d'enfant. J'ai pleuré en me rappelant le plaisir que j'avais à te voir à la télé. Qui aurait pu deviner le drame que tu vivais ? Aujourd'hui, mon cœur de mère est bouleversé et mon cœur de petite fille aussi… »

Et, bien sûr – il ne serait pas honnête de ne pas parler de cela aussi… – il y eut quelques messages particulièrement méchants. Ces gens-là reprochent à Nathalie Simard de s'acharner sur son agresseur et de vouloir se faire du capital avec son histoire…

« Je te considère cruche de vouloir te faire du capital social et artistique avec ce que tu as vécu. N'aurais-tu pas pu faire seulement ta thérapie et nous foutre patience avec tes histoires qui ne tiennent plus debout ? Tu nous as obligé à prendre ton parti en racontant mensonges par-dessus mensonges, alors qu'il y a un homme MALADE en prison actuellement par ta faute.

« Fous patience à [l'impresario]. Il paie déjà assez cher pour cette erreur. C'est immonde ce qu'il t'a fait, je suis d'accord. Mais ce que tu fais présentement est encore plus immonde ! Je suis très très déçue de la petite Simard… »

Et la lettre continue, avec des attaques de plus en plus personnelles et méchantes.

Nathalie Simard a pris tous ces messages, les bons comme les mauvais, avec une grande satisfaction. Son message avait porté : les gens s'exprimaient, certains dénonçaient, plus personne n'était indifférent.

L'effet Nathalie agissait.

Nathalie Simard n'était pas n'importe qui. Les citoyens du Québec l'avaient connue toute petite, en fait elle faisait partie de la famille de tous les jeunes parents dans les années quatre-vingt. Son message ne risquait pas de passer inaperçu.

Et surtout, elle allait donner de l'espoir à tous ceux qui souffraient en silence, comme elle autrefois, et du courage pour dénoncer et réclamer justice. Si un homme aussi célèbre et aussi populaire que l'impresario pouvait tomber, qui d'autre résisterait à une dénonciation ? Nathalie se disait que même si elle ne sauvait qu'une personne, elle aurait déjà atteint son but.

– Les milliers de courriels, les centaines de lettres et de communications de toutes sortes reçus après ma sortie publique sont venus confirmer ce que je soupçonnais : j'étais loin d'être seule dans ma situation, dit Nathalie Simard au lancement officiel de sa Fondation, le 14 septembre 2005. Des centaines, même des milliers d'enfants, qui ne demandent rien d'autre que de découvrir tout ce que le monde a de merveilleux à offrir, souffrent en silence, victimes d'abuseurs sans scrupules.

*

Le versement, par TVA, d'une somme de 100 000 dollars à la Fondation à l'occasion de l'entrevue télévisée de Nathalie Simard avait fait beaucoup jaser, surtout la concurrence, d'ailleurs. La perspective d'une biographie à grand tirage alimentait les plus folles rumeurs. La Fondation accumulerait des sommes que les gens imaginaient «considérables». Ceux qui avaient des doutes, ou éprouvaient de la sympathie pour l'impresario, s'en servirent pour tourner en dérision les intentions réelles de Nathalie Simard.

– On l'sait ben, elle fait ça pour l'argent, entendait-on dire, parfois sur les ondes de postes de radio et de télévision. Cela enrageait littéralement Nathalie Simard : «Et lui, disait-elle en parlant de son agresseur, il s'est garroché sur l'argent toute sa vie!»

Le docteur Hélène David, professeur et titulaire de psychologie à l'Université de Montréal, eut une fort jolie formule pour répondre à ces mauvaises langues : «Il y a des gens qui montent l'Everest et écrivent des livres pour une cause. Nathalie Simard vient d'escalader trois Everest avec ce témoignage qui nous montre une femme convaincante, travaillant avec acharnement à recoller sa vie. Il y en a qui font de l'argent pour moins que ça!»

Nathalie Simard était tout de même attristée qu'on puisse débattre de choses pareilles après qu'elle eut raconté tout ce qu'elle avait vécu. C'était de la mesquinerie, mais ses amis l'avaient prévenue : Nathalie Simard et sa Fondation seraient scrutées à la loupe par les journalistes et par les amis de l'impresario. «Ça va être transparent et j'attends les mesquins!» dit-elle à ceux qui avaient accepté de faire partie du premier conseil d'administration. «Tout va être clair pour clouer le bec à ce monde-là...»

La Fondation Nathalie-Simard a déjà engagé une firme d'experts pour vérifier tous ses comptes. Son rapport annuel sera rendu public. Un maximum de 15 % des fonds recueillis servira à son administration. Et Nathalie Simard assurera sa présidence bénévolement.

Le 6 juin 2005, les « Lettres patentes » de la Fondation Nathalie-Simard étaient déposées au Registraire des entreprises du Québec sous le matricule 1163032031. Les buts poursuivis sont les suivants :

* Créer et maintenir une fondation à des fins de bienfaisance, de charité, de secours aux victimes d'agressions sexuelles et de pédophilie, d'éducation, de recherche, de sensibilisation, d'aide à ces victimes, d'organisation, d'assistance et de support aux familles de ces victimes, et toutes autres fins de même nature, le tout sans restriction quant aux croyances religieuses ou à la nationalité des personnes qui, directement ou indirectement, peuvent bénéficier de tels secours, aide, assistance et support.

* Recevoir des dons, legs et autres contributions de même nature en argent, en valeurs mobilières ou immobilières, administrer de tels dons, legs et contributions ; organiser des campagnes de souscriptions dans le but de recueillir des fonds à des fins charitables.

* Les objets ne permettent cependant pas aux souscripteurs ou à leurs ayant droit de recouvrer sous quelque forme que ce soit l'argent qu'ils auront versé à la personne morale.

Au-delà de ce jargon administratif, il y a des ambitions précises pour Nathalie Simard, en grande partie inspirées par l'animateur Paul Arcand. Des 80 heures d'entrevues avec des victimes qu'il a tournées pendant un an pour son documentaire, *Les Voleurs d'enfance*, il a en effet retenu que les centres d'aide aux victimes d'agressions de toutes sortes, en particulier lorsqu'il s'agit d'enfants, sont terriblement dépourvus de moyens.

L'enfant qui dénonce devient un enfant problème, on le traîne d'une place à l'autre et, au bout du compte, il devient un peu plus voyou, un peu plus délinquant ou un peu plus rebelle.

« Le juge va recommander que le jeune consulte un psychologue, ou tout autre spécialiste, mais on le met sur une liste d'attente, raconte Paul Arcand. Et en parallèle, ajoute-t-il encore, carrément outré, l'agresseur a droit à une thérapie. C'est correct, mais est-ce qu'on ne pourrait pas équilibrer les choses un peu ? »

C'est pour cela que Nathalie Simard et Paul Arcand sont rapidement tombés d'accord sur une chose : la Fondation ne prendra pas la place de ce qui existe déjà sur le terrain, en développant par exemple des programmes ou des services. Le rôle de la Fondation, surtout avec la capacité qu'elle va avoir de collecter des fonds, sera de soutenir ceux qui sont déjà là, qui connaissent le monde des enfants agressés et qui savent exactement ce dont ils ont besoin…

Et ces besoins sont criants : pour l'ensemble des trente Centres d'action et de lutte contre les agressions à caractère sexuel, par exemple, le budget total est de 6,7 millions de dollars. Il y a en moyenne quatre travailleuses sociales dans chacun des centres, mais elles sont souvent dans l'obligation de mettre des cas urgents sur des listes d'attente !

La Fondation viendra donc compléter les interventions d'un État de plus en plus chiche pour les victimes d'agressions sexuelles. Il y a une raison à ce désintéressement des gouvernements pour la cause des enfants victimes d'abus de toutes sortes : c'est une question dont on parle peu et la pression de l'opinion publique n'est pas très forte. Ce n'est donc pas politiquement rentable d'en parler.

« Il y a beaucoup de téléthons au Québec, pour appuyer toutes sortes de causes, mais aucun sur la maltraitance », déplore d'ailleurs Paul Arcand.

Trop peu de personnalités ou d'artistes veulent s'associer à une cause aussi « honteuse », dont personne ne veut entendre parler, que la majorité ignore en pensant que « cela n'arrive qu'aux autres ». Les rares qui ont le courage d'en parler publiquement se font inévitablement demander : «Avez-vous été agressé vous-même ?»

Nathalie Simard a courageusement choisi une autre voie et s'en est expliquée, le 14 septembre 2005 : «Pendant vingt-cinq ans, j'ai vécu avec un terrible secret. Cette vérité cachée était en train de détruire ma vie. Je n'en pouvais plus, ma vie devait retrouver un sens. Lorsque j'ai décidé de porter plainte contre mon agresseur, j'étais lucide et je savais donc qu'étant une personnalité publique, ce geste aurait un retentissement hors du commun. Je risquais de blesser des innocents, je risquais de passer pour quelqu'un qui avait soif de vengeance et, même si les professionnels avec qui j'étais en contact me disaient qu'il fallait d'abord que je pose ce geste lourd de conséquences, si je voulais vraiment m'en sortir, je devais assumer ma réalité de personnage public.»

La jeune femme se sent l'âme d'une «missionnaire», comme elle dit. Elle prendra son bâton de pèlerin et tentera de perpétuer «l'effet Nathalie». La cause est noble. La jeune femme a beaucoup de crédibilité et le talent qu'il faut pour la défendre. Mais porter un flambeau, cela peut être lourd! Ceux qui l'ont vue, le soir du 26 mai avec Paul Arcand, et le 14 septembre, sont cependant assurés de sa réussite.

«Le destin a voulu que ta route soit faite d'embûches, écrit une vieille connaissance du quartier Chomedey à Laval. C'est ce qui fait de toi la Nathalie que tu es devenue : d'une petite fille meurtrie à une mère avertie, à une femme combien grandie. Tes traumatismes, tes déceptions, tes peines, puis tes efforts et ta démarche n'auront pas été vains...»

Et pour finir, il faut encore citer ce message presque intime, qui commence par «Ma petite Nathalie», mais son auteur précise qu'à son âge, quatre-vingt-sept ans, il peut bien se permettre cette familiarité! «Vous allez conserver les mauvais souvenirs pour le restant de vos jours, mais, comme le vent use la pierre, le temps va dissiper les douleurs que votre cœur a endurées.»

Tout compte fait, « Nathalie Simard – la victime » bénéficierait, elle aussi, des retombées de « l'effet Nathalie ».

Ce ne serait que justice…

Guérir

Alors le p'tit bonheur a fait sa guérison...

Depuis son apparition à la télévision, le soir du jeudi 26 mai 2005, Nathalie Simard est redevenue un personnage public. Elle a entrepris une nouvelle carrière, mais c'est aussi, malheureusement, une « carrière de victime ».

Elle s'en est sortie, pense-t-on. Mais à quel prix ! Combien de fois, depuis sa première confession publique, a-t-elle dû raconter son histoire, jusque dans ses détails les plus sordides. Le plaidoyer de culpabilité de l'impresario devait lui épargner de pénibles confrontations. Cependant, la fausse compassion de certains n'est-elle pas aussi pénible à supporter que l'acharnement d'un avocat ?

Pendant tout l'été 2005 où elle s'est confiée à moi, méthodiquement, courageusement, je l'ai vue changer. Je l'ai vue sourire, chanter, fêter avec des amis. Pourtant, elle menait de front sa poursuite contre l'impresario et la préparation de son retour sur scène. Pour ceux qui la voyaient de loin, elle dégageait une impression d'assurance et de force de caractère.

Je peux témoigner des efforts surhumains qu'elle a fournis pour en arriver là, tant je l'ai souvent mise à l'épreuve. La jeune femme est encore fragile. Le 11 septembre 2005, à 4 h 21 du matin, après avoir terminé la lecture du manuscrit de sa biographie, Nathalie Simard m'envoyait un message électronique : « Je viens de voir ma vie se dérouler sous mes yeux et, ouf, ce n'est pas facile ! »

Elle vivra d'autres épreuves, auxquelles elle se prépare déjà, comme la « libération » de son agresseur – conditionnelle en 2006, puis définitive en 2008. Elle s'est fait une raison, même si elle trouve la peine bien légère…

Nathalie Simard refuse de croire au remords de son agresseur. C'est son droit de victime.

Pour ma part, je m'étais toujours imposé de croire à la rédemption de tous les criminels, aussi crapuleux soient-ils. Mais après avoir reconstitué la vie de cette femme, au point de partager parfois sa peine, je n'ai plus envie, moi non plus, de consentir au pardon. Pas pour l'instant, en tout cas.

En pardonnant, j'aurais l'impression de trahir Nathalie. Et l'avenir de madame Simard m'importe davantage que la rédemption de son impresario. Je préfère donc pécher par complicité avec la victime plutôt que par complaisance envers l'agresseur.

Car la faute de l'impresario ne fut pas le résultat d'un moment d'égarement. La destruction de la petite fille qu'était Nathalie Simard avait été planifiée dès le 4 mai 1979, organisée pendant les mois qui avaient suivi et prolongée jusqu'au 17 mars 2004 – 24 ans, 10 mois et 13 jours exactement.

La prédation fut sexuelle. Le pillage, financier. La cruauté, mentale.

D'abord initiée – « As-tu déjà vu un pénis ? » –, puis harcelée – « Touches-y… » –, ensuite violée – « Il me tenait les bras pour pas que je bouge… » –, condamnée au mensonge enfin – « Il ne faut jamais que personne sache ce que tu as fait… » –, elle a enfin brisé le silence.

Que Nathalie Simard se soit, malgré tout, rendue aussi loin – vingt-six grands disques, presque tous «d'or» ou «de platine», des centaines de spectacles, quatre Félix, un MetroStar – tient presque du miracle, mais surtout de son incroyable détermination.

A-t-on pensé à l'horreur que vivait cette adolescente, agressée dans une chambre d'hôtel quelques heures avant d'aller faire rêver un parterre d'enfants? Ou de jouer les petites filles sages quand elle sentait, dans son dos, le regard égrillard de l'impresario?

En dépit de tout son passé, la jeune femme a réussi à conserver suffisamment de volonté pour parler. Elle a même eu le courage d'amener son agresseur à avouer. Cet exploit, le substitut du procureur général du Québec et les policiers l'ont souligné.

Elle s'en est sortie, dira-t-on. Mais seule! Malgré la fréquence des agressions sexuelles, malgré son intimité avec l'entourage de l'impresario, personne n'a rien vu. Rien entendu non plus, puisqu'il lui mettait la main sur la bouche en murmurant : «Chut…»

Admettons que personne n'a rien pu voir ni entendre…

Que dire alors du pillage financier? Est-ce un hasard si le père a été éloigné de ses enfants dès qu'ils ont commencé à rapporter de l'argent à l'impresario? Avant même la diffusion du premier disque de Nathalie Simard – «Tous les enfants du monde», avec son frère –, Gabrielle L'Abbé, sa mère, avait demandé la convocation d'un conseil de famille, le 4 mai 1979, et, ce jour-là, personne ne s'étonna de l'absence du père. Pourtant, il avait commencé une cure de désintoxication en 1977 et était sobre depuis 1978.

Personne ne se surprit non plus que Nathalie fût assistée d'un tuteur, son frère, alors que ses deux parents étaient en pleine possession de leurs moyens. Puis, moins de deux ans plus tard, le 28 janvier 1982, le même conseil de famille autorisa René à signer un contrat de gérance avec l'impresario.

Mais quel conseil de famille! Composé tantôt de collaborateurs de l'impresario, tantôt de son neveu et de son comptable.

Et quelle tutelle ! L'abondante correspondance entre le curateur public et le comptable ou le tuteur de Nathalie Simard montre à quel point les rapports arrivaient en retard, les documents manquaient, les informations étaient incomplètes.

Sur le site Internet du curateur public, on peut lire : «Le tuteur accomplit une tâche importante. Il représente le mineur dans tous les actes civils, prend soin de sa personne et administre ses biens avec prudence, diligence et compétence. Il veille à son éducation et lui procure une surveillance adéquate. Le tuteur qui administre un patrimoine d'une valeur excédant 25 000 dollars est assisté dans sa charge par un conseil de tutelle […]. [Le curateur public] a le mandat d'informer le tuteur de ses obligations et de l'assister dans son rôle de représentant légal, tout en supervisant son administration. Il surveille la gestion du tuteur…»

Probablement trop jeune et lui-même trop dépendant de l'impresario, ce tuteur n'a visiblement pas respecté l'esprit d'une loi qu'il connaissait sans doute mal. Accepter, par exemple, qu'une enfant soit retirée de l'école à l'âge de treize ans, est-ce vraiment «veiller à son éducation»? Laisser une adolescente voyager seule avec un homme dans la quarantaine connu pour ses mœurs libertines, est-ce «lui procurer une surveillance adéquate»? Quant à l'administration financière, on peut comprendre que tout le monde s'en était remis au comptable de Nathalie, mais quelqu'un aurait pu s'étonner qu'il fût aussi celui de l'impresario et de ses entreprises de production de disques et de spectacles, ainsi que celui du tuteur.

Le curateur, qui recevait chaque année un rapport annuel, qui devait «superviser» l'administration des biens de la mineure, «surveiller» la gestion de son tuteur, n'a-t-il rien vu lui non plus? Rien soupçonné? Alors, à quoi sert la curatelle publique?

Quant au conseil de famille, dont la mère avait réclamé la constitution, se réunissait-il «au moins une fois l'an» pour étudier le rapport du tuteur? Des comptes rendus de ces réunions étaient-ils rédigés et transmis au curateur public?

Toutes ces nombreuses questions poussent à la conclusion que Nathalie Simard était aux mains d'un agresseur et de sa clique, qui ne faisaient aucunement preuve de transparence dans la gestion de ses biens. Comment ne pas douter aussi du comportement de tous ces gens qui devaient une grande part de leur prospérité à la jeune artiste elle-même ?

Enfin, la cruauté mentale dont Nathalie Simard fut l'objet n'est pas innocente elle non plus. Les insultes et les mesquineries la blessaient d'autant plus qu'elles venaient d'un homme prétendant agir comme un père, et d'un grand frère qui était un modèle pour elle.

L'impresario, en particulier, se vantait volontiers de ses exploits avec de jeunes femmes dont il gérait la carrière. S'était-il jamais confié de ses « prouesses » avec Nathalie Simard elle-même ? C'est toute la communauté artistique de l'époque qui se trouve éclaboussée par les frasques et les abus de cet homme considéré comme un leader. Ses pairs ne lui ont-ils pas rendu hommage en l'an 2000 ? Au fait, qu'attend l'ADISQ pour le renier publiquement ? Après tout, c'est bien dans le cadre de son travail de gérant d'artistes et de producteur qu'il a commis ses crimes...

[Étrange retour de l'Histoire, tout de même : ce sont maintenant des femmes qui dirigent trois des plus grandes maisons de production de disques et de spectacles...]

Finalement, nous sommes tous un peu complices des crimes dont Nathalie Simard a été victime. Nous avons donc tous une dette envers elle.

Elle est apparue dans notre vie collective, le 26 mai 2005, un peu comme ce petit bonheur que le chansonnier a trouvé tout en pleurs sur le bord d'un fossé. Il nous reste, comme Félix Leclerc, à nous en occuper. Si nous nous y prenons bien, peut-être qu'un jour nous pourrons nous aussi chanter : « Alors le p'tit bonheur a fait sa guérison... »

Avec le temps, Nathalie est devenue, comme l'autre victime de son agresseur, une «survivante». Ce n'est pas assez. Elle doit à présent être une «vivante».

Battante, elle l'est déjà. Elle s'est jetée à corps perdu dans «sa» Fondation. Elle veut s'y consacrer «jusqu'à son dernier jour». Toutefois, le malheur des autres est lourd à porter... et Nathalie Simard ne doit pas se contenter d'une carrière de victime.

Il est temps que Nathalie Simard pense à elle. Elle a autre chose à faire que de prononcer des conférences sur la maltraitance. Elle est aussi une jeune femme de trente-six ans, et elle a beaucoup de talent. C'est plus qu'il n'en faut pour rebâtir une vie...

Chanter, elle le fait toujours aussi bien, voire mieux qu'autrefois. La télévision est un média qu'elle maîtrise. Le théâtre est un art qu'elle possède. En un mot, elle doit aussi reprendre sa carrière d'artiste.

Quant à la femme, je lui ai souvent dit, au cours de nos discussions, qu'elle mérite d'aimer et d'être aimée par un homme qu'elle aura elle-même choisi. «Je crois encore à l'amour. Je crois encore que j'ai le droit de vivre quelque chose de beau», me répondait-elle.

Pour l'instant, Ève est sa seule famille. Mais peut-être – pourquoi pas? – la petite fille voudrait-elle, un jour, avoir un petit frère ou une petite sœur!

Car Ève, elle aussi, mérite que cette histoire se termine bien. Elle a joué un rôle important auprès de sa mère, en particulier depuis que celle-ci a repris sa vie en main. Elle est présente, tout simplement, tantôt témoin silencieux, tantôt compagne réconfortante. Elle fait preuve d'un courage et d'une force de caractère surprenants pour une petite fille de son âge.

Elle tient sans doute ces qualités de sa mère. Pour cette raison, je lui ai dédié ce livre...

Pout tout renseignement

Nathalie La Fondation
1100, boul. René-Lévesque ouest, bureau 2305
Montréal (Québec) H3B 4N4
Tél. : (514) 868-6284
www.nathalielafondation.canoe.com

Cet ouvrage a été composé en Times New Roman
corps 12,5/14,5 et achevé d'imprimer au Canada
le 30 novembre 2005 sur les presses de Quebecor World
Lebonfon, Val-d'Or.